ONE sheet

1シート
マーケティング

三浦崇典　ポプラ社

SEVEN
Takanori
Miura

MARKETING

CREATIONs

1シート・
マーケティング

なぜ「稼ぐ(マーケティング)力」が人生をエンターテインメント化させるのか?

皆さんに質問です。

もし、今皆さんがロールプレイング・ゲームの直中(ただなか)にいて、ひとつだけ現実世界に持ち帰ることができるスキルを習得できるとしたら、いったい、どんなスキルを選ぶでしょうか?

こんなスキルが選択肢に並ぶかもしれません。

自由な時間を増やすスキル

人生をエンターテインメント化できるスキル

多くの人に必要とされるスキル

愛する人たちを養うスキル——

いい選択肢ばかりで、どれかひとつなんて選べないと思う人もいるかもしれません。

でも、もし、そのすべてをひとつのスキルが統合して叶えてくれるとしたのなら、皆さんはどう思うでしょうか?

ぜひ、そのスキルを手に入れたいと思うことでしょう。

——それこそが「稼ぐ力」です。

特に、どう変化するかわからないこれからの時代、確実に必要になるのは、個々人の「稼ぐ力」ではないでしょうか。

誰かのせいにして何とかなっていた時代はもう終わっています。これからは個々人が「稼ぐ力」すなわち「マーケティング力」を身につけなければならない（詳しくは第０講で説明します）。

　企業に在籍していても同じことです。自分の食い扶持くらいは自分で稼がなければならないという、至極当然の時代になります。僕らの祖父母の世代が頑張った遺産で何とかなる時代は終わったのです。

　自分たちで、稼ぐ。

　自分たちで自由をつかみ取り、「人生をエンターテインメント化」させる。

　そして、「人生」という自分のビジネスを持続可能にさせる──。

　今回、皆様にお送りするのは、本質的な「稼ぐ力」を身につけ、「人生をエンターテインメント化」させるための本です。

　これからは、「マーケティング」が必須になります。

　今までは所属する企業などの「稼ぐ（マーケティング）力」に依存していればよかったのですが、副業が解禁され、個々人の名前で世間と向き合わなければならなくなったときに、自分の経歴やスキルを「お金やお金と同様の何か」に変換できる力がどうしても必要となります。

　あるいは、小さなかたちで個人事業主として独立したり、起業したり、フリーランスとして生きる道を選ぶ人も増えてくるでしょう。

　そのときにも、必須になるのは「稼ぐ力」、すなわち「マーケティング力」です。

　マーケティングは、もはや大学の商学部やどこかの国の経営大学院で誰かが習っていた科目、ではなくなります。我々が身に付けなければならない必須のスキルになります。タッチタイピングのよう

に、当たり前に身に付けなければならない、スキルとも呼べないくらいに当たり前のことになります。

　もしかして、英語は翻訳機が肩代わりしてくれるかもしれません。でも、どうでしょうか、「稼ぐ力」は誰かが肩代わりしてくれるでしょうか？　そう、我々、個々人が習得しなければなりません。でも、難解でとっつきにくく、基本書のページ数が1,000ページにも及び、習得に数年間を要するものであれば、我々のスキルとはなりえない。

　今回、僕が提供するのは、高校生でも理解可能な稼ぎ方（マーケティング）です。

　この本を正しく応用すれば、高校の文化祭の模擬店でも成果を上げられるでしょう。なぜなら、基本的な考え方は、「1シート」すなわち「紙一枚」に集約されるからです。その「1シート」で大学時代に没頭した演劇で収益を上げられるかもしれません。「1シート」を使って、実家で放置されている荒廃した農園で新しいレベニューモデル（収益のモデル）を考えられたら面白いでしょう。

　実を言えば、前々から、この「1シート・マーケティング」という理論体系は固まっていました。

　この理論を使いこなし、おかげさまで僕が経営する天狼院書店は、出版不況と呼ばれる直中、全国に店舗とサービスを広げており、2020年までに10書店1スタジオを開設し、運営しております。また、天狼院書店は、複合的事業が結集した業態であり、「天狼院トラベル」の旅行事業、「海の出版社」の出版事業、「天狼院カフェ」のカフェ事業としても展開していて、その面で言えば、僕は「シリアル・アントレプレナー（連続起業家）」のようなものということになります。

　また、「1シート・マーケティング」は会社の経営ばかりではなく、僕のプロカメラマンとしての事業を拡大させるのにも大いに役立っ

ています。

　僕が提供する「秘めフォト」という女性限定のフォトサービスは、サービス開始から4年余りで1,700名様以上にご利用いただき、リピート率も極めて高く、最初は福岡から始まったサービスですが、東京、京都、名古屋、大阪にサービスを広げています。派生サービスとして「秘めフォトBIRTH」というマタニティ・フォトサービスもスタートしています。多い月には月に15,000枚ほど撮影し、6,000枚ほどお客様に納品しています。

　理論が実践的であり、使えることは、「エビデンス（実績）」が示しています。当社の会議では、売上を立てるのも、新規事業を立ち上げるのも、新店舗を設計するのも、ピンチから脱却を図るときにも、使うのは「1シート・マーケティング」です。この理論なら、誰もが理解して実践的に使えるからです。

　ただ、「1シート・マーケティング」を本にするにあたって、ひとつ、問題がありました。それは、読者の皆様がこの理論をどうすれば使いこなして実際に稼げるようになるか、という「再現性」の問題でした。

　今回、満を持して本の出版を決めたのは、その「再現性」の問題に対して、完全なる解決法を見出したからです。この内容なら、大人は元より、高校生でも「稼ぐ力」を身につけられるというところまで昇華することができました。

　つまり、マーケティングの「マ」の字すら触れたことのない方でも、この本は役立てていただけると考えています。

　その内容に至ることができたのは、本の企画が出版社の企画会議を通過した後も数年かけて内容を煮詰めたからです。年間数万点が世の中に出て、自然淘汰されほとんどは消えていく出版というビジ

ネスモデルで言えば、その制作方法は効率的ではないかもしれません。ですが、僕は本屋として役に立たない本を世の中に出してはならないという矜持（きょうじ）があり、今回の本の内容に拘りました。この本の内容の言葉を予習的に使ってしまえば、内容重視の「コンテンツ主義」でこの本を作りました。

その間には、九州の大手地銀である西日本シティ銀行さん、パーソルラーニングさん、立命館大学さんの講座や僕が講師を務める大正大学での講座、そして僕が経営する天狼院書店で展開する「天狼院のゼミ」で実証実験を繰り返し、内容を煮詰めました。

受講された多くの皆様からのフィードバックや課題でのやり取りを通して、「1シート・マーケティング」の内容は"結晶化"されたと考えています。

こうして、本の形にまとめることができました。

この本では、まず第1編で、「1シート・マーケティング」の基本理論である「7つのマーケティング・クリエーション」の内容を徹底して理解していただきます。

と言っても、それほど難しいものではありません。マーケティング用語をまったく知らなくてもまるで問題ありません。まずは、マーケティングがあまり得意でないという方でも親しんでもらえるために、マーケティングの正体を探る「マーケティング・ジャーニー」というお話を用意しました。これを読めば、皆さんのお父さんお母さん、お祖父さんお祖母さんは元より、皆さんに至るまでのすべての先祖が「マーケティング」、つまりは「稼ぐ」ことをしてきたおかげで皆さんがいることを理解してもらえると思います。そして、誰もがすでに「マーケティング」というゲームのプレイヤーであることが皆さんのなかで明瞭になるでしょう。

第1編では、「7つの要素」すべてを丁寧に解説していきます。それは「ストーリー」「コンテンツ」「モデル」「エビデンス」「スパイラル」「ブランド」「アトモスフィア」の7つですが、マーケティングに以前から興味のある方のために言えば、これら7つの要素にはビジョンや商品開発やターゲティングやセールスフォースの構築やビジネスモデル、課金モデル、KPI、マネジメント、ファイナンス、ブランディング、事業計画書の作成などの論点もしっかりと網羅しています。

（＊これまでマーケティングに興味のなかった方はこのような単語は無視して大丈夫です）

　つまり、この本1冊で、ビジネスにおける主要素の"コア"のすべてを網羅すると言ってもいいでしょう。超実践的な論点にすべて落とし込んでいます。なにせ、僕は学者ではなく、あくまで実業家ですから、実践的で再現性がなければ意味がないと考えています。

　本書は講義形式で進めて行きますが、途中途中の理解度を深めるために、また皆さんのビジネスに実際に活かしてもらうために、「月20万円新しく稼ぐための56の質問」を用意しました。それぞれのファンクション（ファンクション0も含めて、8要素）ごとに7問、章末に用意しましたので実際に答えられるか試してみてください。もし、すべてに明確に答えることができれば、かなりマーケティングを理解しているということなので、「月20万円新しく稼ぐこと」はそんなに難しいことではありません。

　答えられなかった方も、答えられるまでこの本を読み倒していただければ、実際のビジネスに活かせるようになるでしょう。

　もし、まだ自分がやりたいビジネスが決まっていない、という方がいれば、ぜひ、「テーマ課題」をご利用ください。

1　荒廃した農園

2　売れないアイドルグループ

3　田舎の映画館

を、「1シート・マーケティング」でいかに立て直すかを思考実験してみてください。役に立つという意味もありますが、何より楽しいので妄想してみてください。

　そうなんです、ビジネスやマーケティングは、ゲームのように楽しむと習得が早いのです。

　月20万円では物足りない、という方のために、実際にビジネスを創るための「6つのメーカー・シート」もご用意しました。

（＊ダウンロードできるHPを用意しています）

　この本を読めば、「6つのメーカー・シート」の埋め方がわかるはずです。「6つのメーカー・シート」を用意しておけば、皆さんが本格的にビジネスをする際に、多くの場面で必要となる「事業計画書」も簡単に書くことができるようになります。しっかりと構築できていれば、銀行の融資を得ることもできるレベルになると想定しています。少なくとも、僕の会社はこのやり方で、多くの金融機関から融資を受けつつ、規模を拡大させています。

　第1編が基礎編だとすれば、第2編は応用編です。

　第1編で理解した「1シート・マーケティング」やビジネスの仕組みを、第2編ではさらに「システム」つまりは「仕組み」として理解できるような構成にしています。「1シート・マーケティング」が実際のビジネスでは全体の仕組みとしてどう機能するかを理解することによって、マーケティングの全体像が把握できるようになります。

第3編は、歴史上の人物や実際のビジネス16ケースを「1シート・マーケティング」で解析し、詳しく説明しました。

　この3編と、実際の講座のワークショップや課題で実績のある「56の質問」と「6つのメーカー・シート」によって、皆さんに実践的な「稼ぐ力」を身につけていただければと考えています。

　想像してみてください。

「稼ぐ力」、すなわち「マーケティング力」を身につけた後の自分を。
皆さんは、「稼ぐ力」をどう人生に活かすでしょうか?
そして、どんな"理想の状態"を思い描くでしょうか?

　少なくとも、「マーケティング」やビジネスに興味を持ち、「マーケティング」が面白くなれば、自分の今の仕事にも新しい面白さを見つけ出せるようになると思います。

　そして、実際に今より「稼ぐ」ことができるようになれば、人生が開けるイメージを持つことができるのではないでしょうか。

　「稼ぐ力」を身につけ、「マーケティング」に興味を抱き、人生が娯楽のように楽しくなる──。

　まさに、人生のエンターテインメント化の始まりです。

　この本が、一人でも多くの皆さんの人生のお役に立てればと思っています。

　それでは、まずはマーケティングの正体を探る「マーケティング・ジャーニー」という壮大な旅に出発しましょう。

　皆さん、準備はよろしいでしょうか?

三浦　崇典

Strategy

稼ぐ力を身につけるための
「1シート・マーケティング」攻略法

「1シート・マーケティング」で大切にしているのは、"再現性"です。
皆さんの「稼ぐ力」を向上させるために、本書には様々な
"仕組み"が込められています。その全体像をここで把握しておきましょう。

第1編 7つのマーケティング・クリエーション〔基礎編／ BASE METHOD〕

【テーマ課題】 次のテーマで「新しく月20万円稼ぐためのマーケティング戦略」を考えよ。

① 荒廃した農園　② 売れないアイドル・グループ　③ 田舎の映画館

■ ブランド認識の要因

需要過多の継続 ="需要"が"供給"を
超えている状態が続くこと〔行列〕

実績 =エビデンス×量〔信用〕

外観的エビデンス =有力メディア／
有力者による紹介実績〔話題性〕

デザイン性 =ストーリー×パッケージ〔見た目〕

実績 =既存ブランド×異業種参入〔期待〕

人 =キャラクター×サービスの質〔キャラクター〕

■ セールスフォース

■ キー数値

(△)「売上」を上げる
→「売上」上がりにくい
(○)「キー数値」を上げる
→「売上」上がりやすい

■ ポジティブ率の方程式

現実値 =
〈実数値〉
試算 ×(1 − ポジティブ率)

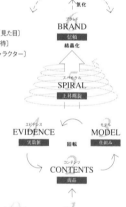

(中央図)
ATMOSPHERE アトモスフィア
空気
↑ 気化
BRAND ブランド
信頼
結晶化
SPIRAL スパイラル
上昇螺旋
EVIDENCE エビデンス　実数値　　MODEL モデル　仕組み
回転
CONTENTS コンテンツ　商品
↑
INCENTIVE インセンティブ ---→ STORY ストーリー
動機　　　　　　　　　　　　　　旅立ちの理由

■ 教室理論

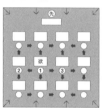

■ マネジメントの方程式

戦略 × 遂行率 × 工数 = 売上

■ レベニューモデル(右ページ)

└ 4次元アプローチ

■ 売れるパッケージ化

ネーミング／表装／ストーリー

■ 人生エンターテインメント化

"理想の状態" = 稼ぐ力 × 稼ぐ時間
(円／月)　(円／時)　(時／月)

第2編

マーケティング・システムを読み解く

〔応用編／ TOPICS〕

「1シート・マーケティング」の基礎を習得したら、次に「7つのマーケティング・クリエーション」の全体のシステムが実際にはどう機能するのかを、12のトピックを通して学んでいきます。

第3編

1シート解体新書

〔ケース・スタディ／ CASE STUDY〕

「1シート・マーケティング」はあらゆるビジネスを1枚で書き表すことができます。実際に"1シート解析"したビジネスを16ケース用意しました。"1シート解析"ができると世の中を「マーケティング思考」で見るようになります。

6つのメーカー・シート

実際にビジネスを組み立てる際に、皆さんの大きな助けになるが「6つのメーカー・シート」です。これさえしっかりと組み上げられれば、銀行等に提出する事業計画書を作るのも難しくないでしょう。＊各章末にダウンロードできるHPの案内があります

1	ストーリー・メーカー《ストーリー構成表》	4	エビデンス・メーカー《レコーディング・システム》
2	コンテンツ・メーカー《商品開発シート》	5	スパイラル・メーカー《持続可能計算書》
3	レベニューモデル・メーカー《レベニューモデル設計図》	6	ブランド・メーカー《ブランド・アプローチ戦略》

ブランド・システム

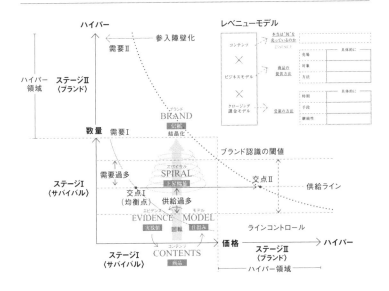

「1シート・マーケティング」公式 YouTube チャンネル

本書は実際に行われている「稼ぐ力を身につける1シート・マーケティング講座」とリアルタイムで連動しています。「1シート・マーケティング」公式 YouTube チャンネルでは有料講座の一部と様々なオリジナル・コンテンツを無料で受講することができます。ぜひ、チャンネル登録をお願いします。

1	1シート・ビジネスブック・レビュー
2	1シート解体新書〔ケース・スタディ／ CASE STUDY〕
3	1シート解体新書　受講生課題公開フィードバック
4	〔特別講義〕マーケティング・システムを読み解く

チャンネル登録
お願いします☞

CONTENTS

目次

（はじめに）　なぜ「稼ぐ（マーケティング）力」が人生を
エンターテインメント化させるのか?──────2

稼ぐ力を身につけるための
「1シート・マーケティング」攻略法──────10

第1編

7つのマーケティング・クリエーション
〔基礎編／BASE METHOD〕

マーケティングの正体を探る
「マーケティング・ジャーニー」

誰もがすでにマーケティングという名のゲームに参加している──────22

2万3000年前のシベリアに
「マーケティング」の痕跡が見られる──────25

縄文時代は「マーケティング的ユートピア時代」である
〜1万年のユートピア〜──────28

秦の始皇帝らが日本のマーケティングを劇的に変えた?──────31

産業革命がもたらした供給爆発と需要爆発の時代──────34

マーケティングの複雑化、そして「経済」が顕在化される──────36

極めてシンプルな「マーケティングの正体」──────40

なぜマーケティングを極めると、
人生が"エンターテインメント化"するのか?──────43

超シンプル理論「7つのマーケティング・クリエーション」とは?——47

「7つのマーケティング・クリエーション」の全体像——48

月20万円新しく稼ぐための「56の質問」 ⓪インセンティブ——53

テーマ課題——56

第*1*講 ビジネスは「再定義」によってまた蘇る
〔ストーリー／STORY〕

「ストーリー」は、そのビジネスが世の中になければならない理由——58

なぜ「欲望」がなければマーケティングは成功しないのか?——62

「ストーリー」は容易に陳腐化する～顧客の正体～——66

ビジネスは"ストーリーの再定義"によってまた蘇る——69

「順風満帆」や「消えない」ストーリーを掲げると
熾烈な戦争に巻き込まれる——72

月20万円新しく稼ぐための「56の質問」 ①ストーリー——75

6つのメーカー・シート1 ストーリー・メーカー——77

第*2*講 主戦力を「商品開発」に回せ
〔コンテンツ／CONTENTS〕

なぜ「コンテンツ主義」がすべての問題を解決するのか?——80

なぜ「コンテンツ主義」が最もコスパがいいのか?——84

「コンテンツの質」を上げるのにはコストがかかる——90

商品開発をするときには"売れるようにパッケージ化"せよ——94

「コンテンツの質」を上げるために、最も必要なのは
"才能"ではない——96

「必然的な事故」の積み重ねが"企業秘密"となる——99

月20万円新しく稼ぐための「56の質問」　②コンテンツ————101
6つのメーカー・シート2 コンテンツ・メーカー————103

第3講　収益を上げる「レベニューモデル」を構築せよ〔モデル／MODEL〕

なぜ「モデル主義」は破滅するのか?————106

「ビジネスモデル」ではなく「レベニューモデル」を構築しよう————109

銀行が本質的な意味で売っているものは何なのか?————113

「ビジネスモデル」は“商品の提供方法”のことである————116

商品の“値付け”は非常に難しい～プライシングの作法～————120

「課金モデル」を構築する際の鉄則～“期限の利益”から考える～————123

支払いの「手段」は、提供側と顧客とのメリットの綱引きである————126

「サブスクリプション」は、なぜ“理想の課金モデル”なのか?————127

スモールビジネスにおける「サブスクリプション」の可能性————132

完成したレベニューモデルを“拡張”しよう————135

「4次元アプローチ」で商機(チャンス)を拡大させる
～派生型レベニューモデル～————137

他業種へのチャレンジ～応用型レベニューモデル～————138

オプションを用意して顧客の追加需要を捉えよ
～追加型レベニューモデル～————140

現代型「1万年のユートピア」の構築方法
～レベニューモデルの多様化～————142

月20万円新しく稼ぐための「56の質問」　③モデル————145

6つのメーカー・シート3 レベニューモデル・メーカー————147

レベニューモデル分布図————150

第4講 "キー数値"で「売上」を極大化しよう〔エビデンス／EVIDENCE〕

なぜ売上は"必ず"残酷な数字で僕らの前に現れるのか？
〈売上残酷物語〉────154

あなたの甘さを浮き彫りにする「ポジティブ率の方程式」とは？────158

売上を上げたいときに注目すべきは売上ではない
～魔法の数字"キー数値"とは？～────161

「キー数値」をズラすと新しい業態が生まれる────163

売上をいかに「因数分解」するかがフィードバックの鍵になる！────165

セールスフォースがエビデンスを決める～販売力～────169

月20万円新しく稼ぐための「56の質問」 ④エビデンス────174

6つのメーカー・シート4 エビデンス・メーカー────176

第5講 "マネジメントの方程式"で「旋回力」を維持せよ〔スパイラル／SPIRAL〕

なぜ優れたマーケティング戦略があっても
売上が上がらないのか？────180

極めてシンプルな「マネジメントの方程式」で考える────182

遂行率を上げるためにできる3つの方法────186

織田信長の戦略を「マネジメントの方程式」で読み解く────188

働く時間を少なくしたい場合の「マネジメントの方程式」────190

「JR九州」の躍進の理由は、
戦略の天才唐池氏と"遂行率"の掛け算である────191

マネジメントは、いかに"必要工数"を確保するか────194

"必要経費"は、"必要工数"を活かすために必要な経費────197

マーケティング戦略の実現可能性を高める
「5つのマネジメント力」————————198

「儲けよう」と思うと結果的に失敗する理由〜持続可能性の担保〜——199

月20万円新しく稼ぐための「56の質問」 ⑤スパイラル————203

6つのメーカー・シート5 スパイラル・メーカー————————205

第6講 行列の先にあるものの正体 「ブランド認識」〔ブランド／BRAND〕

ブランドは結果論であり、客観的なものである————————208

ブランドは"共同幻想"に過ぎない————————————210

ブランドは『恋愛論』の"結晶作用"と同じである
〜ブランド認識〜————————————————212

好きになる理由は十人十色である〜ブランド認識の発生〜————213

ブランドは顧客を"思考停止"させる〜ロイヤルティ〜————————217

ブランド化のメリットは高額化ではなく、価格の自由設定権にある——220

「ブランド・システム」でブランドのメリットを読み解け————225

ブランド認識があらゆる交渉を優位にさせる————————227

月20万円新しく稼ぐための「56の質問」 ⑥ブランド————229

6つのメーカーシート6 ブランド・メーカー————————231

第7講 "教室理論"が「流行」を作る 〔アトモスフィア／ATMOSPHERE〕

なぜ"流行"はコントロール不能なのか?————————————234

その流行は"一時的"なものなのか、あるいは"恒久的"なものか?
〜見極め〜————————————————————236

あのとき、僕は本当にローラースケートが欲しかったのか
〜光ＧＥＮＪＩ症候群〜—————————————————————239

空気を作る「教室理論」とは？—————————————————————240

「教室理論」の原理を応用して"買いたい空気"を作る
〜タッチポイントの配置〜—————————————————————243

今なお広告代理店や大資本がマーケティングの王者である理由— 245

コントロール可能な"小さな空気"は
マーケティングに非常に役立つ—————————————————————247

狙うは「ブランド」以上、「流行」未満—————————————————————248

月20万円新しく稼ぐための「56の質問」 ⑦アトモスフィア—————252

テーマ課題の回答例—————————————————————260

第2編

マーケティング・システムを読み解く
〔応用編／TOPICS〕

第1講 革命のマーケティング
ストーリーの再定義—————————————————————274

第2講 錬金のマーケティング
マネタイズ論—————————————————————277

第3講 持続のマーケティング
持続可能性の構築—————————————————————280

第4講 逆境のマーケティング
ピンチを科学する—————————————————————283

第5講 一夜城のマーケティング
外観的ブランド戦略—————————————————————286

第6講	遊牧民のマーケティング	
	砂漠と中原の理論	289

第7講	起業のマーケティング	
	タイムリミットの延長	292

第8講	フリーランスのマーケティング	
	エビデンス主義	295

第9講	農業のマーケティング	
	マーケティングの依存	298

第10講	田舎のマーケティング	
	既得権益の作り方	302

第11講	殺し屋のマーケティング	
	コンテンツ主義	306

第12講	戦争のマーケティング	
	マーケティングの機能不全	309

第3編

1シート解体新書
〔ケース・スタディ／CASE STUDY〕

CASE 1	阪急電鉄と小林一三	
	日本屈指の天才起業家にしてイノベーター	314

CASE 2	織田信長	
	マーケティング視点により戦国最強の大名に	316

CASE 3	ジャパネットたかた	
	セールスフォースの最大活用で飛躍	318

CASE 4	ビジネスYouTuber 有料コンテンツの無料配信で得るものとは?	320
CASE 5	コミケの壁サークル 商業出版が名刺代わりになる「独立クリエーター」	322
CASE 6	Amazon 進化論的に成長をする自然淘汰の勝者	324
CASE 7	イーロン・マスク 「ストーリー主義」の起業家が世界一の大富豪に	326
CASE 8	ソフトバンク 最強セールスフォースで世界を席巻する	328
CASE 9	小劇団をめぐるマーケティング 需要と供給のアンバランス	330
CASE 10	俺のイタリアン レベニューモデルの発明	332
CASE 11	Netflix 「マネジメント」の成功がすべての成果の源	334
CASE 12	里山十帖 ブランド戦略の勝利	336
CASE 13	カルチュア・コンビニエンス・クラブ 需要の必然的縮小と「ストーリーの再定義」	338
CASE 14	JR九州と観光列車 遂行率×天才的アイデアが感動を生む	340
CASE 15	富山の薬売り "先用後利"モデルによる需要の増大	342
CASE 16	P・T・バーナム 『グレイテスト・ショーマン』のマーケティング	344

(おわりに) **人は何のために稼ぐのか**————————346

装丁　黒岩二三
本文デザイン　黒岩二三・長澤貴之

第1編

7つのマーケティング・クリエーション

〔基礎編／BASE METHOD〕

BASE
METHOD

マーケティングの正体を探る「マーケティング・ジャーニー」

誰もがすでにマーケティングという名のゲームに参加している

さて、いよいよ始まりました、「稼ぐ力を身につける1シート・マーケティング講座」ですが、まずはオリエンテーションに代えまして、今回はこんなお話をしようと思っています。

> ・生きている人は誰もがマーケティング・プレイヤーである理由
> ・2万3000年前のシベリアの遺跡に「マーケティング」の痕跡が見られる？
> ・ほとんどの戦争は「マーケティング」の失敗から起きる
> ・マーケティングの正体とは？
> ・なぜマーケティングが人生をエンターテインメント化させるのか？
> ・超シンプル理論「7つのマーケティング・クリエーション」とは？

多くの方の頭の上に「？」が浮かんだのではないでしょうか。

それもそうでしょう。マーケティングと聞けば、世界中のMBAの授業で教科書として取り上げられているフィリップ・コトラー先生の大著『コトラー&ケラーのマーケティング・マネジメント』が頭に浮かぶでしょう。あるいは、ビジネススクールや商学部などでもマーケティングは教えていますが、きっと、こんな論点で話して

1 ストーリー

2 コンテンツ

3 モデル

4 エビデンス

5 スパイラル

6 ブランド

7 アトモスフィア

いる講座は、ここ以外にないはずです。

　結論から言ってしまいますと、今回、僕が皆さんにお伝えしたいのは、

> **誰もがすでにマーケティングという名のゲームに参加している**

という事実です。

「何を言っているんだ？　マーケティングなんて、今まで一度もやったことがないぞ」

　もし、そういう方がいたとしても、おそらく、その方でなくても、実は親しい方が肩代わりしてマーケティングをしているかもしれません。たとえば、高校生の方がいたとすれば、おそらく、親御さんなどの親族の方が、マーケティングしていると考えられます。

　初めに言っておきたいのは、

> **マーケティングとは、とても身近なことで、**
> **意識的あるいは無意識的に、**
> **大多数の人が人生の一部としてすでにやっていること**

ということです。

　決して、難しいことではありません。こう言うと混乱に拍車をかけてしまうかもしれませんが、僕に言わせれば、犬だって、たんぽぽだってマーケティングをしているということになります。

　それは、いったい、どういうことなのか？

　まずは、わかりやすくするために、ここでマーケティングを定義してしまいましょう。この講座で言うところのマーケティングとは、MBAで教えているマーケティングよりも、はるかに広い範囲を網羅します。「広義のマーケティング」と言ってしまってもいいかもし

れません。僭越ながら、コトラー先生やピーター・ドラッカー先生
が言うところの「マーケティング」よりも、かなり広く、本質的な
意味でその言葉を使っています。なぜなら、僕はマーケティングを
こう定義するからです。

マーケティングとは、稼ぐことである。

こうも表記できるでしょう。

マーケティング力＝稼ぐ力

　大きく出たな、と思う方もいるでしょう。けれども、こう定義し
てしまわないと、マーケティングの目的が一向に見えてこないので
す。
　そもそも、我々は、なぜマーケティングをしなければならないの
か。
　これを考えることなくして、マーケティングを本質的な意味まで
理解することは不可能です。
　結論から言いますと、我々がマーケティングをする究極の目的は、
「生命活動を存続させるため」です。至極シンプルな答えに帰結して
しまうのです。
　こうも言えるかもしれません。
　マーケティングなくして、我々がこうして存在している理由を説
明できないと。
　それは、どういうことなのか？
　皆さん、突然ですが、一緒にはるか太古の世界へとタイムスリッ
プしましょう。太古に遡り、マーケティングの正体を突き止めてみ
ましょう。

2万3000年前のシベリアに「マーケティング」の痕跡が見られる

想像してみてください。

はるか遠い太古の昔、我々の祖先の一部は、シベリアの大地に住んでいました。バイカル湖にほど近い地域で、なんと、マンモスを獲って生活していたのです。マンモスは貴重な食料になるのはもとより、その皮は防寒のために用いられ、骨や牙は住居や様々な道具、装飾品に姿を変えました。今からおよそ100年前、1928年に発見されたマリタ遺跡が2万3000年前の人々の生活を、現在の我々に物語っています。

その当時、その地域に住む人類にとって重要だったのは

獲ったマンモスの数

でした。

たとえば、数十人の集団がいたとして、彼らが1年「生命活動を存続させる」ために必要なマンモスの頭数が4頭だとすれば、彼らにとってのマーケティングの目標は「4頭」だったことになります。これは、現在の我々が考える「売上」の考え方ととても近い。たとえば、小さな喫茶店を営んでいるとして、5人の家族を養うために必要な売上が年に600万円だとすれば、それを売り上げなければ、基本的に生活が成り立たないのとまったく同じことです。

ただ単に、2万3000年前のシベリアでは、売上ではなく、おそらく頭数が「エビデンス（実数値）」になっただけの話です。

重要なのは、その集団の「生命活動を存続させる」こと。

ところがその太古シベリアでの人類の生命活動は、2万年ほど前に痕跡が見られなくなります——つまりは、何らかの理由で、マー

ケティングが成り立たなくなりました。

　この集団の多くは、その後、東に向かったのがわかっています。ある一団は、凍っていたベーリング海峡を渡り、アメリカ大陸に向かい、そして、ある一団はサハリンや北海道から、日本に向かったと考えられています。

　彼らは何を求めて移動したのでしょうか？

　そうです、今で言うところの「売上」です。売上に相当するもの、つまりは、「生命活動を存続させる数値」を求めて移動しました。

　次に彼らの目的、「エビデンス（実数値）」となったのは、マンモスよりも小さい、けれども大型の動物でした。急速な温暖化により、森林が繁茂し、マンモスのような超大型動物がいなくなったからです。それも集団の生命活動を存続させるために頑張って獲っているうちに、なんと、狩り尽くしてしまいました。ちょうど、現代でも魚を獲り尽くさないように漁獲量を制限しようとしたりしますが、太古より、どうやら人間の本質は変わらないようです。

> マンモスの数
> 大型動物の数
> 小型動物の数

　と、人類が目的とするエビデンス（売上などの実数値）は、時代と環境によって変わっていきます。

　これを単純に現代の売上に置き換えると、こんなイメージでしょうか。

> マンモス1頭＝1億円の売上
> 大型動物1頭＝100万円の売上
> 小型動物1匹＝1万円の売上

　これを見ると一目瞭然でしょう。人類、ピンチです。マンモス1頭の"供給"で賄（まかな）える分の"需要"と大型動物1頭の"供給"で賄える分の"需要"は大きく違います。マンモスがたくさん獲れた時代はよかったよね、と回顧しても始まりません。しかも、獲物の個体数も減ってきている。

　つまり、腹減った、食べたいよの「需要」に対する獲物の「供給」が圧倒的に足りない状況になったということです。式で表すとこうなります。

　需要（お腹が減った量）＞供給（獲れた食べ物の量）

　ちなみに、この時代は基本的に「自給自足」だったのでとてもわかりやすく、供給源から直接、需要地に供給物、つまり獲物がもたらされます。現代とは大きく違って、需要と供給がほとんど隣接していたのです。つまり、平原や山林などの供給源から動物を獲り、需要地である集落にそのまま持っていく。家族のために狩りをして獲物を家に持って帰るというその行為こそが、即、その時代の「マーケティング」、すなわち「稼ぐこと」だったと言えます。「自給自足」は極めてシンプルな型をしていますので、「単純マーケティング」と言えるでしょう。

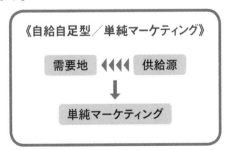

《自給自足型／単純マーケティング》

需要地　◀◀◀◀　供給源

↓

単純マーケティング

　ところが、狩り尽くして供給量が激減すると、遠くの平原や山林

に行っても、なかなか獲物に出遭えなくなります。はたらけどはたらけどなお我が生活楽にならざりの境地です。

　でも、そんなことで滅びる我々の祖先ではありません。マーケティングを違った方面に向けたのです。つまり、狩猟から木の実などの採集へと「業態転換」したのです。

　もう、フィルムの時代じゃないよね、と富士フイルムが医療分野へと舵を切ったのとまるで同じことです。

　木の実と言えばドングリがありますが、幼いときにドングリを食べたことはありますか？　僕は田舎育ちで、実際に食べたことがあるのですが、渋くてとてもじゃないが食べられない。そこで登場したのが、煮るという技術です。土器を作って、煮て木の実の渋抜きをする方法を見つけたのです。土器には縄で文様をつけるようになりました。

　そうです、縄文時代の始まりです。この日本の縄文時代は、マーケティング的に見て、極めて安定していた時代と言えるかもしれません。なぜなら、縄文時代はおよそ1万年も続くからです。

縄文時代は「マーケティング的ユートピア時代」である 〜1万年のユートピア〜

　なぜ日本の縄文時代は1万年も続いたのでしょうか？

　1万年とは、現在の西暦のほぼ5倍になります。文化人類学的に、あるいは自然人類学的になぜ続いたのかは、僕には定かではありませんが、マーケティング的に見てはっきりとしていることがあります。

　つまり、1万年持続可能だった、ということは、その期間、マーケティング的に安定していた可能性が高い、ということです。つまり、縄文時代はマーケティング的にはユートピア時代だったのでは

1 ストーリー

2 コンテンツ

3 モデル

4 エビデンス

5 スパイラル

6 ブランド

7 アトモスフィア

ないでしょうか。

おそらく、こんな簡単な式が成り立つでしょう。

需要≦供給

「お腹が減った量」以上に、「供給される食べ物の量」があったという意味です。

これが、1万年続いたのだから、こうも言えるでしょう。

（需要≦供給）×1万年間＝1万年のユートピア

ユートピアとは、理想郷のことです。もっとも、様々な災害や争いがあったでしょうけれども、事実として縄文時代は1万年続いています。

マーケティング的に見て、そこでは何が起きていたのでしょうか？

日本には様々な縄文時代の遺跡がありますが、そこに見えるマーケティング的な痕跡は、まさに「試行錯誤」、トライアル＆エラーの連続だったようです。我々の先祖は数々の失敗の上に、なんとか集団の「生命活動を存続」させてきました。

剝けばそのまま食べられ、木材が住居にも使える"栗林"が大集落を維持していた時期もあったようですが、気候の変動によって、栗が採れなくなると、その集落は消滅します。つまり、単一の供給源だけに頼っていたので、それを失ったときにマーケティングを維持できなくなったのです。

現代でも、同じような状況を見かけるはずです。紙の書籍が売れなくなり、倒産する出版社が急増しました。それは、単一の供給源にだけ頼った結果、需要に対応できなくなったからです。まさに、栗

林のみに頼った集落と同じ結末を迎えます。

　ところが大手の出版社の中には、うまくマーケティングして生き残っている、それどころか隆盛しているケースが見られます。彼らがやったのは「多様化」です。紙が売れないのならと、漫画を中心とした書籍を電子化するなど、デジタル商品に力を入れるようになりました。また、ファッション雑誌で紹介した服がそのまま買えるECサイトをオープンし、通販にも参入するようになりました。

　まさに、縄文時代に生き残った集団は、マーケティング的に同じような戦略を採ったでしょう。つまり、稼ぐ方法を「多様化」したはずです。

　栗林だけに頼ることなく、狩猟も続け、ドングリも土器で煮て、やがて原始の稲を取り入れ、原始稲作を始め、様々な状況に臨機応変に対応したものと思われます。つまり、マーケティング的にこんな式が成り立ったと考えられます。

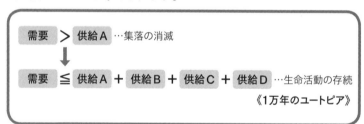

　極めて合理的なマーケティング・アプローチが「1万年のユートピア」を現出させたのでしょう。実は、この公式こそ、これからの時代に必須となる公式なのですが、詳しくは後の講義でお話ししましょう。

　意外にも1万年も続いた縄文時代ですが、2,300年ほど前に終焉を迎えます。そのとき、日本でマーケティング的に何が起きていたのでしょうか？

　いや、中国大陸で、と言ったほうが正確かもしれません。

秦の始皇帝らが日本のマーケティングを劇的に変えた？

　秦の始皇帝が、中国の春秋戦国時代を終わらせて、初めての皇帝、すなわち始皇帝として在位していたのは、紀元前221年から紀元前210年頃だったと言われています。

　ちょっと待って、と勘のいい方なら気づいたはずです。それって、日本の縄文時代が終わった時代と、あまり遠くない時代なのではないか、と。

　ちなみに、春秋戦国時代は、一説では中国古代の統一王朝周が実質的な支配力を失った紀元前770年頃から始皇帝が即位した紀元前221年頃のことを指すと言いますから、今からおよそ2,800年前から2,250年前までだった——つまり、中国の春秋戦国時代終盤に、日本の縄文時代が終焉を迎えていたということです。

　宮城谷昌光さんの春秋戦国時代を題材にした小説や、大ヒット漫画『キングダム』を読んだことがある方なら、想像しやすいかもしれません。当時、中国では案外容易に国が滅んでいました。征服され、国を失った人々が新天地として日本に渡ったのです。いわゆる「渡来人」の多くが、そうして日本にたどり着いた人々でした。

　渡来人が日本にもたらしたものは、当時世界でも最新鋭の技術でした。今に繋がる稲作の技術や様々な道具や概念をもたらしました。現代でも、アメリカから新しいITの技術がもたらされ、技術革新が起きる場合がありますが、それよりかなりダイナミックな変化が、何波にもわたってもたらされます。

　彼らが日本人にもたらしたのは、当時最新の稲作や技術などのいいことだけではありませんでした。戦争の概念ももたらしました。

　ここで、戦争の火種となる「闘争」が起きる過程をマーケティング的に見ていきましょう。実に簡単に「闘争」は起きてしまいます。式にしてしまえば、こうです。

（需要＞供給）×n期間＝闘争着火

　ある一定の期間（n期間）、必要な需要を満たす供給が得られない
状況が続いた場合、その集団では闘争が起きてしまう可能性が生じ
てくる、という意味です。恐ろしいことに、このn期間が長ければ
長いほど、また需要と供給の差が大きくなればなるほど、闘争は拡
大する可能性が大きくなります。

　闘争が拡大した状態のことを、人は「戦争」と呼びます。

　こうも言えるかもしれません。

　多くの戦争は、マーケティングの失敗から起きると。もしかして、
マーケティングさえ成功していれば、起きなかった戦争も多くあっ
たかもしれません。

「戦争のマーケティング」については、第2編で詳しくお話ししま
しょう。

　今は、渡来人と縄文人の話です。

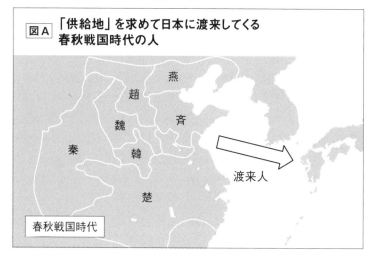

図A　「供給地」を求めて日本に渡来してくる春秋戦国時代の人

渡来人

春秋戦国時代

マーケティング的に見れば、中国春秋戦国時代の戦乱がもたらした「余剰な需要」、すなわち渡来人が日本になだれ込んで「供給地」を求めた、ということになります。穏やかに暮らしていた原始日本人は、当然、自らの需要を満たすための「供給地」を死守しなければならなかったでしょう。相手は戦争に慣れています。相当苦戦した跡が、数々の遺跡に残されています。ところが、やがて、この渡来人と縄文人が融和することになります。そして、我々現代の日本人が生まれるのです。

弥生時代の始まりです。

以後、実に江戸時代の終盤まで、日本のマーケティングは単純で一様でした。たしかに、平清盛や足利義満、織田信長などが現れ、一時期、政策として貿易を志向した人々はいましたが、全体としては非常に単純でした。

ある一つの供給物に、マーケティングの意義のほとんどが集約されました。

そうです、米です。

なにせ、江戸時代の武士たちの給料は「石高」換算、つまりは、どれだけ米が採れる領地なのかで判断されていたので、米は貨幣のような価値を持っていたということです。

米を生み出す供給地「水田」をいかに保有するかがマーケティングのメイン目標となりました。すなわち、武士の時代とは米の供給地の奪い合い、ということになります。

世界では、大航海時代が始まり、世界最初の株式会社とも言われるイギリスの東インド会社やオランダの東インド会社が誕生した時期、日本では徳川幕府が鎖国令を発して、文字通り、一部を除いて、マーケティング的に閉ざされてしまいます。

日本が新しいマーケティングの世界にさらされるのは、実質的にペリー来航以降のことです。

産業革命がもたらした供給爆発と需要爆発の時代

　産業革命によって生まれた工場は、同じものを短期間に、かつ、大量に供給することが得意です。いわゆる技術革新による大量生産です。すなわち、理論上、次のような状態を容易に作り出すことができました。

需要≦供給

　この安心もあって、急激に人口も増えました。供給量を予め担保できれば、集団は安心して需要を伸ばすことができます。それが過ぎると、大きな供給量を消費するために、需要を拡大させる、という方向に行きます。

　工業製品は多岐にわたるようになり、人の欲望は拡大し、需要も多様化しました。これまではほとんど、衣食住が需要のメインであり、大部分だったのに、それ以外の需要も生まれることになりました。娯楽やさらなる利便性です。

　このあたりから、マーケティングが複雑になってきました。ただ単に、人は衣食住が足りればよしとしなくなってきたのです。これに伴い、マーケティングの目的も変化します。

　これまで、

その集団の生命活動を維持すること

　がマーケティングの究極的な目的だったのに、それでは済まなくなってきました。たしかに、それまでも封建社会の支配階級においては、大昔からその傾向はありましたが、一般市民にも目的の拡大が起きたのです。

マーケティングのビッグバンと言ってもいいでしょう。

マーケティングの目的が、こう"変異"しました。

その集団、あるいは個々人の"理想の状態"を維持すること

そう、集団から個々人への推移。そして単純な生命活動の維持から、理想の状態、すなわち「幸せ」の維持へと人の欲望は次第に肥大化していきました。「幸せ」と感じる下限が高騰してしまったのです。

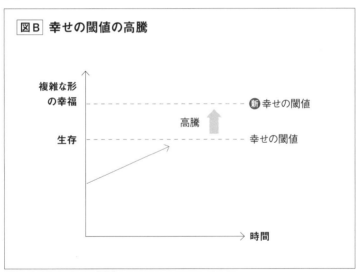

図B 幸せの閾値の高騰

複雑な形の幸福 ──── 新 幸せの閾値

高騰

生存 ──── 幸せの閾値

時間

これを「幸せの閾値の高騰」と呼びます。

これに合わせて、マーケティングは多様化し、一部で高度化していきました。

マーケティング的に見れば、とても面倒な時代になったのです。

1 ストーリー
2 コンテンツ
3 モデル
4 エビデンス
5 スパイラル
6 ブランド
7 アトモスフィア

マーケティングの複雑化、そして「経済」が顕在化される

　もう一度、我々人類、特に日本人の来し方を振り返って、どのようなマーケティングが機能していたのか見ていきましょう。

　まずは、自分たちの家族で必要な分（需要）は、自分たちで獲る／採る（供給する）という単純なマーケティングの形、すなわち自給自足型でした。

　ところが、集落が大きくなってくると、他の家族の分も代わりに供給することも出てくるでしょう。狩猟の得意な人は狩猟に、採集が得意な人は採集に行き、それぞれの成果物をシェアしたことが考えられます。

　また、一緒に子守をする代わりに、まとめて洗濯に行ってもらうということもあったでしょう。集団による助け合いが自然と発生し、そこに小さな社会が誕生したことでしょう。

　社会が進むと、利便性を追求し、金銭と同じ機能を持つ代替物が登場します。それを使って、代理してもらった分を支払う。原始的な社会では、「作為」すなわち「行動」で対価を支払うか、金銭的な何かで支払うか、あいまいだったこともあったでしょう。

　マーケティング的に見て、代理報酬型の時代です。

　集団がさらに大きくなり、社会が安定し成熟してくると、供給物（あるいはサービス）の提供が専門化していきます。大型動物を獲り、肉を捌いて売る人と、木の実を煮て売る人が現れるというイメージ

1 ストーリー
2 コンテンツ
3 モデル
4 エビデンス
5 スパイラル
6 ブランド
7 アトモスフィア

```
          《代理報酬型》
     ◀提供

 需要  ◀◀◀◀  供給
        対価▶
         ┌《作為的》作為（行為）での支払い
         └《金銭的》金銭等での支払い
```

です。社会が成熟すると、それが金銭的なもので取引されることになります。また、社会が大きくなっていくと、ライバルが現れるようになります。

　そこで、"需要をめぐる供給者間の競争"が生じ、マーケティングの重要性が顕著になってきます。原始競争マーケティングの始まりです。マーケティングに優れている者が、より多くの需要を獲得します。

　ひとつ、ここで重要なポイントを確認しておきましょう。

"需要をめぐる供給者間の競争"が生じるようになり、原始競争マーケティングが始まる前までは、マーケティングは非常に単純でした。

「その集団の生命活動を維持すること」が目的だったので、その集団全体の「需要（空腹）」に対して「供給（食料）」すればよく、単純に「需要（空腹）≦供給（食料）」の図式が目的に適う圧倒的な正義でしたが、需要を争う競争が始まると、「需要と供給」の考え方が逆転します。マーケティングを担う競争当事者の個人の視点が入るからです。

　つまり、競争当事者の個人の視点からみると、「需要≧供給」の状態、つまり「需要過多」の状態のほうが、仕事が増える可能性が高くなるので好ましいということになります。

需要を多く獲得した個人が、多くの対価（金銭等）を獲得するようになります。

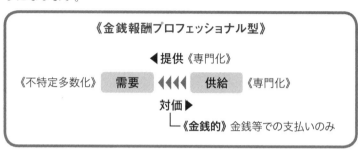

また、最小の共同体とも言える「家族」の形成についてもそうでしょう。

男女の区別なく、パーソナル・マーケティングに優れている者が、基本的に望んだ伴侶を得ることになります。つまり、恋愛もマーケティングの良し悪しで成否が分かれます。

さらに社会が成熟し、技術が進化して、マーケティングの目的が「生命活動の維持」から「理想の状態の維持」へと進化していくと、「理想の状態」は次第に複雑化し、人はなかなか衣食住があるだけでは「幸せ」とは感じられないようになります。すなわち、それに合わせて「需要の多様化」が急速に進行します。当然、それに合わせて、供給も多様化せざるをえなくなります。

簡単に言えば、それまで栄養が摂れればよかったのが、白米でなければ満足できなくなり、ラーメンを食べたくなり、昔ながらの中華そばでは満足できずに、味噌ラーメンや豚骨ラーメンが食べたくなるといったように、欲望が複雑化していき、供給側はこれに合わせて商品開発をしなければならなくなる、ということです。

需要と供給が専門化の上に多様化されると、対価、すなわち金銭等での支払いが増えるので、金銭等の重要性が高まり、その流れが

```
            《多様型》

          ◀提供《専門化／多様化》
《不特定多数化》  需要  ◀◀◀◀  供給  《専門化／多様化》
  《多様化》
          対価▶
            └《金銭的》金銭等での支払いのみ
```

加速度的に速まります。簡単に言えば、お金が重要になり、お金が不特定多数の人の間を急速に流れるようになります。

　そして、元々存在してはいましたが、それほど重要視されなかった「経済」が顕在化します。我々が言葉としてよく使う経済とは、無数のマーケティングの結果なのです。

　原理をひもといていくと、決して難しい話ではないはずです。「理想の状態を維持する」ために、マーケティングが活発に行われただけの話で、「理想の状態」が多様化したために、マーケティングも多様化しただけです。

　こうして見てくると、マーケティングをこう言い換えることができることに気づいたのではないでしょうか。

マーケティングとは、需要に対して、供給すること

　そして、こうも言えます。

経済とは、需要と供給の流れのことである

　改めて考えてみると、極めて単純なことですよね。一緒に旅してきたように、我々人類の祖先たちは、このシンプルなことを繰り返してきただけなのです。このシンプルなことを繰り返してきたから

こそ、我々はこうして存在しているのです。ただ、それが複雑に見えるだけ、あるいは、我々が勝手に複雑にしているだけなのです。

いよいよ、「マーケティングの正体」がわかってきたのではないでしょうか。

極めてシンプルな「マーケティングの正体」

マーケティングは、需要をいかに捉えて、それに対していかに供給するかに尽きます。

図式的に単純明快、それほど難しいことではなく、見てきたように、我々の祖先は誰もがマーケティングをやってきました。

遠い昔の祖先だけではありません。我々の曽祖父母や祖父母、父母、そして我々自身も、意図するかしないかにかかわらず、それをマーケティングと呼ぶかどうかにかかわらず、日々、マーケティングをしています。究極的に言えば、生命活動の存続に、マーケティングが欠かせないからです。

ただし、断っておかなくてはならないことがあります。

誰もがマーケティングをやっているが、目指すマーケティングは一様ではない、個別に違っている、違っていいということです。

もう一度、定義を振り返ってみましょう。

> ### マーケティング＝稼ぐこと

稼ぎ方も、稼ぐ量もそれぞれが決めればいいということです。

これからの講義において、「1シート・マーケティング」、すなわち「7つのマーケティング・クリエーション」を使って、具体的な稼ぎ方を一緒に学んでいきますが、どう人生に応用して染み込ませるかは皆さん次第です。

もっと具体的に言えば、「マーケティングの目的」は個々人で大きく違うということです。

「マーケティングの目的」の一般的な定義はこうでした。

> **その集団、あるいは個々人の"理想の状態"を維持すること**

まずは、自分で「理想の状態」、つまりは「自分の幸せ」を決めるところから、マーケティングは始まります。

仮説であって構いません。なぜなら、性質上、「理想の状態」は、状態が上がるにつれて逃げ水のように遠ざかってしまうものだからです。月収30万円あればいいと思っていた人も、実際にそれに到達すると、多くは月収50万円を目指したくなるものです。そうです、先ほど触れた「幸せの閾値の高騰」がまさにこれです。

ただ、逃げ水現象はそれに到達してから考えればいいことなので、まずは仮説として「理想の状態」、つまりは「自分の幸せ」を設定します。

ここは、目一杯、妄想してください。どんなビジネス・ライフを送りたいのか、あるいは、どんなプライベート・ライフを送りたいのか、人々にどう貢献したいのか、何を得たいのか。

その自由な妄想こそが、皆さんの「マーケティングの目的」、つまり、第一段階のターゲットになります。

そこから、逆算して「手段としてのマーケティング」を組み上げていけばいいだけのことです。

ここで、一つ注意点があります。

危険なのは、マーケティング自体が目的化してしまうことです。

マーケティングは、「理想の状態」を維持するための"手段"に過ぎません。決して、目的ではないのです。常に目的は手段の上位でなくてはならず、マーケティングに限らず、この主従関係が崩れる

1 ストーリー
2 コンテンツ
3 モデル
4 エビデンス
5 スパイラル
6 ブランド
7 アトモスフィア

とあらゆる事象で概念が破壊されます。

　たとえば、弁護士資格を取ることは単に手段に過ぎず、どういう弁護士になり、どうやって世の中の役に立ちたいかという目的がなければ、手段が本当の意味で活きることはありません。他にも、こんな言い方もされるでしょう。結婚はゴールではなく、スタートだと。その先に本当の結婚の目的があります。

　マーケティングも一緒で、手段としてのマーケティングを目的にしてしまうと、それよりも先に本当に大切なことがあるのに、大切なことを蔑ろ_{ないがし}にしてしまうことにもなりかねません。

　本当は、幸せな家庭を築くために稼いでいたのが、結果的に稼ぐこと自体が目的になり、家庭を蔑ろにしてしまった、ではあまりに本末転倒で寂しいですよね。

　この点にだけ留意してもらえれば、マーケティングは非常に楽しい。

　正しいアプローチをして成果が出れば、マーケティングは、楽しすぎて病みつきになります。

　なぜなら、マーケティングとは、想像以上の興奮と快楽をもたらす"リアル・ゲーム"だからです。
『信長の野望』や『三國志』などのシミュレーション・ゲームをやるように、部分部分で成功し、マーケティングの領域が拡大するにつれて、いい意味で中毒性を帯びてきます。

　しかも、得られるスコアが、「金銭」であることが実にわかりやすい。

　それだけではありません。マーケティングを極めていくと、「金銭」よりもはるかに貴重なものを手にできるようになります。

　それは、いったい、何なのでしょうか？

なぜマーケティングを極めると、
人生が"エンターテインメント化"するのか？

　マーケティング、すなわち、稼ぐことが人生にもたらすものは、想像以上に大きなものです。たしかに、金銭も、もたらします。ですが、それよりも重要なものを、我々はマーケティングによって得ることができます。

　それが、何なのか、一緒に考えていきましょう。思考実験です。

　たとえば、月に30万円稼がなければ、自分が考える"理想の状態"を維持することができないとしましょう。それで、時給で換算すると稼ぐ力が1,000円くらいだったとしたらどうでしょう。

　単純計算です。

> 30万円÷1,000円／時＝300時間

　300時間、働かなければならないことになります。

　月30日として、毎日10時間、休みなしで30日すべて働き、ようやく目標の30万円を稼ぐことができるということになります。

　これは、こうも置き換えられます。

> "理想の状態"（円／月）÷稼ぐ力（円／時）＝稼ぐ時間（時／月）
> "理想の状態"（円／月）＝稼ぐ力（円／時）×稼ぐ時間（時／月）

　つまり、「"理想の状態"を維持するために必要な費用」が高ければ高いほど、「稼ぐ力」を高める、あるいは、「稼ぐ時間」を増やさなければならない、ということです。

　ただし、稼ぐ時間を増やすのには限度がありますよね。先ほどの例で言えば、毎日10時間、休みなしで30日すべて働くのは、実際

1 ストーリー
2 コンテンツ
3 モデル
4 エビデンス
5 スパイラル
6 ブランド
7 アトモスフィア

は難しいと思います。

　だとすれば、焦点を当てるべきは、そうです、"稼ぐ力"ということになります。

"稼ぐ力"、すなわち"マーケティング力"さえつけることができれば、"稼ぐ時間"を減らすことができます。あるいは、"理想の状態"を上方修正すること、つまりは高めることだってできるのです。

　こうも言えるのではないでしょうか。

> **"稼ぐ力"、すなわち"マーケティング力"さえつけることができれば、人生の多くの問題を解決することができる**

　なぜなら、"稼ぐ力"は人生にとって、おそらく最も重要なものをもたらすからです。

　実際の職業で、一緒に考えてみましょう。

　たとえば、ある程度"稼ぐ力"のある結婚式のカメラマン、ウエディング・フォトグラファーは1日に5万円稼ぐことができます。もし、その人の"理想の状態"が月に30万円で十分に実現することができるのならば、なんと、月に6日間働くだけで、それを満たすことができます。

　そうなると、どうでしょうか。それ以外の日のすべてを映画鑑賞や他の趣味に充てることができるでしょうし、旅先で壮大な風景を、今度は趣味として撮ることもできるでしょう。子育てに費やす時間だって十分に確保することができるでしょう。もちろん、違う仕事に費やすことだってできます。

　もし、そのカメラマンがさらに"稼ぐ力"、すなわち"マーケティング力"を身につければ、さらに"自由"が増えます。

　そうです、マーケティングがもたらす最も貴重なものは"自由"なのです。

　もう少し言うと、不自由からの脱出です。これは、会社に勤めている人も、独立している人も、会社を経営している人も変わらないことです。

　"稼ぐ力"を身につけなければ、やれること、任せられることは限られてきます。こうも言えます。もし、あなたが人生に不自由を感じているのであれば、それはあなたが立つ場所で、"稼ぐ力"を示せていないからかもしれません。

　図を見ていきましょう。

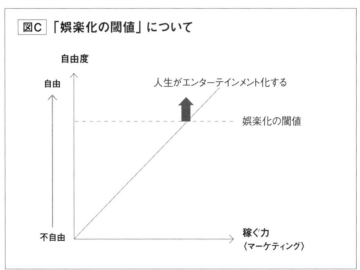

図C 「娯楽化の閾値」について

自由度
自由
人生がエンターテインメント化する
娯楽化の閾値
不自由
稼ぐ力
〈マーケティング〉

　"稼ぐ力"が高くなればなるほど、自由度が増してきます。同時に、世の中の役に立っているという実感が伴うようになり、"稼ぐ"こと自体が楽しくなっていきます。そして、ある値を超えると、人生がエンターテインメント化していきます。

　その人生がエンターテインメント化するときに超える最小の値を「娯楽化の閾値」と言います。人によってこの値は違いますが、不自由の雲を抜けて、自由な晴れ間に出るようなもので、実に爽快なも

のになります。

"稼ぐこと"、ひいては"働くこと"が娯楽化してしまえば、"働くこと"自体でストレス解消ができてしまうので、非常にエコな人生となるでしょう。

ある偉大な歌うたいが、大昔にこんなことを言ったそうです。

> What's money? A man is a success if he gets up in the morning and goes to bed at night and in between does what he wants to do.
>
> （金がなんだ？　朝起きて夜寝るまでの間に、
> 好きなことができていれば、その人は成功者だ）

その偉大な歌うたいは、歌うたいなのに、ノーベル文学賞を受賞しました。

そうです、その歌うたいこそが、ボブ・ディランです。

ボブ・ディランがこの言葉で描いた「成功者」が持っているものこそが、"自由"であり、その"自由"をもたらしたものこそが、"稼ぐ力"なのではないでしょうか。

自由を手に入れるために、稼ぐ力を身につけ、人生を娯楽化させる。

そして、朝起きて夜寝るまでの間に、好きなことをする。

働くことが、好きなことだったら、もう成功者でしょうし、また、時間を自由に使えるのも成功者でしょう。

皆さんは、どんな"理想の状態"を思い描くでしょうか？

また、いよいよ、"稼ぐ力"を身につけたくなってきたのではありませんか？

超シンプル理論「7つのマーケティング・クリエーション」とは？

ここまでのポイントを振り返ってみましょう。

> "稼ぐ力"とは、"マーケティング力"のことで、
> マーケティングとは、需要に対して、供給すること。
> マーケティングの目的は、"理想の状態"を維持すること。
> そして、"理想の状態"とは、それぞれの幸せのことです。

そうです、はるか遠い太古の昔から我々の祖先も、お祖父さんお祖母さんも、お父さんお母さんも、そして皆さんもしてきていることが、マーケティングなのです。

ただ、意識的にマーケティング力、すなわち稼ぐ力を身につけるかどうかで、人生が大きく変わってきます。

それでは、どうすれば、マーケティング力を高めることができるのか？

これも、難しいことではありません。

田舎の暴走族で昔やんちゃをしていました、という人の会社が繁盛して、都会の超有名大学を優秀な成績で卒業しました、という人の会社が潰れるのは、単に、"マーケティング力"があるかどうかの話でしかなく、ここに学校での成績はほとんど関係ありません。

マーケティング力を高め、稼ぐ力を身につけるために必要なことは、マーケティングのポイントを押さえて、それを実際の人生に活かすことです。

しかも、それがなんと、「1枚のシート」で理解できるとなれば、皆さんもやれそうな気になりませんか？

非常にシンプルな1枚のシートで、マーケティングを理解し、極める。

1 ストーリー

2 コンテンツ

3 モデル

4 エビデンス

5 スパイラル

6 ブランド

7 アトモスフィア

それこそが、「1シート・マーケティング」です。

　そして、その「1シート・マーケティング」を構成しているのが、これも実にシンプルな理論「7つのマーケティング・クリエーション」です。

「7つのマーケティング・クリエーション」とは、7つのポイントを押さえればマーケティングがやりやすくなります、という意味です。

　注目してほしいのは「クリエーション」のところです。ここで言う「クリエーション」とは“創造”のことで、単に「7つのマーケティング・スキル」ではなく、「クリエーション」という言葉を使っているのは、マーケティングは、『3びきのこぶた』の末っ子がレンガの家を積み上げるように、下から丁寧に積み上げなければ狼に吹き飛ばされてしまうからです。

　そうです、単に「ビジネスモデル」や「ブランディング」という言わば各論のトピックを作ろうとしても、うまくいくはずがありません。それは家を作ることで言えば、煙突や窓をつけると言った部分的なことでしかなく、マーケティングは、家全体をどう作るかを設計しなければうまくいくはずがないからです。

　設計と言っても、難しい話ではありません。

　なにせ、A4の紙1枚に収まってしまう話なのですから。

「7つのマーケティング・クリエーション」の全体像

　まずはざっと「7つのマーケティング・クリエーション」の全体像を見ていきましょう。それぞれの項目については次回からの講義で詳しく解説しますね。

　家は“基礎”という土台部分をしっかりと構築しないと非常に不安定です。マーケティングにおいて、まさに家の“基礎”のような

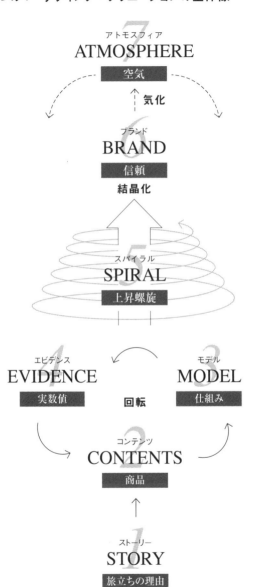

図D 7つのマーケティング・クリエーションの全体像

土台部分に当たるのが「ストーリー」です。

　簡単に言えば、「ストーリー」とは、「そのビジネスが世の中になければならない理由」のことです。「ストーリー」を土台として、すべてのマーケティングは組み上げられていきます。

「ストーリー」に基づいて、「コンテンツ」すなわち「商品／サービス」を用意します。売れるからこれを売る、では特にこれからの世の中では通用しません。その背景に、物語るべき「ストーリー」がなければ顧客は納得しないのです。

「コンテンツ」をどうすれば最適な形で顧客に提供できるかを考えるのが「モデル」です。これも間違ってはいけないのが、そもそもある程度質の高い「コンテンツ」がないと「モデル」は意味をなさないということです。「ビジネスモデル」を考えるのは非常に楽しく、同時に非常に容易ですので、「モデル」に多大な時間を費やして、それをマーケティングだと勘違いしている人が多いですが、ここは徹頭徹尾「コンテンツ」が主であり、「モデル」が従の関係性です。この逆からアプローチすると、かなりの確率で失敗します。

「ストーリー」という土台があり、それに基づく「コンテンツ」の質が高くなり、お客様への提供の形である「モデル」が最適な形になっていくと、ここまでの講義でもたびたび登場してきた売上などの実数値「エビデンス」が上昇します。つまり、それに至るまでのすべての要素の構築がうまくいかないと売上が上がらないということです。

　マーケティングは、すべて丁寧に、真面目に構築していかないとうまくいかないのです。まさに『3びきのこぶた』の末っ子のように真面目な子が得をするという、至極わかりやすい構図になります。

　売上、つまり「エビデンス」は一時的に上がっても意味はありません。はるか太古の昔、シベリアでマンモスを1頭獲ったくらいで、その集団を10年以上養い続けることなんて、無理な話だろうと思

います。重要なのは、"持続"させることです。"理想の状態"を維持するために必要なのが、少しずつ改善し、上昇させながら回し続けること、すなわち「スパイラル」です。

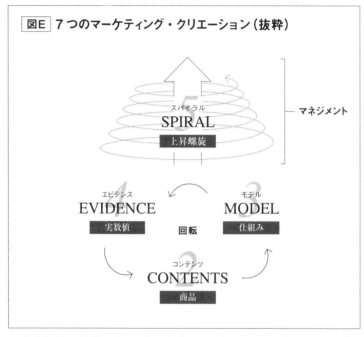

図E 7つのマーケティング・クリエーション（抜粋）

5
スパイラル
SPIRAL
上昇螺旋

マネジメント

4
エビデンス
EVIDENCE
実数値

回転

3
モデル
MODEL
仕組み

2
コンテンツ
CONTENTS
商品

売上などの結果である「エビデンス」からフィードバックを受けて改善し、「コンテンツ」の質が少しずつ上昇し、「モデル」が最適な状態に少しずつ近づくと当然「エビデンス」が少しずつ上昇します。ただし、この"回転"を維持するためには回すための"労働工数"を確保しなければなりません。一人の部署やビジネスなら自分が頑張ればなんとかなりますが、ビジネスの規模が拡大すると、チームや大組織で対応せざるをえなくなります。必要な"工数"を確保する、いわゆる"マネジメント"に当たるのが「スパイラル」の部分です。

この「7つのマーケティング・クリエーション」では、マネジメントはマーケティングを機能させるための一要素に過ぎないと捉えています。

　「スパイラル」がうまく機能していくと、皆さんが大好きな「ブランド」にようやく到達します。そうなのです、「ブランディング」という言葉を聞いたことがある方が多いでしょうが、「ブランディング」とは、「ストーリー」を構築し、質の高い「コンテンツ」を用意し、最適な「モデル」を見つけ、堅実な「エビデンス」を上げ、しかもその上昇螺旋的な成長「スパイラル」を維持した先に、ようやく乗るようなかたちで「ブランド」を見出すという、すべての工程のことを指します。しかも、「ブランド」とは、外から客観的にそうみなされるだけであって、自分から「ブランド」です、と言うべきものではないのです。

　この先に、流行を作る「アトモスフィア」がありますが、流行を作るのは難しく、リスクも非常に高く、維持することはほとんど不可能なので、実際に我々がマーケティングである程度実現性が高く、そして再現性が高く目指せるのは、「ブランド」までと考えてもらって結構です。「ブランド」も、「スパイラル」を維持できた結果として現れますので、要素において、積極的に我々がアプローチし、構築し、考えなければならないのは主に「スパイラル」の部分までだと言ってもいいでしょう。

　次の講義からは、いよいよ、「7つのマーケティング・クリエーション」の一つひとつの要素を詳しく見ていきましょう。

1 ストーリー

2 コンテンツ

3 モデル

4 エビデンス

5 スパイラル

6 ブランド

7 アトモスフィア

月20万円新しく稼ぐための「56の質問」　⓪インセンティブ

　実は、「7つのマーケティング・クリエーション」と言いながら、"稼ぐ力"、すなわち"マーケティング力"を身につけるために、決して、おろそかにできない要素がもう一つあります。

　それが、我々がビジネスをする動機、すなわち「インセンティブ」です。

　いわば、ビジネスを始める発火点であり、ビッグバンだとも言えます。「7つのマーケティング・クリエーション」を始める前の前提条件のような要素なので、"0番目の要素"と言ってもいいかもしれません。

　次回の講義は、この「インセンティブ」についても詳しくお話しします。

　その前に、この講義の最後に、月20万円新しく稼ぐための「56の質問」のうち、まずは最初の7つの質問を出しておきましょう。「インセンティブ」に関わる質問ですが、次回の講義の前に予習として、この7つの質問の答えを考えておいてください。

　では、次回の講義でお会いしましょう。

FUNCTION ファンクション 0
インセンティブ

0-1 そのビジネスは「世の中」に何をもたらしますか？
《ビジョン》

0-2 そのビジネスは「あなた」に何をもたらしますか？
《インセンティブ》

0-3 そのビジネスに対して強い動機（欲望）はありますか？
《欲望の強度》

0-4 その「インセンティブ」は誰のためですか？
《インセンティブの主性》

0-5 そのビジネスを起こすことに対して使命感はありますか？
《使命感》

0-6 その「ビジョン」は「インセンティブ」を満たしますか？
《包含性》

0-7 継続に対して支障はありますか？《障壁》

　0-1は《ビジョン》についてで、皆さんが作るビジネスが「世の中」に何をもたらすかを明確に答えられるかどうかがポイントです。

　0-2は《インセンティブ》についてで、皆さんが作るビジネスが皆さん自身に何をもたらすかを答えてください。

　0-3の《欲望の強度》は非常に重要で、インセンティブの強さ、つまりは"絶対値"はどれほどなのかを自身に問いかけてください。ここが弱いと、必ず、ビジネスはうまく行きません。

　0-4は《インセンティブの主性》についてで、誰のためにそれを行うのかという問いです。たとえば、家族の幸せのためであればかなり強烈になる可能性が高いのですが、先々代の社長、祖父のためであるとすれば、高いとは限らなくなります。

0-5は《使命感》についてですが、これはヒロイズム的な考えがインセンティブになる場合は重要になります。

　0-6は《包含性》についてで、「世の中のため（ビジョン）」が「自分のため（インセンティブ）」にもなればそれに越したことはありません。

　0-7の《障壁》は、たとえば、家業を継ぎたいのに第一継承者である兄がいる、などという場合は障壁になります。また、大きな投資が必要な場合は、資金不足も障壁になるでしょう。年齢や体調が障壁になる場合もあります。

1 ストーリー

2 コンテンツ

3 モデル

4 エビデンス

5 スパイラル

6 ブランド

7 アトモスフィア

次のテーマで、それぞれ月に20万円稼げるように、 「1シート・マーケティング」せよ

1 荒廃した農園

2 売れないアイドルグループ

3 田舎の映画館

まずは、まだ「1シート・マーケティング」について詳しく知らない今の段階で、自由に「1シート・マーケティング」を使って、3つのテーマで自分ならどうやって月に20万円稼げるようにするか、思考実験してください。

また、今回書いた「1シート・マーケティング」を最後まで取っておき、講義をすべて終わったときに、どんな「1シート・マーケティング」に進化するか確かめてください。

「7つのマーケティング・クリエーション」の要素、一つひとつがわかるようになると、「1シート・マーケティング」の精度が上がります。

なぜなら、「1シート・マーケティング」で現れるのは、いわば氷山の一角であって、海面下には様々なメソッドやシステムが眠っているからです。

講義が進むごとに、この海面下に眠るメソッドがわかるようになってきます。

お楽しみに。

また、稼ぐ力を身につける「1シート・マーケティング講座」は、実際に行われている講座です。各クラスで提出される課題に対する公開フィードバックも、毎週、YouTubeで行っています。ご覧になりたい方は、次のQRコードからチャンネル登録してください。

受講生の皆様が描いた無数の「1シート・マーケティング」をご覧いただくのは、面白いと思います。毎週、予測不能の様々なシートが上げられています。

1 ストーリー

2 コンテンツ

3 モデル

4 エビデンス

5 スパイラル

6 ブランド

7 アトモスフィア

ビジネスは
「再定義」によってまた蘇る
〔ストーリー／ STORY 〕

「ストーリー」は、そのビジネスが世の中になければならない理由

　前回は、はるか太古までタイムスリップして、皆さんと一緒に「マーケティングの正体」について考えてきました。「1 シート・マーケティング」の超シンプルな理論「7 つのマーケティング・クリエーション」についても全体をざっと見ましたが、ここからはいよいよ、「7 つのマーケティング・クリエーション」の要素一つひとつを詳しくお話ししていきます。

　まあ、しかし、そんなに難しい話ではありませんので、ご安心ください。

　今回はこんな話をしていこうと思っています。

> ・なぜ "欲望" がなければマーケティングは成功しないのか?
>
> ・ストーリーの本質とは?
>
> ・なぜ 2 代目はビジネスを潰すのか?
>
> ・ "衰退産業" は、いったい、何が「衰退」しているのか?
>
> ・あなたが出会う「顧客」の正体とは?

　今回のテーマは、「ストーリー」です。そして、「インセンティブ」。

1 ストーリー

2 コンテンツ

3 モデル

4 エビデンス

5 スパイラル

6 ブランド

7 アトモスフィア

「7つのマーケティング・クリエーション」が建物だとすれば、「ストーリー」はその基礎部分に当たる、非常に重要な部分です。「ストーリー」がグラついていたのでは、建物、すなわちそのビジネスが崩れ落ちてしまいます。

　端的に言ってしまえば、高度経済成長期には「ストーリー」が明確でなくとも、物やサービスは売れました。

　なぜなら、「欲しい‼」という人の多さに比して、物やサービスが圧倒的に足りていなかったからです。

　そう、前回も述べた需要と供給の関係です。

爆発的な需要＞爆発的な供給

　この状態では、ともかくあれば売れました。

　2匹目のドジョウのみならず、3匹目も4匹目も、下手をすると5匹目のドジョウもありえました。たとえ、プライドが低い、パクリだったとしても欲望の数のほうが勝っていたので、容易に売れました。

　バブル崩壊まで経済が伸びていたということは、前講でお伝えしたとおり、需要と供給のボリュームがかなり豊富であったということなので、「プライドなき商品」、すなわち「ストーリー」を無視した商品でも売れました。

　僕の小学生の時分、ロッテのビックリマンチョコがシールを目当てに大いに流行り、正規のビックリマンチョコは、どこも売り切れでした。それで多くの子供たちが買えなかったので、仕方なく、ガチャガチャのビックリマンのパクリシールを買う人も現れました。そのシールには、「ロッテ」ではなく「ロッチ」と書かれていたのにもかかわらず、です。

　味噌ラーメンを全国に広めた「どさん子」は家族連れに大人気で、

それに目をつけた「どさん娘」が同じような業態でまったく違った
ところから現れたときも、消費者の中には同じ会社と混同していた
人もいたのではないでしょうか。

　ところが、現代はどうでしょうか?

　平成を経て、令和の時代を生きている我々の周りは、すでに物や
サービスが溢れています。そして、技術の進歩で、大抵の商品は比
較的安価であっても質が高い。つまり、我々の時代のマーケティン
グでは、その商品やサービスの機能のみならず、"付加価値"の部分
が競合との差別化において重要な役割を果たすようになりました。

　その最たるものが「ストーリー」なのです。

　物がなかった時代には、テレビや冷蔵庫、洗濯機など、「機能を持
つ物やサービス」が供給されれば購入されました。これはマーケ
ティング的に非常にやりやすい時代だったと言えます。

　なぜなら、今の時代は、「高い機能を持つ物やサービス」を用意し
た上で、その商品やサービスが生まれた「ストーリー」も、顧客が
納得のいくかたちで、あるいは、顧客が応援できるかたちで明示し
なければなかなか購入してもらえなくなったからです。

　有り体に言ってしまえば、非常に面倒くさい時代になった、とい
うことです。

　ただし、面倒くさいからこそ、ここにチャンスが生まれます。

　面倒なことをクリアしてしまえば、他と差別化できて、頭一つ抜
けることができるからです。また、対顧客のみならず、社内や仲間
に対しても、「ストーリー」の明示は非常に役に立ちます。

　たとえば、有名なところでは、次のようなものがあります。

「ヒューマン・ヘルスケア(hhc)」エーザイ
「『はかる』を通して世界の人々の健康づくりに貢献していくこと」タニ
タ

1 ストーリー

2 コンテンツ

3 モデル

4 エビデンス

5 スパイラル

6 ブランド

7 アトモスフィア

「たしかに聞いたことがある」「なるほど、そういう商品やサービスを出しているよね」と納得するはずです。そこで働く人にしても、自分たちが何のために働いているのか明確で、迷ったら、ここに立ち返ればいい。

　逆に、現代において、自分のビジネスであっても、自分が所属する企業や組織のビジネスであっても、この「ストーリー」をすぐに言えないようであれば、非常に危ういということです。昔なら、売れそうなので作りました、でもよかったのですが、今は残念ながらそれでは通用しません。個人が発信者になっている時代なので、なおさらパクリや理念なきビジネスは炎上のリスクにさらされることになります。

　では、「ストーリー」はどうやって構築すればいいのか？

　それを考える前に、まずは「ストーリー」を定義してしまいましょう。

ストーリー＝そのビジネスが世の中になければならない理由

　気づきましたでしょうか。「ストーリー」は徹頭徹尾、“顧客主体”で考えなければならないものなのです。“顧客”にとっての、そのビジネスがなければならない理由を明示できなければ、今の時代、マーケティングをすることができない。つまりは、稼ぐことができません。皆さんもビジネスを提供する側のみならず、消費する顧客側の顔も持っているからわかるでしょうけれども、顧客は「自分のため」だと感じなければ、まず、購入しません。至極当然のことです。最近ではそれに加えて、「自分のためになって、かつ、社会のためになる」という点も重視されるようになり、より「ストーリー」が重

要視されるようになりました。まず我々は、"顧客のため"にビジネスを考えればいいのです。

では、自分の利益はどうなりますか？　自分のためだと考えてはダメなんですか？

そう思う方も多くいるはずです。

はっきり言います。

自分のためでなければ、ビジネスはうまくいきません。

間違いではありません。重要なことなので、もう一度言います。

自分のためでなければ、自分の欲望を大事にしなければ、そもそもビジネスは成功する余地がないのです。

それは、いったい、どういうことなのか？

なぜ「欲望」がなければマーケティングは成功しないのか？

たしかに、「ストーリー」は重要です。しかし、人は「他人のため」ということに、どれだけのモチベーションを維持することができるでしょうか。

ビジネスをする上で、それと同等か、あるいはそれ以上に重要な要素があります。

それこそが、「インセンティブ」です。

そうです、前回の講義でも最後に触れた要素です。「7つのマーケティング・クリエーション」という宇宙があるとすれば、その始まりに存在するのが、この「インセンティブ」です。ビジネスのビッグバンと言ってもいいでしょう。

そもそも、そのビジネスに対する欲望がなければ、何事も始まりません。

机上で戦略を描くのは誰にでもできます。ところが、実際にビジネスとして遂行するのには、相応の規模のパワーを必要とします。ア

メリカ西海岸から始まる世界的なスタートアップのみならず、高校の文化祭の模擬店でも同じではないでしょうか。最初は、みんなでやろうと言っていたのに、塾があるから、部活があるからと結局は少数しか残らなくなる。

つまり、そのビジネスに対する「インセンティブ」、要するに「動機」がかなり重要な要素になります。

こうも言えます。

顧客主体の動機づけが「ストーリー」であり、自分主体の動機づけが「インセンティブ」であると。

言わば、「ストーリー」と「インセンティブ」は、基礎部分の両輪です。どちらが欠けても「7つのマーケティング・クリエーション」は成り立ちません。

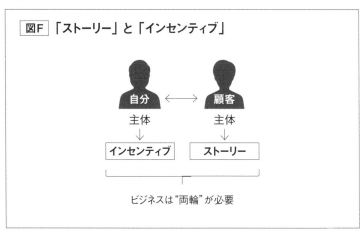

図F 「ストーリー」と「インセンティブ」

自分 ⟷ 顧客
主体　　　主体
↓　　　　↓
インセンティブ　　ストーリー

ビジネスは"両輪"が必要

「ストーリー」は外向きであって、「インセンティブ」は内向きです。

そして、「ストーリー」は顧客や利害関係者（ステークホルダー）に納得してもらう必要があるので、好感度が非常に重要になります。

ところが、「インセンティブ」はそうではありません。「動機」はきれいでなくてもいいということです。きれいか汚いかよりも重要

なことがあります。

それは、「インセンティブ」の強さです。これは、絶対値で表すことができます。

｜インセンティブ｜

中学校でやりませんでしたか？

マイナスでもプラスでもよく、ただ、大きさだけが重要である指標、絶対値。

まさに「インセンティブ」は、絶対値で考えるべきことなのです。

たとえば、「世界平和のためにやりたい！」と思って始めても、「イジメていたあいつを見返したい！」と思って始めても、「お金持ちになってモテたい！」と思って始めても、動機はなんでもいい、とにかく、その想いが強ければいいということです。

不思議なもので、「インセンティブ」とは、結構なマイナスから始まったとしても、事業がうまくいくにつれて、浄化され、昇華されていき、公共の福祉に適っていきます。事業を継続していくと、自然と社会的責任が伴ってくるからです。

田舎の不良だった人が「見下した奴らを見返したい！」と飲食店をオープンして軌道に乗せ、結果的に地域社会に貢献する事例はどこでも見られるはずです。

一方で、マーケティング的に見て、非常にまずいのは「インセンティブ」弱き２代目です。

「ストーリー」が崇高であり、商品・サービス、すなわち「コンテンツ」の質も申し分なく、会社組織も親が残してくれたものがあったとしても、肝心要の「インセンティブ」がなければ、事業は存続が難しくなります。

特に、創業者とは苦労をするもので、成功して裕福になると、自

1 ストーリー

2 コンテンツ

3 モデル

4 エビデンス

5 スパイラル

6 ブランド

7 アトモスフィア

然と自分の子供や孫には楽をさせたいと甘やかしてしまうのです。そうすると、すでに裕福であるので、事業の継承者となる2代目、3代目は「インセンティブ」を見失いがちになります。「もうお金も財産も十分にあるので、頑張らなくてもいい」と考えるようになり、「7つのマーケティング・クリエーション」のすべての要素が弱まり、文字通り、ビジネスが傾きます。

つまり、2代目、3代目が事業を潰すのは、先代が甘やかして「インセンティブ」を損なうことに原因があり、継承者に責任はありません。財産よりもハングリー精神を継承すべきなのに、それは非常に難しいことがわかるでしょう。

一方で、厳しく育てられるとどうでしょうか。

日本でも歌舞伎などの伝統芸能、医師などは、うまく、「インセンティブ」まで継承できています。伝統芸能は、幼いときより最前線の舞台に立たせて、社会的意義を痛感させ、拍手喝采の気持ちよさと価値を体に教え込んでいるからです。また、医師の場合は医学部に入るのが困難なので、継承する場合は、幼少より医者になるべく厳しい教育を受けます。

そのような過程で、ノブレス・オブリージュ的に、すなわち、「高貴なる者の責務」のような姿勢を幼いときより醸成できれば、「インセンティブ」は世代を超えて損なわれないということです。

社会的な責任が生じて「インセンティブ」が昇華されると、また違った面白さをビジネスに見出すことができるようになります。世の中に強く必要とされることが、さらなる「インセンティブ」を引き出します。

こうして「インセンティブ」における上昇スパイラルが生じることになります。

どうでしょうか、「インセンティブ」、結構重要だとは思いませんか？

もう一度、前回の講義の最後に出した質問を見ていきましょう。

FUNCTION ファンクション0
インセンティブ

0-1 そのビジネスは「世の中」に何をもたらしますか？
《ビジョン》

0-2 そのビジネスは「あなた」に何をもたらしますか？
《インセンティブ》

0-3 そのビジネスに対して強い動機（欲望）はありますか？
《欲望の強度》

0-4 その「インセンティブ」は誰のためですか？
《インセンティブの主性》

0-5 そのビジネスを起こすことに対して使命感はありますか？
《使命感》

0-6 その「ビジョン」は「インセンティブ」を満たしますか？
《包含性》

0-7 継続に対して支障はありますか？《障壁》

改めて、この質問に答えてみてください。

特に３番目の質問が重要なことが、おわかりでしょう。

「ストーリー」は容易に陳腐化する～顧客の正体～

ここで一つ、残念なお知らせをしなければなりません。

「ストーリー」とは、先ほど言ったように、「そのビジネスが世の中になければならない理由」のことです。

それを“顧客主体”で作り上げたとしても、永久不滅なわけではありません。むしろ、変化しやすい、もっと言ってしまえば、陳腐

1 ストーリー

2 コンテンツ

3 モデル

4 エビデンス

5 スパイラル

6 ブランド

7 アトモスフィア

化しやすいのが「ストーリー」です。

　それは、いったい、どういうことなのか？

　原点に回帰してみましょう。

　人々にとってのマーケティングの目的は、"理想の状態"を維持することでした。

　また、マーケティングとは、需要に対して、供給することでした。

　そして、"理想の状態"とは、人によって、あるいは時代の変化によって大きく変わるものです。つまりは、人が欲しい、と思う商品やサービスは、状況によって変わってしまうということです。

　そのとき、その地域で成り立っていた「ストーリー」が、明日も成り立っているとは限りません。つまり、明日にはあなたのビジネスが「世の中になければならない理由」を失ってしまう可能性もある、ということです。

　なぜなら、皆さんのビジネスに対してお金を払う顧客とは、抑制なき欲望の塊だからです。そう、もちろん、消費者としての皆さん自身もです。

　特に、

便利・得する・新しい

　には過敏に反応し、乗り換えようとする傾向にあります。また、人は基本的に飽きやすく、需要は次々と変わります。同一の供給元に対して忠誠心を抱くためには、後に話す「ブランド」が不可欠になってきます。

　基本的に、人は熱しやすく冷めやすい傾向にあり、欲望は容易には満たされず、需要は変化し、多様化し、細分化していきます。

　たとえば、皆さんの中に、最近、時刻表を買った人はいますか？

　僕はここ10年ほど、買った記憶がありません。なぜなら、スマ

ホでの検索で十分になったからです。また、ここ最近、レンタルビデオ店で映画やドラマのDVDを借りる機会もめっきり少なくなったはずです。Netflixやアマゾンプライム・ビデオ、Huluなど、インターネット上で契約して視聴できる環境に、多くの人が移行してしまったからです。

　このような技術革新などにより、根本的に顧客の生活様式が変化して需要が縮小することを、「必然的縮小」と言います。緩やかに、しかし、確実に需要が縮小し、それに伴い、「ストーリー」が成り立たなくなります。

　また、感染症の拡大や災害、戦争、事件やスキャンダルなどにより、突如として需要が縮小する場合もあります。この場合は、一夜にして「ストーリー」が意味をなさなくなることもあります。このように、予測できない偶発的な原因で需要が縮小することを「偶発的縮小」と言います。

「必然的縮小」と「偶発的縮小」では対処方法が大きく異なります。

　新技術の登場などによる「必然的縮小」であれば、縮小は緩やかです。その間にトライアル＆エラーを繰り返しながら「ストーリー」を書き換えていけば対応できます。

　ところが、突如として現れた「偶発的縮小」への対応は困難を極めます。感染症などで急に人が外に出なくなれば、居酒屋やレストラン、観光地などの営業は難しくなります。急激に需要がなくなり、供給が空回りすることでしょう。急なことなので「モデル」の派生で対処します。

　ただし、この場合にも事前にあることを用意できていれば、ビジネスを維持することができます。前回のこの式を覚えていますか？

1 ストーリー
2 コンテンツ
3 モデル
4 エビデンス
5 スパイラル
6 ブランド
7 アトモスフィア

需要 ＞ 供給A …集落の消滅

↓

需要 ≦ 供給A ＋ 供給B ＋ 供給C ＋ 供給D …生命活動の存続
《1万年のユートピア》

　縄文時代のマーケティングのところで登場しました。

　栗林だけに依存した集落は消滅し、様々な供給源を持っていた集落は存続したという話。まさに、この考え方が「偶発的縮小」に対する、ほとんど唯一の処方箋になります。

　一本のマーケティングの柱では、何が起きるかわかりません。そして、起きてからでは遅いのです。常に、複数のマーケティングを走らせておいてリスクヘッジしておく必要があります。または「モデル」を派生させる可能性を常に考えておく必要があります。これは、企業だけでなく、勤めている人も同じことです。社内において、同じ部署で、同じスキルだけでマーケティングが成立しているのは、広い目で見るとリスクが高いということです。特に、技術革新が頻繁に広範囲で起きる現代においては、複数のマーケティングを走らせておいたほうがいいでしょう（逆境については第2編で詳細）。

ビジネスは“ストーリーの再定義”によってまた蘇る

　新技術の登場などによる「必然的縮小」に対しては、期間が十分にある場合がほとんどなので、トライアル＆エラーを繰り返しながら、より新しい状況に応じた「ストーリー」へと書き換えていけばいい。

　それを、「ストーリーの再定義」と言います。

　また、「必然的縮小」に見舞われている業態を、「衰退産業」と言

います。

　衰退産業の何が衰退しているのかと言えば、実は「ストーリー」なのです。「ストーリー」、すなわち「そのビジネスが世の中になければならない理由」が説明できなくなるから、著しく需要が衰退するのです。つまり、「ストーリー」さえ、新品に取り替えてあげれば、その産業は"衰退"する状況から抜け出すことができるようになり、そのビジネスは蘇ることになります。

「ストーリーの再定義」には、様々な企業が挑戦しています。

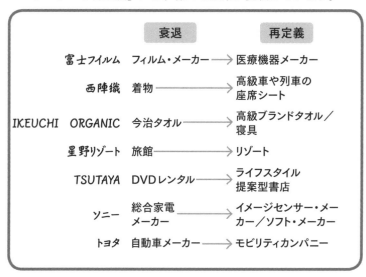

	衰退	再定義
富士フイルム	フィルム・メーカー	医療機器メーカー
西陣織	着物	高級車や列車の座席シート
IKEUCHI ORGANIC	今治タオル	高級ブランドタオル／寝具
星野リゾート	旅館	リゾート
TSUTAYA	DVDレンタル	ライフスタイル提案型書店
ソニー	総合家電メーカー	イメージセンサー・メーカー／ソフト・メーカー
トヨタ	自動車メーカー	モビリティカンパニー

　最後のトヨタについては、トヨタのHPで「モビリティカンパニーへのフルモデルチェンジに向けて」と題してこう宣言しています。

1 ストーリー

2 コンテンツ

3 モデル

4 エビデンス

5 スパイラル

6 ブランド

7 アトモスフィア

　これまでトヨタは、自動車産業という、確立されたビジネスモデルの中で成長を続けてきました。しかし今、「CASE※」と呼ばれる技術革新によって、クルマの概念そのものが変わろうとしています。そして、クルマの概念が変われば、私たちのビジネスモデルも変えていかなければなりません。

※ Connected（コネクティッド）、Autonomous／Automated（自動化）、Shared（シェアリング）、Electric（電動化）の4つの頭文字をつなげた言葉で、この新しい領域での技術革新が、クルマ、ひいてはモビリティや社会のあり方を変えていくと想定されています。（TOYOTA ホームページより　https://global.toyota/jp/company/messages-from-executives/details/）

　まさに、技術革新による需要の「必然的縮小」に対する「ストーリーの再定義」をトヨタはここで高らかに謳（うた）っているのです。

　また、ソニーは総合家電メーカーとしての側面が強かったのですが、カメラの主要部品であるイメージセンサーで高い収益を上げる会社になりました。他社の著名なスマートフォンや競合のカメラに積んであるイメージセンサーも、実は結構な割合でソニー製なのです。また、大ヒットした映画『劇場版「鬼滅の刃」無限列車編』は、ソニー系の子会社であるアニプレックスが手掛けていますし、ソニー・ミュージックエンタテインメントも、韓国の世界的プロデューサー J.Y.Park と組んで、日本人の韓流ガールズユニット「NiziU」を大ヒットさせています。これは、ソニーがハードからソフトへと、「ストーリー」を着実に拡大している証左です。これもある種の「ストーリーの再定義」に当たるでしょう。

　需要が「必然的縮小」する分野では「ストーリーの再定義」をすればいい。

　顧客の変化に合わせて、自社や組織、個人のビジネスが「世の中になければならない理由」を作り上げればいい。

　まさにそのとおりで、理屈としては実にシンプルなのですが、「ス

トーリーの再定義」には多くの血が流れる場合が多い。

　なぜなら、「ストーリーの再定義」の本質は、「革命」だからです。

　これまでの「ストーリー」で成功を体験した人たちと、これからの「ストーリー」へ書き換えなければならない人たちとの闘争。

　思えば、歴史上の革命は、「ストーリーの再定義」の痕跡でした。明治維新は、江戸幕府のストーリーが産業革命以後の世界に合わず、相対的に衰退したことによって、必然的に生じました。

　詳しくは第2編の「革命のマーケティング」でお話ししましょう。「ストーリーの再定義」の際に、闘争が起きない場合もあります。それは、顧客の変化に合わせて、常にストーリーを再定義する"スタンス"ができている場合です。これができている企業は、「ストーリー」の本質と、顧客の正体を知っていると言えるでしょう。それが企業の「文化」まで昇華されていれば、とても強い。

　その文化を持つ企業や組織、個人こそが、持続可能性が高いと言えます。

　そして、まさに我々人類は、長期的に見て、それができていたからこそ、これまで存続できたのです。

「順風満帆」や「消えない」ストーリーを掲げると熾烈な戦争に巻き込まれる

　「ストーリー」の本質が見えてきたところで、いよいよ、実際に皆さんはどうやって「ストーリー」を作ればいいのか、という話をしていこうと思います。

　「必然的縮小」の需要があるとすれば、当然、「必然的拡大」の需要があります。

　たとえば、1990年には、これから来る本格的なインターネット時代における未知なる大きな需要が眠っていました。また、携帯電

1 ストーリー

2 コンテンツ

3 モデル

4 エビデンス

5 スパイラル

6 ブランド

7 アトモスフィア

話が世の中に普及しようとしていたときも、スマートフォンが普及しようとしていたときもそうです。まるで船の帆にまともに風を受けるように、事業が進むかに見えます。

　また、生活必需品として、誰もがコンビニなどで頻繁に買うようなトイレットペーパーやシャンプー、歯磨き粉などの商品も未来永劫、衰退することがなさそうです。

　皆さんも、どうせならこういった順風満帆の伸びる業界や消えない業界で挑戦してみたいと思うでしょう。

　ところが、ここで一つ、問題が生じます。

「順風満帆」や「消えない」ストーリーを掲げると、必ずと言っていいほど、熾烈な戦争に巻き込まれるということです。

　たとえば、本格的なインターネット時代が到来する際にその需要に目をつけ、携帯電話やスマートフォンが世の中に普及しようとしているときに、そこに参入したのは、孫正義さん率いるソフトバンクでした。

　また、生活必需品を提供している企業には、日本屈指の大企業が名を連ねています。そこで品質、価格、規模の勝負をしたところで、まず新参者に勝ち目はないでしょう。熾烈な戦争になるどころか、相手にされず、市場に参入できずに蹴散らされる可能性が高い。

　そういった、必ず来るだろうと言われている「歴然たる鉱脈」的需要には、巨大な企業が、巨大な資本と優秀な精鋭を引き連れて参戦します。

　ただし、たとえば、その周辺で下請け的な位置と規模で何かを提供するなら生き残れる可能性もあるでしょう。

　また、高級トースター市場を作ったバルミューダのように、巨大企業があまり注力しない戦線で全力を投じて、その市場を実質的に独占し、そこから他の分野、たとえばオーブンレンジや電気ケトル、サーキュレーターへと伸ばしていく、というやり方もあるでしょう。

ある意味、バルミューダは、高級トースターで桶狭間の戦い的に業界にくさびを打ち込んでから、他の分野に広げていったと言えるかもしれません。

　また、ヒューマン・ヘルスケアを掲げるエーザイのように、とても広い範囲の「広義のストーリー」を掲げると、たしかに衰退はしにくいですが、広範囲を網羅しなければならないので、事業を遂行し、維持する「スパイラル」のところで弊害が出やすくなるので、これも企業が大きくなってからでもよいかもしれません。

　いずれにせよ、小さな規模のときには、いわゆるニッチと呼ばれる大企業が見向きもしないところに「奇襲」をかけて、独占し、拡大するという方法が戦略として実現性が高いでしょう。

　あるいは、誰も切り拓いていない、鉱脈があるとも知れない荒野にまったく新しい「ストーリー」を打ち立てるのも気持ちがいいかもしれません。もっとも「ストーリーの再定義」をしていくと、結果的にまったく新しいストーリーに置き換わる場合があります。富士フイルムが医療機器分野で需要を獲得するとは、フィルムカメラ全盛時代にはほとんどの人が考えなかったはずです。

　最悪なのは、もうすでに強者によって市場が完全に占められている分野において、これからはその分野だと"遅く決断"し、"小さな規模"で始めることです。これを聞いて多くの方が笑うかもしれませんが、実は、起業したい、独立したい、という人の大多数が、無意識的にこの血まみれの沼地から始めて、撤退を余儀なくされます。

　つまり、表面的な情報に惑わされずに、自分の感性で世の中が何を欲しているのか、これから何を欲しようとしているのか、「需要の風」を読み解くことが重要になります。

　ここで「ストーリー」について学んだ皆さんなら、そんな失敗はしないでしょうけれども。

　これらを踏まえて、実際に「ストーリー」を作っていきましょう。

1 ストーリー
2 コンテンツ
3 モデル
4 エビデンス
5 スパイラル
6 ブランド
7 アトモスフィア

月20万円新しく稼ぐための「56の質問」　①ストーリー

　それでは、今回も月20万円新しく稼ぐための「56の質問」のうち、7つを皆さんに問いたいと思います。これが、自分で「ストーリー」を構築する際のキール部分になると思います。これに肉付けしていくかたちで「ストーリー」を完成させます。

「ストーリー」を構築する際に、最も必要なのは、「そのビジネスが世の中になければならない理由」を、「なるほど、まったくもってそうだ」と万人が思うレベルまで描くことです。

　この際には、コピーライティングとライティングの能力が非常に役立ちます。自分の言葉で語れる人は、やはり強いので、習得しておくといいでしょう。何事も、慣れと量ではありますが。

　それでは、今回の質問に行きましょう。

FUNCTION ファンクション 1
ストーリーの創造

1-1 なぜ創業したのですか？《創業の理由》

1-2 創業者はどういう人ですか？《創業者のプロフィール》

1-3 そのビジネスに独自性はありますか？《独自性》

1-4 どんな企業文化がありますか？《企業文化》

1-5 利害関係者はどういう人や組織ですか？《ステークホルダー》

1-6 必然的需要がある市場ですか？《市場の拡張性》

1-7 再定義の必要性はありますか？《再定義》

できましたでしょうか？

1-1は《創業の理由》で、なぜ創業したのかを想いを込めて、自分の言葉でていねいに物語ってください。

1-2の《創業者のプロフィール》は、そのビジネスのDNAを物語る上で重要になります。たとえばホンダなら、亡き本田宗一郎氏のスピリッツが今なお色濃く宿っているでしょう。もちろん、皆さんが創業者なら、皆さんのプロフィールを語ってください。

1-3の《独自性》は今の時代極めて重要で、ある種の「面白さ」にも繋がります。

1-4の《企業文化》は、創業当初はなかなか顕れず、創業者のスタンスがそのまま文化になることが多いですが、戦略的にこういう文化にしたいという想いがあるのなら、メリットになりえます。

1-5の《ステークホルダー》は、株主や親会社や創業のパートナーなどについてです。そこがビジネスに良くも悪くも影響を及ぼす場合もあります。

1-6の《市場の拡張性》は、拡大なのか、縮小なのかで大きく戦略が変わります。必然的縮小であれば、次の再定義が必要となるでしょう。

1-7の《再定義》は、「ストーリーの再定義」の必要がある場合はどのように再定義するかを答えてください。

これに完璧に答えることができるようになれば、ビジネスの強固な基礎ができることになります。

次回は、いよいよ、「1シート・マーケティング」における中核とも言える「コンテンツ」すなわち、商品・サービスのお話です。

1 ストーリー

2 コンテンツ

3 モデル

4 エビデンス

5 スパイラル

6 ブランド

7 アトモスフィア

ストーリー・メーカー／STORY MAKER
《ストーリー構成表》

「５６の質問」に答えていただくだけでも、新しく月20万円を稼ぐことは難しくないでしょうけれども、もっと具体的にビジネスを作りたい方は、ぜひ、「6つのメーカー・シート」をお使いください。次講以降にも章末にダウンロード・ページを設けました。

まずは、「ストーリー」を具体的に作るための「ストーリー・メーカー」です。

「6つのメーカー・シート」をすべて構築すると本格的にビジネスを設計することができるようになります。それを元にすれば、銀行などから融資等を得る際に必要となる「事業計画書」を作るのも難しくありません。

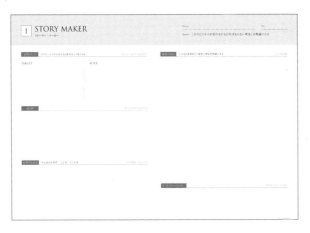

**「ストーリー・メーカー」の使い方、および、
ダウンロードは、以下の特設 HP から**

https://in-pulse.co.jp/1sheet-marketing

顧客メリット そのビジネスが存在すると顧客はどう変わるか　CUSTOMER MERIT

TARGET

AFTER

お客様はどういう人か？

お客様はどう変わるのか？

独自性　　　　　　　　　　　　　　　　　　INDIVIDUALITY

他では提供できない顧客へのメリット

市場の拡張性 再定義の必要性：□ 要　□ 不要　EXPANSIBILITY

「必然的拡大」(順風満帆)
「必然的縮小」(衰退産業)
「偶然的拡大」(流行)
「偶発的縮小」(逆境)

── のいずれか
必然的縮小の場合
└→ ストーリーの再定義

Mission 「そのビジネスが世の中になければならない理由」を明確にせよ

創業の理由　左の項目を踏まえて創業の理由を明確にせよ　　　REASON

自分の言葉で"ていねいに"第三者に伝える
※ライティング力があるといい

ビジネスキャッチコピー　　　　　　　　　　　　　BUSINESS COPY

一言で表すとどんなビジネスなのか？
※キャッチコピー力があるといい

第2講

主戦力を「商品開発」に回せ
〔コンテンツ／ CONTENTS〕

なぜ「コンテンツ主義」がすべての問題を解決するのか？

　最初から、脅すようで恐縮ですが、今回の講義で扱うのは"超重要論点"です。

「1シート・マーケティング」の基本理論「7つのマーケティング・クリエーション」のすべての要素は当然重要ですが、特にこれからの時代、「コンテンツ」、すわなち"商品・サービス"の論点がかなり重要になってきます。つまりは、「コンテンツ」に費やす戦力をかなり多く割いたほうが、総合的に見ると費用対効果がよくなってきます。

　結論から言えば、ビジネスでは真面目に商品開発をした人が一番得をするということです。

　それは、いったい、どういうことなのか？

　今回の講義はこんな内容で、重要なポイント目白押しです。

・なぜ「コンテンツ主義」が最もコスパがいいのか？

・"コンテンツの質"を上げるのには、なぜ膨大なコストがかかるのか？

・"売れるパッケージ化"とは何か？

・商品開発に必要な要素とは？

1 ストーリー

2 コンテンツ

3 モデル

4 エビデンス

5 スパイラル

6 ブランド

7 アトモスフィア

・なぜ「必然的な事故」の積み重ねが"企業秘密"となるのか？

　まずは前提の確認ですが、「1シート・マーケティング」において、どこかの要素に重点的にコストを投じてマーケティング的成功を狙うことを「主義」と呼びます。

「コンテンツ」の制作に重点的にコストを投じるのなら、「コンテンツ主義」となります。

　ちょっと、「主義」を整理しておきましょう。

マーケティング主義…セールスフォース重視 ▶ 営業／昭和

ストーリー主義…公約重視 ▶ 政治家／クラウド・ファンディング／社会起業家

コンテンツ主義…商品の質重視 ▶ 職人／日本／これからの時代

モデル主義…ビジネスモデル重視 ▶ 模倣ビジネス／ビジネス愛好家

エビデンス主義…実績重視 ▶ フリーランス　＊第2編で詳説

スパイラル主義…持続可能性重視 ▶ 老舗企業／伝統芸能／家族

ブランド主義…ブランド重視 ▶ 欧州型／富裕層向け

アトモスフィア主義…流行重視 ▶ 広告代理店／仕掛け人

　マーケティング主義とは、商品開発よりも営業や販売に戦力を割く戦略で、これは前の講義でも出てきた、昔は実際に効果的だった戦略です。

　覚えていますか？　この数式が成り立つ場合に特に有効になります。

爆発的な需要＞爆発的な供給

　この場合は、商品の質よりも、「供給」することが重要視されるために、より多くを市場に送り込んだほうがマーケティング的に見て、

勝てる可能性が高くなります。大げさに言えば、ちょっと質が悪い商品・サービスでもないよりはまし、と取引が成立してしまいます。

　たとえば、終戦直後の闇市では、南魚沼産のコシヒカリや特A5ランクの和牛でなくとも、有機栽培でなくとも、食べ物があれば飛ぶように売れたはずです。なぜなら、圧倒的に物が不足して「爆発的な需要」があったからです。ゆえに、その「爆発的な需要」がある場所に、商品・サービスを送り込む仕事のほうが、マーケティング的に見て重要でした。

　ところが、今は違います。物が溢れている時代です。

限られた需要＜過剰な供給

　国や社会という大きな集団として考えると、「限られた需要＜過剰な供給」は、その集団の存続、という意味では悪いことではありません。けれども、供給者間で競争している個々人のマーケティングとして考えると、その状況は好ましいものではないでしょう。

　また、たとえ物が溢れていたとしても、高度経済成長時代のように、それが市場からなくなるほどの購買力があれば問題ないのですが、爆発的な経済成長が見込めない現在、需要はさらに限られてきます。

　さらには、購買を決定する要因が、昭和の時代と大きく異なってきています。昭和の時代は、茶の間のテレビを家族全員で観て、同時に、家族全員がテレビのCMを見ていました。また、雑誌も今よりも発行部数が桁違いに多く、そこで多くの広告を目にしました。いわゆるマスメディアに打つ広告が、費用対効果が高かったのですが、現在は場合によっては家族全員がスマホを持っていて、それぞれの部屋で、それぞれのスマホに表示される別々の広告を見ている可能性が高い。

1 ストーリー

2 コンテンツ

3 モデル

4 エビデンス

5 スパイラル

6 ブランド

7 アトモスフィア

つまり、昭和の時代と、我々が今生きている時代とでは、マーケティングの戦略を変えなければならないのです。

	昭和	現在
広める媒体	テレビ《集中》	スマホ《分散》
広める主体	広告代理店《寡占》	広告代理店＋個人《多様化》
顧客コントロール	易	難
マーケティング効果	高	高～低
パワーバランス	営業／販売	商品開発
市場	拡大	停滞
資本力	多	多～少 ※少でも戦える
採るべき戦略	マーケティング主義	コンテンツ主義

ざっと書き出してみると、これほど状況が変わっています。同じマーケティング手法が通用するはずがないですよね。

前回の話で言えば、同じ社内で、昭和の成功モデルを遵守しようとする旧態依然派と、状況が変わったことを認識し変革を目指す新興革新派との間で闘争が起きるのも当然と言えます。実際に、昭和の成功モデルでうまくいった経験のある人は、なかなか時代の変化を認めたくないものです。そのためには、「革命」が必要になります（「革命」については第2編で詳説）。

では、「限られた需要」に選んでもらえる、これからの時代の戦略としての「コンテンツ主義」とは、どういうものなのでしょうか？

なぜ「コンテンツ主義」が最もコスパがいいのか？

　たとえば、マーケティング責任者が日々南の島にいて、月曜日の午前中しか日本と繋いで仕事をせずに、年収1,000万円もらっている会社があるとしたら、皆さんはどう思うでしょうか？

　僕は、その会社のマーケティングはうまく回っているのだろうな、と判断するでしょう。

　マーケティングとは、順調に回っていることが重要であって、成果が上がっているのであれば、その仕組みを作った担当者が遊んでいても、誰も文句は言えないはずです。むしろ、あくせく休みなく働いているのに、成果が出ていないほうが問題です。それは、マーケティングが機能していない証拠だからです。

　マーケティングにとって、目指すべきは、マーケティングを捨てること。

　そう言うと、混乱してしまうかもしれませんが、営業や販売などのマーケティングに戦力を割かずに済むのであれば、マーケティングをほぼ自動化することができれば、それに越したことはないでしょう。

　言うまでもなく、この状況に持っていくことは非常に難しい。

　ただし、それに至るための糸口はあります。

　皆さんが提供するビジネスの前に、「行列」を作ることです。

　思い返してみてください。皆さんも商品を購入するため、あるいはサービスを受けるために、行列に並んだことはありませんか？

　僕は、小学生の頃に、『ドラゴンクエストⅣ』を買うために行列に並んだことがあります。吉祥寺小ざさで幻の羊羹を買うために並んだことがあります。ディズニーシーでアトラクションを楽しむために並んだことがあります。人気の韓流アイドルのサインをもらうために並んだことがあります。人気のラーメン屋の外で並んだことが

1 ストーリー

2 コンテンツ

3 モデル

4 エビデンス

5 スパイラル

6 ブランド

7 アトモスフィア

あります。日本一美味しい池袋のハンバーグ店 UCHOUTEN では、しょっちゅう並んでいます。

　皆さんも、一度や二度は、「行列」に並んだことがあるのではないでしょうか。言い方を変えると自らが「行列」の一部となったことがあるのではないでしょうか。

　さて、ここで質問です。その「行列」の先には、いったい、何がありましたか？

　おそらく、共通する答えはこうでしょう。

　非常に質の高くて人気がある、商品やサービスがあった。

「行列」ができるとどうなるでしょうか？　営業などで売り込んだり、広告を出したり、チラシを配ったり、SNS を使って告知したりする必要がなくなります。なぜなら、すでに「需要」が行列になっているので、「供給」すればいいだけのことですから。

　つまり、「行列」はマーケティングにかかる費用、「マーケティング・コスト」を大幅に減少させます。これが極まると、マーケティング担当者は南の島で遊んでいられます。「行列」は、そのビジネスや商品・サービスが「ブランド」となったことを示します。「ブランド」については、後の講義で詳しく話します。

　今回は、「ブランド」に直結しやすい「コンテンツ」、つまりは、商品・サービスについてです。「コンテンツ主義」の立場を貫き、商品開発に戦力を割く戦略を採ると、特にこれからの時代は、「ブランド」とみなされやすくなります。

　つまりは、これからの時代は、一見、多大なる費用がかかると思える「コンテンツ」の質の向上に重点を置いたほうが、結果的に、最も費用がかからなくなります。「コンテンツ主義」は非常に費用対効果、つまりはコスト・パフォーマンスが高いと言えます。

　それは、いったい、どういうことなのか？

　まずは、次の図をごらんください。

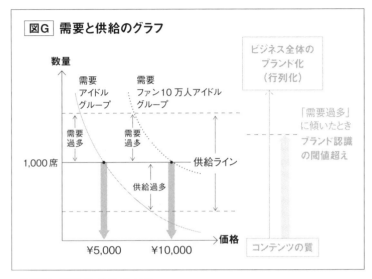

図G 需要と供給のグラフ

数量

需要
アイドル
グループ

需要
ファン10万人アイドル
グループ

ビジネス全体の
ブランド化
（行列化）

需要
過多

需要
過多

「需要過多」
に傾いたとき
ブランド認識
の閾値超え

1,000席

供給ライン

供給過多

価格

¥5,000　¥10,000

コンテンツの質

　需要と供給のグラフです。

　ただし、おそらく、中学校の社会科の授業で習ったものとはちょっと違った形をしていると思います。中学時代に習ったのは、経済全体のグラフであり、このグラフは、「マーケティング」に特化した需要と供給のグラフです。と言っても、そんなに難しい話ではありません。

　需要に対して、供給する量（供給ライン）を上下させることによって供給が小さくなればなるほど、価格を高く設定できる、という図です。同じコンテンツを売る際に、高ければ買う数量は下がるだろうし、安ければ買う数量が上がるだろうというグラフです。

　たとえば、需要に対して、供給量が適正であれば、適正な価格になります。

　あるアイドルグループがコンサートをする際に、5,000円の定価で1,000席供給したとき、1,000人のファンの需要があれば、チケットは適正価格の5,000円で取引され、すべて売り切れることでし

1 ストーリー

2 コンテンツ

3 モデル

4 エビデンス

5 スパイラル

6 ブランド

7 アトモスフィア

ょう。

ところが、ファンが10万人以上いる人気のあるアイドルグループが同じく1,000席しか供給しなかった場合はどうなるでしょうか?

おそらく、需要は1万人を超えます。ただし、供給が1,000席しかない。となれば、5,000円ではなく、1万円でもチケットを買いたいと思う人も数多く現れるはずです。

それでも、9,000人以上がそのチケットを手に入れられないので、そのコンサートのチケットはプラチナチケットと呼ばれることでしょう。

式で表せば、このようになります。

おびただしい需要＞限られた供給

図で言うと、反比例のグラフ自体が上側に移動すればするほど、その状態になります。グラフ自体の移動が上側に行けば行くほど、ブランドに近づくことになります。

そして、その状態が一回限りではなく「エビデンス（実績）」として続くのであれば、そのアイドルグループは、間違いなく「ブランド」とみなされるようになるでしょう。

つまり、この場合、「コンテンツの質」が高いアイドルグループを用意すれば、「ブランド」に近い状態になる、と言えます。

需要＝供給　…　均衡状態

需要と供給が均衡している点を境に、上に行けば行くほど、「需要過多」、つまりは需要のほうが大きくなっていき、「ブランド化」が促進されることになります。

そして、その「需要過多」をもたらす、最も健全にして最短の道が、「コンテンツの質」を向上させることなのです。

　「コンテンツの質」を「ブランド」と外からみなされるほどに高めていく、上向きのベクトルを発生させればいいのです。

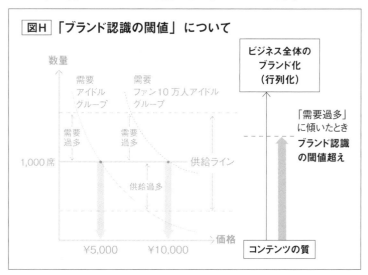

図H 「ブランド認識の閾値」について

　「コンテンツの質」が高まれば高まるほど、当然、「需要過多」が進みます。そして、ある線を超えると、人はその「コンテンツ（商品・サービス）」とそれを提供するビジネスを「ブランド」と認識するようになります。人がブランドと認識する最小の値が、「ブランド認識の閾値」です。閾値の突破を目指して、僕らは「コンテンツの質」を上昇させればいいのです。

　「コンテンツ主義」によって徹底して「コンテンツの質」を向上させることによって、「ブランド」に到達した場合、かなりのメリットを享受できます。

1 ストーリー

2 コンテンツ

3 モデル

4 エビデンス

5 スパイラル

6 ブランド

7 アトモスフィア

> ・他のエラーを無効化する
> ・マーケティング・コストの減少
> ・ビジネス全体のブランド化

「他のエラーを無効化する」とは、どういうことなのか？

　たとえば、サービスの観点から言えば、炎天下で行列に並ばせるというのは、最低と言えないでしょうか。中には一杯のラーメンを食べたいために2時間並ぶ人もいます。

　ところが、行列に並ぶ方たちは、その最低のサービス状態を、享受してしまいます。とんねるずのテレビ番組で「きたなシュラン」という企画もありましたが、店が汚いのに繁盛している店。とんでもなく待たせるのに、笑顔でお客様が帰っていく店があります。

　僕は岩手県一関市の高校に通っていたのですが、その近くにあった蕎麦の名店「青葉 直利庵」は、お昼時どころか、10時からお客様が入ります。11時からしか蕎麦が提供されないにもかかわらずです。11時にはもう駐車場が満車になり入れなくなります。それでも、僕らはそこの蕎麦が世界一だと思うから、平気で並びます。

　その行列の先に、とんでもなく質の高いコンテンツがあれば、ある程度のオペレーションのミスや、サービスのミスが目立たなくなってしまうのです。我々客は、逆に消費させてもらったということ自体が得がたい体験になります。

　そうして行列ができて、品切れになる店は、広告を打つ必要があるでしょうか？　売り込みをする必要があるでしょうか？　チラシ配りをしたり、ポスティングをしたりする必要はあるでしょうか？

　そう、いらないのです。そういったマーケティング・コストの大部分を削減することができます。これは、マーケティングをやる上で非常なメリットとなります。そして、駐車場に入れなくとも、1時間待たされたとしても、一度は行ってみたい場所になり、「ブラン

ド」とみなされるようになります。

「コンテンツの質」を上げることに戦力を大きく割くことは、ゆえに、非常にコスパがいいということになります。

ただし、そう簡単に「コンテンツの質」は上昇しないのがマーケティングの難しいところです。

「コンテンツの質」を上げるのにはコストがかかる

当然と言えば当然ですが、「コンテンツの質」を上げるための上向きのベクトルを発生させ、それを維持させるのにはコストがかかります。

なぜなのか？

まずは、「コンテンツの質」は、多くの場合、『ドラゴンクエスト』や『ファイナルファンタジー』などのRPGや、『信長の野望』や『三國志』のようなシミュレーションゲームのように、そのときの状態を正確に数値で表示されないからです。そう、ゲームでいうところの「ステータス」が、ブラックボックスになっています。

たとえば、自分では世界一のラーメンを開発したと思い込んでいたとしても、そのラーメンを正確に数値で表すことはできないはずです。運がよければ、ラーメン特集の雑誌で取り上げられたり、食べログなどで星を獲得したりすることはあっても、それが正確な数値とも限りません。つまり、どれだけ商品開発に時間と費用を費やしたとしても、どれくらい上昇したか、あるいは、どれくらい下降したかは、ブラックボックスなのです。そう、怖いのは、下降することもありうる、ということです。

一方で、モーターレースの最高峰F1では、「コンテンツの質」を測るのは実に簡単です。タイムです。大掛かりな風洞実験やスーパーコンピュータを駆使して、大げさではなく1／1,000秒を競い合

います。

　面白いのは、速くなるだろうと投入した新しい空力パーツをつけたからといって、前のパーツをつけたときよりも速くなるとは限らないということです。もしかすると、遅くなる可能性もあります。

　モーターレースの場合は、タイムがあるのでわかりやすいですが、我々が提供する商品やサービスの多くは、そう簡単に数値化できるものではないでしょう。お客様が満足しているのか。満足していないのなら何が問題なのか。「コンテンツ」の質なのか、提供する「モデル」が問題なのか。数値化しにくいからこそ、「エビデンス」、すなわち売上などの実数値から正確なフィードバックを得る必要があります。

　最初のうちは仮説だとしても、できるだけ正確なフィードバック・システムを確立してブラックボックスの中身、つまりは「コンテンツの質」が客観的に見てどれほどなのかを把握し、さらに向上させる必要があります。このフィードバック・システムに関しては、「エビデンス」の講で詳しく説明します。

　それと共に「コンテンツの質」の上昇を難しくさせるのが、上向きベクトルを発生させる方法のすべてが、時間的・費用的コストのかなりかかるものばかりだからということです。

「コンテンツの質」を上昇させるには、以下の３つの方法しかありません。

> ・吸収……「引き抜き・買収」が必要
> ・アライアンス……「取引・仕入れ」が必要
> ・独自開発……「人的・時間的・物理的投資」が必要

　たとえば、今から皆さんがミシュランで星をもらえるレベルのレストランを作ろうとしているとしましょう。

1 ストーリー
2 コンテンツ
3 モデル
4 エビデンス
5 スパイラル
6 ブランド
7 アトモスフィア

どうやって作るでしょうか？

　まずは、すでにミシュランで星を獲得しているレストランからシェフを引き抜くことを思いつくだろうと思います。

　ところがどうでしょうか？　引き抜きは難しくないでしょうか？そして、レストランからシェフを引き抜けたとしても、その人が満足する給与を支払うこと、その人が満足して腕を振るう設備を用意することは可能でしょうか？

　かなりの投資が必要になることが想像できるでしょう。

　かといって、自社でミシュランで星を獲得できるくらいのシェフを育てるには、何年かかるかわかりませんし、あるいは他のレストランに修業に行かせる必要も出てくるかもしれません。これも、非常に時間的・金銭的コストがかかります。

　また、ミシュラン３つ星レストランと提携して同じ食材を使わせてもらったり、指導をあおいだりすることにしたとしても、今度は取引、仕入れが必要となり、その場合、様々な人が関わり合うことになるので、利益の幅が減少します。また、取引できるとも限りません。

　要するに、「コンテンツの質」を上昇しうる３つの手段「吸収」「アライアンス」「独自開発」のいずれもコストがかかるのです。逆説的に言えば、コストをかけなければ「コンテンツの質」に関しては“上向きベクトル”を発生させることができないということです。

　特にゼロからスタートする際には、世の中に通用する「コンテンツ（商品・サービス）」にするために相当の時間を費やす必要があり、その最中はその事業からの売上が期待できないので、用意していた資金が尽きてゲームオーバーになる可能性すらあります。

　ただし、もし、あなたがミシュラン３つ星のレストランで10年修業した後に独立する場合はどうでしょうか？　「コンテンツの質」を担保するのはそれほど難しくはないはずです。あるいは、創業メ

1 ストーリー

2 コンテンツ

3 モデル

4 エビデンス

5 スパイラル

6 ブランド

7 アトモスフィア

ンバーにそのようなシェフを加えればどうでしょうか？　一緒に仲間としてやるのであれば、それも可能になります。

　たとえば、時価総額ランキングで世界一になった Apple は、スティーブ・ジョブズが有名ですが、彼だけでは創業できませんでした。コンピュータに精通したスティーブ・ウォズニアックがいなければApple Ⅰ・Ⅱというコンピュータは生まれませんでした。

　また、もしゼロから新しい「コンテンツ」を開発するのであれば、少なくとも、目処が立つまでどこかに勤めながらなどして、自分の生活を維持しながら行う必要があるでしょう。もっとも、開発するための資金がすでにあるのであれば、まったく問題ありません。その論点については、第5講の「スパイラル」で詳しくお話ししましょう。

　いずれにせよ、ブランドに直結し、様々な部分のミスも目立たせなくさせる、つまりは戦力を投下するのに非常にコスト・パフォーマンスが高い「コンテンツの質」の上昇には、コストがかかるということです。

　だからこそ、まずは「コンテンツの質」をなんとしても上げるのだという覚悟が必要になります。多くの人がここから逃げて、比較的すぐに変化が期待できる「モデル」のほうに注力しがちですが、逃げずに「コンテンツの質」と向き合うことこそが事業の成功には欠かせないのです。

　それでは実際に、質の高いコンテンツを作る技術や人材を手に入れたとして、世の中に商品・サービスとして展開するためには、どんなことが必要になるでしょうか？

　売れるように、「商品設計」する必要があります。

　大きな意味での「商品のデザイン」が必要になります。それはとても"編集"に近い作業です。

　それは、いったい、どういうことでしょうか？

商品開発をするときには"売れるようにパッケージ化"せよ

「うちは大手企業じゃないので、そんな、パッケージなんて」

　と言える時代ではありません。

「うちは、物の商品ではなくて、サービスなので、パッケージは必要ありません」

　と言うのも間違っています。

　特に、インターネットでの発信、説明、周知が必須の現代において、大手企業でなかろうと、物の商品でなかろうと、商品・サービスの"パッケージ化"は必要になります。

　あるいは、こうも言えるでしょう。

> "売れるようにパッケージ化"すれば、
> 他社・他者と圧倒的に差別化できる。

　なぜなら、あらゆる商品やサービスは、インターネット上で展開されることによって、多かれ少なかれ、商品・サービスを1枚で説明するバナーの制作や商品ページへの展開などで、他より目についてお客様に気づいてもらう必要があるからです。

　また、実店舗においても、今の時代、質がいいことは元より、パッケージに力のない商品は選ばれません。百貨店の地下の食品売場に行ってみてください。お菓子のコーナーでは、まるで化粧品かというほどにオシャレにパッケージ化された商品が並んでいます。もしかして、中身の原価よりもパッケージのほうにお金がかかっている商品もあるかもしれません。

　では、「パッケージ化」にはどんな要素が必要になるでしょうか？一緒に考えていきましょう。

　インターネットで注文して、有機野菜を宅配するサービスと聞い

1 ストーリー

2 コンテンツ

3 モデル

4 エビデンス

5 スパイラル

6 ブランド

7 アトモスフィア

て、最初に思い浮かぶ名前はなんでしょうか？

　インターネットで手軽に売買ができるフリマ的サービスと聞いて、思い浮かべる名前はなんでしょうか？

　多くの方は、「Oisix（オイシックス）」に「メルカリ」なのではないでしょうか。その名前から業態が連想できてしまうほどです。

　実は、この「商品・サービスの名前」がパッケージ化にはとても重要な要素になります。特にインターネットが普及した現代においては、

覚えやすい名前・検索しやすい名前

でないと、せっかく「コンテンツの質」が高い商品・サービスを作ったとしても、本来欲しいと思っている商品・サービスを探してもらえなくなります。お客様が迷子になり、同じようなサービスを展開している競合他社（他者）に需要をさらわれてしまうことにもなりかねません。

　つまり、商品・サービスのネーミングは非常に重要になります。

　また、最近ではデザインを失敗している人気商品を見たことがありません。表装はお客様が選ぶ上で、ちょっと前までは差別化の要因になっていましたが、最近ではどこもかしこもクールなデザインで決めてきますので、デザインが美しくないと中身がどれほどよくても選ばれません。表装の美しさは、現代マーケティングにおいて必須項目になったと見るべきでしょう。

　さらには、その商品がどういう経緯で生まれたか、というコンテンツ自体の「ストーリー」が重要視される傾向にあります。

　たとえば、オーディオ・ブック・サービスのオトバンクは、会長の上田渉氏のお祖父様が本好きだったのに、視力が弱くなり、本が読めなくなり、それでも本を読んでほしいと、オーディオブックを

扱うオトバンクを始めたそうです。

「儲かりそうだからこんな商品・サービスを作りました」でも通用する時代もありました。言うまでもなく、需要過多の時代、高度成長期です。今はそうではありません。自分が選び、購入する商品がどんな経緯で生まれた商品なのか、成熟した消費者は「ストーリー」まで気にして選ぶ時代になったのです。

特にクラウド・ファンディングでは、「ストーリー」がない商品は成功しにくいでしょう。

"売れるパッケージ化"に必要な要素をまとめるとこうなります。

・ネーミング……商品・サービスの名前／キャッチ・コピーなど
・表装……パッケージ・デザイン／バナー・デザイン／ロゴマークなど
・ストーリー……商品・サービスが生まれた経緯／開発秘話
　　　　　　　　／開発者のストーリーなど

ちょっとした工夫とちょっとした手間が、皆さんの商品・サービスを引き立てます。当然、それが決定的な差異になることもあります。

もし、「コンテンツの質」に自信があり、それでもお客様に選ばれないのであれば、諦める前に一度パッケージを見直すことをおすすめします。

「コンテンツの質」を上げるために、
最も必要なのは"才能"ではない

タイトルを考え、パッケージをデザイナーと一緒に考えて、商品にストーリーを込める。

1 ストーリー

2 コンテンツ

3 モデル

4 エビデンス

5 スパイラル

6 ブランド

7 アトモスフィア

「コンテンツの質」をいかに上げるかを考える「商品開発」はまさに、編集作業と似通っています。編集の仕事は、全体を商品として設計することです。

　実際に売り出してみて、またはモニターに試してもらって、その商品・サービスはどうだったのか、フィードバックを受けます。売れたかどうかの実数値は、その中でも最も重要な数値となります。

　そこから、何がよくて、何がダメだったのかを徹底して考えます。

　そして、商品・サービスを編集し直し、つまりは修正し、また世に問います。これならどうでしょうか、と。

　再び出てきた、売上などの世の中の反応を見つつ、また編集し直し、3度世に問います。これならどうでしょうか、と。

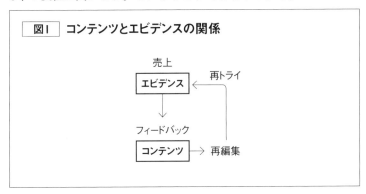

| 図1 | **コンテンツとエビデンスの関係** |

```
              売上
        ┌──────────┐      再トライ
        │ エビデンス │ ←─────────┐
        └──────────┘            │
              │                  │
   フィードバック                │
        ↓                       │
      ┌──────────┐              │
      │ コンテンツ │ ──→ 再編集 ─┘
      └──────────┘
```

　この過程において必要なのは、才能ではありません。

　もちろん、才能が寄与する場面も多くありますが、才能よりも極めて重要な要素があります。それが、「思考密度」と「継続性」です。「商品開発」においては、こんな式が成り立ちます。

才能＜思考密度×継続性

　またこうも言えます。

コンテンツの質＝思考密度×継続性

　これは、いったい、どういうことなのか？

　非常に簡単な理屈です。今はラーメン屋さんの定番メニューの一つとして確固たる地位を築いている「つけ麺」ですが、ご存じのとおり、その始まりは戦略的な商品開発によるものではありません。東池袋の大勝軒で、スタッフがまかない飯として食べていたものを、お客様が食べたいと言って始まったものです。マクドナルドなどのファスト・フードの始まりも配膳が面倒なために効率化されたことであり、「これからファスト・フードを始めます」として始まったものではありません。カレーで有名なCoCo壱番屋の始まりは、夫婦で出した名古屋の小さな喫茶店であり、そもそもカレー店ではありませんでした。

　つまり、ヒット商品の陰には、「必然的な事故」が起きている場合が多いということです。

　大きくとも小さくとも、事業を継続していくと、お客様からリクエストを受ける頻度が高くなります。いわゆる「閃き」も事故の一種と言っていいでしょう。

　では、「閃き」はどうやったら生まれるかと言えば、単純な話です。「それについて深く考えている時間（思考密度）」を「より長く保つ（継続性）」。そうすることによって、「閃き」が必然的に生まれる可能性が高くなります。それがお客様からのリクエストという「賜り物の閃き」であったとしても、です。

　重要なのは「思考密度」と「継続性」であり、そのいずれかが欠ければ、「コンテンツの質」を高める答えに出合える可能性が極端に低くなります。

　たとえば、東池袋大勝軒で、お客様に「そのいつもスタッフが食べているの、美味しそうだね」と言われたとしても、「あ、そうです

1 ストーリー

2 コンテンツ

3 モデル

4 エビデンス

5 スパイラル

6 ブランド

7 アトモスフィア

か（思考密度が低い状態）」で終われば、つけ麺は誕生しなかっただろうと思います。常に、お客様の欲望、つまりは「需要」は何かと考えることで、つけ麺もマクドナルドもCoCo壱番屋も生まれたのではないでしょうか。

「必然的な事故」の積み重ねが"企業秘密"となる

僕はプロカメラマンとしての顔も持っているのですが、お客様にフォトサービスを提供する前に、必ずモニターモデルさんにお願いして、何度も何度もモニター撮影を繰り返します。最初は、こういう写真が撮りたいというイメージがあるのですが、数千枚、数万枚撮っていると、そのイメージから乖離<ruby>乖離<rt>かいり</rt></ruby>していきます。そして、不思議なことに、その乖離したところに、答えがある場合が多いのです。

そこにたどり着くのに必要なのは、ある種の失敗です。

> ・ピントをほんの数ミリ手前にしてしまった。
> ・メインのストロボがなかったので、LEDライトで代用した。
> ・絞りを開放で撮るつもりが、
> 　いつの間にか大きな値で撮ってしまっていた。
> ・風景写真用だと思って買ったレンズが、
> 　ポートレート撮影で活躍した。
> ・作り込んだスタジオよりも、コンクリートの壁のほうが絵になった。

こういった「失敗」は、事故から生まれるもので、教本などには書いていません。ところが、この書いていない失敗、つまりは数をこなすことによってしか生まれない「必然的な事故」が、写真を見違えるようによくします。それが作家性となり、それを求めて、お客様が集うようになります。

もしかして、人気のスイーツ店や料理店でも、こういった「必然的な事故」が常に起きているのではないでしょうか。

　多くの場合、その「必然的な事故」が積み重なると「企業秘密」となり、ビジネスの大きな優位性になります。これが飛躍的に「コンテンツの質」を上昇させる場合があります。

　人気のラーメン店がフランチャイズ展開して、一気に店舗数を伸ばす場合がありますが、フランチャイザー（フランチャイズの本部）からフランチャイジー（実際に自分のお金で店舗を展開する人）が買うのは、この「企業秘密」の塊である「秘伝の製法」などであり、それをひもとくと「必然的な事故」の集積であり、自分でその「必然的な事故」を積み上げる時間と労力をカットするために、ロイヤリティを払ってでもフランチャイズ契約したいからです。

　皆さん、気づきましたよね？

　フランチャイズ契約とは、「コンテンツの質」を上昇させる３つの方法の中の「アライアンス」に当たります。

　こうも言えるのではないでしょうか。

　より多くの「必然的な事故」を生み出し、それを「思考密度」高く考え、「継続」した者だけが「ブランド」になると。

　こうして生み出された質の高いコンテンツの元に、行列が生まれ、途切れなくなり、マーケターは南の島で遊べるようになるということです。

1 ストーリー
2 コンテンツ
3 モデル
4 エビデンス
5 スパイラル
6 ブランド
7 アトモスフィア

月20万円新しく稼ぐための「56の質問」　②コンテンツ

　それでは、今回も月20万円新しく稼ぐための「56の質問」のうち、7つを皆さんに問いたいと思います。これに堂々と答えられるようになると、「商品設計」が非常に楽になります。

FUNCTION ファンクション2
商品開発と調達

2-1 その商品が存在しなければならない理由は何ですか？
《商品の目的》

2-2 その商品はどんな構想で開発しましたか？
《商品のデザイン》

2-3 開発者のスキルはどれくらいのレベルですか？
《技能レベル》

2-4 その商品に独自性はありますか？《オリジナリティ》

2-5 ビジネスを遂行する上での調達力はありますか？
《調達力／素材・人材・取引先》

2-6 調達したものを編集する力はありますか？《編集力》

2-7 商品の完成形にこだわっていますか？《パッケージ化》

　2-1の《商品の目的》は文字通り、その商品が存在しなければならない理由を明確に答えてください。

　2-2の《商品のデザイン》については、できるだけ詳しく商品の設計コンセプトを答えてください。

　2-3の《技能レベル》は、できれば経験15年など客観的な数値で表してください。

　2-4の《オリジナリティ》は商品の独自性について詳しく答えて

ください。

2-5の《調達力》については、実現可能な調達先について詳しく説明してください。

2-6の《編集力》について、せっかくいい素材を集めたとしても編集する力がないと商品にはなりません。その編集力を個人、あるいは組織が持っているか答えましょう。

2-7の《パッケージ化》については、商品・サービス問わず、どういうパッケージにするか、具体的に説明してください。

質問に、自信を持って答えられるようになると、商品開発の際に大きな助けになるかと思います。

また、今回の要素をまとめた「商品開発シート」も添付しておきます。

いわば、このシートは、皆さんが作る商品・サービスの「ステータス」です。『ドラゴンクエスト』や『ファイナルファンタジー』などのRPGは、主人公の強さなどが一目瞭然で、どういうパーティーを組むかを考えやすくなっています。『ウイニングイレブン』などのサッカーゲームでも選手のステータスがわかりやすい数値で表れていて、監督はフォーメーションを組みやすくなります。

つまり、「ステータス」が明確化されると、編集作業がしやすくなるということです。

皆さんも、ご自身が作る商品・サービスを見える化しておきましょう。非常にやりやすくなるはずです。

次回は、ついにみんな大好き「ビジネスモデル」についてです。そこには大きな大きな落とし穴があります。それについて、詳しく話しましょう。

お楽しみに。

1 ストーリー

2 コンテンツ

3 モデル

4 エビデンス

5 スパイラル

6 ブランド

7 アトモスフィア

6つの
メーカー・シート

2

コンテンツ・メーカー／CONTENTS MAKER
《商品開発シート》

「6つのメーカー・シート」の中でも使う頻度が最も高くなるのが、商品開発シートである「コンテンツ・メーカー」になるでしょう。商品・サービスを開発する際には戦略を立てる必要があります。このシートがその助けになると思います。

「コンテンツ・メーカー」の使い方、および、ダウンロードは、以下の特設 HP から

https://in-pulse.co.jp/1sheet-marketing

顧客メリット その商品が存在すると顧客はどう変わるか　CUSTOMER MERIT

TARGET

AFTER

お客様はどういう人か？

お客様はどう変わるのか？

企画趣旨 この商品が世の中になければならない理由　PLANNING POINT

自分ではなく顧客主体で考える

商品設計　CONTENTS / DESIGN

ブランド

アプローチ　APPROACH

☐ 吸収

☐ アライアンス

☐ 独自開発

選択

必要条件

商品を開発する際に
必要となる条件を列挙する

「コンテンツの質」を上げる
ための具体的なプラン

コンテンツの質
CONTENTS QUALITY

| パッケージ | 商品を売れるようにパッケージ化せよ | PACKAGE |

もし A4 のチラシを作るなら

表装（デザイン）
DESIGN

できればデザイナー
に仕上げは依頼

キー・カラー
KEY COLOR

キー・キャラクター
KEY CHARACTER

世界観
WORLD VIEW

自由にクリエイティブ
ラフ案で OK

その他
OTHER

物語
STORY

パッケージ化の
プランを具体的に

メインビジュアル・ラフ
MAIN VISUAL ROUGH

| 商品名／キャッチコピー | PRODUCT NAME / COPY |

商品名： 検索しやすい名前／インパクトがある名前

キャッチコピー： すっきりと一行で表現する

収益を上げる
「レベニューモデル」を構築せよ
〔モデル／ MODEL〕

なぜ「モデル主義」は破滅するのか？

　書店のビジネス書売場で人気があるのは、ビジネスモデルのコーナーです。

　ビジネスモデルに関する本は、頻繁に出版され、たびたびヒット作が出ます。かくいう僕も、起業当初は、ひたすらビジネスモデルの本を読みました。あらゆるビジネスモデルの本を読んだと言ってもいいでしょう。

　ところが、起業してわかったことがあります。

　ビジネスモデルの本に、ハマってはならない、という鉄則です。

　なぜなら、ビジネスモデルの本、そしてビジネスモデルの話は非常に面白いからです。面白いから、本来やるべきことが他にあるのに、ビジネスモデルについて考えてしまいます。そうすることによって、自分のビジネスが暗礁に乗り上げてしまうリスクが近づいていることに気づかずに。

　前回の講義でも述べたとおり、「コンテンツの質」を上昇させるのには尋常ならざる努力が必要です。しかも、それは不断の努力でなければなりません。本来ならば、こちらに注力すべきなのに、多くの人は、「コンテンツの質」が高いことを前提として、「ビジネスモ

１ ストーリー

２ コンテンツ

3 モデル

4 エビデンス

5 スパイラル

6 ブランド

7 アトモスフィア

デル」のことをあれこれ考えてしまいます。

なぜなら、ビジネスモデルを考えるのは楽しいだけではなく、楽だからです。

ホームページを WordPress で簡単に作って、商品を載せて、SNSでバズらせて売り捌き、軌道に乗ったらサブスク化して、オンラインサロンも開いて、定期的な収入を得て、頃合いを見てイグジットして、アーリーリタイアして、物価の安い南の島で何不自由なく暮らす――的な。

厳しいことを言うようですが、楽しいだけで、そこに実態はありません。妄想であり、幻想であり、ビジネスではなく、バーチャルなゲームです。これでは、自分を養うことはできませんし、ましてや愛する家族をリアルで食べさせることもできないでしょう。

SNSでバズらせる、サブスク化、オンラインサロン、イグジット、アーリーリタイアという言葉を発している人がいたら、気をつけてください。ビジネスやマーケティングは決して"スタイル"でやるべきものではありません。かっこいいビジネス・スタイルというものはありえず、もっと泥臭い、なんとか稼いで繋ぐという超絶リアルなのがマーケティングです。

ゲームのようにビジネスモデルを組み上げて、皮算用するのは楽しいものです。

僕も起業当初はカフェの窓側の席でノートを広げて、バーチャルな皮算用を繰り返して現実逃避していました。

今ならよくわかるのですが、そのとき、僕がやるべきはビジネスモデルの構築などではなく、「商品開発」だったのです。そして、プロトタイプでもいいので商品を作って、頭を下げて売り歩き、チラシを配ることだったのです。仕事をもらうことだったのです。

けれども、ビジネスモデルの本を何冊も読み、ノートにバーチャルな皮算用を繰り返して現実から逃げていました。そのノートから

ビジネスが生まれると、狂信的に考えていました。

　そうです。僕は、重度のビジネスモデル中毒者でした。

　それでは、なぜ机上のビジネスモデルでは、本当のビジネスを作ることができないのでしょうか?

　今回の講義は、かなりのボリュームです。

・ビジネスモデルではなく、「レベニューモデル」で考えるべきなのはなぜか?

・銀行が本質的な意味で売っているものは何なのか?

・なぜ商品の値付け「プライシング」は非常に難しいのか?

・「課金モデル」を決めるときの鉄則とは?

・「サブスクリプション」が理想の課金モデルなのはなぜなのか?

・売上を生み出す「4次元アプローチ」とは?

　さっそく、いきましょう。

　机上のビジネスモデルで実際にはビジネスが作れないのは、ビジネスモデルの構築には、大前提、つまりは"必要条件"が存在するからです。それなくしては、鉄壁のビジネスモデルでも意味をなさないからです。

　その"必要条件"は極めて単純明快です。

ビジネスモデル構築の大前提は、いい商品が存在すること。

　それ以上でも、以下でもありません。いい商品が存在すること、それがすべてです。

　その大前提なくして、いかなるビジネスモデルも、意味をなしません。

　それは、ちょうど、どんなに複雑な数式や大きな数値でも、「0」が掛けられたら、すべてが「0」になるのと一緒です。

1 ストーリー

2 コンテンツ

3 モデル

4 エビデンス

5 スパイラル

6 ブランド

7 アトモスフィア

つまり、ビジネスモデルを考えるときは、必ず、いい商品を作ること、商品開発が前提であって、「コンテンツの質」を考慮することなしに、本来ビジネスモデルは成立し得ないということです。

「ビジネスモデル」ではなく「レベニューモデル」を構築しよう

この「コンテンツの質」まで考慮した、本質的な意味での正しい「ビジネスモデル」のことを、ここでは「レベニューモデル」と呼ぶことにします。「レベニュー」とは収益のことです。言い換えると、「レベニューモデル」とは、「コンテンツの質」も含めた、収益を生み出すシステムのことです。

レベニューモデル＝収益を生み出すシステム

そして、この講義では「ビジネスモデル」という言葉の意味を皆さんが認識しているよりも狭い意味、つまりは狭義で考えることにします。狭義の「ビジネスモデル」は、こう定義します。

ビジネスモデル＝商品を顧客に届ける手段

そうなのです。ビジネスモデルとは、本来、商品をどのようにして顧客に届けるかという手段でしかなく、目的ではないのです。

レベニューモデルを構築するためには、もう一つ、考えるべき要素があります。

それが、「課金モデル」、つまりは顧客からどのようにして料金を受領するかという「受領の方法」のことです。

まとめると「ビジネスモデル」はお客様にどうやって商品を提供するかという"流れの型"のことであり、「課金モデル」はお客様か

らどうやって料金を受領するかという"受領の方法"のことで、これに「コンテンツ」を掛け合わせると、レベニューモデルを表すことができます。

レベニューモデル ＝ **コンテンツ** × **ビジネスモデル** × **課金モデル**
                            What   **How**   **How**
                            （何を）   （どうやって） （どうやって）

　どうでしょうか、実にシンプルな形ではないでしょうか。

　一般的にビジネスモデルの考え方では、「コンテンツの質」については後回しにされるか、考慮があまりされないきらいがあります。けれども、「レベニューモデル」では、何をおいても、「コンテンツの質」が大前提になります。

　それは、いったい、どういうことなのか？

　たとえば、24時間営業で混雑時も席の予約がアプリからできて、月に2,000円サブスクリプションとして支払えば、通常1,000円のラーメンが何度食べても500円になり、しかも決済手段はクレジットカードもSuicaカードなどの交通系も、なんとビットコインまで使えるというフルモード。ラーメンの提供速度も早く、店員の対応もいい。つまりは、ビジネスモデルとしては申し分ないラーメン屋があったとします。ただし、そのラーメンが不味かったとしたら、どうでしょうか？　ビジネスモデルなんてどうでもよくないですか？なにせ、不味いのですから。

　逆に、お昼しか営業せず、麺がなくなれば終了で、支払いは現金のみ、しかも万札お断りの愛想のない、席数も少ないので、行列で炎天下でも待たされるラーメン屋があったとします。ただし、ラーマンがとてつもなく美味しかったらどうでしょうか？　ビジネスモデルなんて関係なくないですか？　多くの人が食べに行くだろうと思います。

1 ストーリー

2 コンテンツ

3 モデル

4 エビデンス

5 スパイラル

6 ブランド

7 アトモスフィア

　要は、「コンテンツの質」なのです。

　商品の質をどうやって担保するか、そして、それをどうやってお客様に届けるか。それを一体的に考えるのが「レベニューモデル」の特徴です。もはや、「レベニューモデル」は、皆さんの"ビジネスの核"と言っていいでしょう。

　たとえば、ジブリ映画『天空の城ラピュタ』で言えば、ラピュタの半球体の中に隠されていた巨大な飛行石がこれに当たります。一般的な意味での「ビジネスモデル」は中毒になるとビジネスを危うくしますが、「レベニューモデル」については、いくら中毒になっても構いません。むしろ、四六時中「レベニューモデル」を考えてもいいくらいです。何度も言って恐縮ですが、大前提となるのは「コンテンツの質」であって、これを上げるのが「レベニューモデル」の肝とも言えるでしょう。

「レベニューモデル」を言葉で説明すると、こうなります。

> ビジネスの根幹となる収益の仕組み「レベニューモデル」とは、
> どれくらいの質の「コンテンツ（商品）」を、
> どんな「ビジネスモデル」でお客様に届け、
> どんな「課金モデル」でお客様から料金を受領するかで決まる。

　そして、これは《レベニュースコア》で表すことができます。「コンテンツ」において注目すべきは、もちろん、《質》です。どれだけ質を高められるかに挑みましょう。「ビジネスモデル」では、どれだけ適したモデルかが重要な要素になります。「課金モデル」もそうです。つまり、目指すべきは"最適な状態"です。《適》が高められるかがポイントです。

レベニューモデル	=	コンテンツ	×	ビジネスモデル	×	課金モデル
		What (何を)		**How** (どうやって)		**How** (どうやって)
レベニュースコア	=	《質》	×	《適》	×	《適》

スコア化する際には、主観的にポイント化します。仮説であっても構いません。

たとえば、「コンテンツ」の質はまあまあ高いけれども、「ビジネスモデル」は最適からは程遠い、「課金モデル」もまだ考える余地がある、と主観的に思っていれば、

		コンテンツ		ビジネスモデル		課金モデル
レベニュースコア	=	《質:6》	×	《適:3》	×	《適:3》

などと表しておけば、売上などの「エビデンス／実数値」が低く出た場合に、優先的に改善すべきポイントが見えます。上の場合だと、コンテンツの質がある程度高いので、ビジネスモデルと課金モデルを工夫すれば、売上に跳ね返ってくるでしょう。

もし、ビジネスモデルと課金モデルの最適化を図ったはずなのに、売上がまるで上がってこないというのであれば、もしかして、コンテンツの質が想定以上に低いのが原因かもしれません。その場合は、結構な労力を投じなければならないということです。もちろん、後の講で取り上げる、セールスフォースが弱い可能性もありますが、コンテンツの質はそう簡単には上がらないと考え、覚悟しておいたほうがいいでしょう。

レベニューモデルは、試行錯誤、悪戦苦闘しながら、常に更新していくべきものです。最初から完璧を目指す必要はありません。ですが、悠長にもしていられません。なぜなら、多くの場合、収益が上がらなければ事業を継続していくことができなくなるからです。

1 ストーリー

2 コンテンツ

3 モデル

4 エビデンス

5 スパイラル

6 ブランド

7 アトモスフィア

たとえ、初期に豊富な資金があったとしても、あっという間に溶けるようになくなります。資金が尽きる前に、収益を上げられるレベニューモデルを構築する必要があります。タイムリミットがある、待ったなしの痛みを伴うリアルゲームだと思ってもらってもいいでしょう。

レベニューモデル ver.0 のプロトタイプから始まり、ver.1.0、ver.1.1、ver.1.2 のマイナー・バージョンアップを繰り返し、ver.2.0 へとメジャー・バージョンアップする、我々が日常的に使っているソフトが知らない間に進化しているイメージで、レベニューモデルを成長させていきましょう。

繰り返すようですが、レベニューモデルの構築に関わるのは、たった3つの要素です。

「コンテンツ」と「ビジネスモデル（狭義）」と「課金モデル」だけです。

銀行が本質的な意味で売っているものは何なのか？

まずは、次の図を見ていきましょう。

3つの要素、「コンテンツ」の質、「ビジネスモデル」と「課金モデル」の最適化によって決まる「レベニューモデル」ですが、「ビジネスモデル」と「課金モデル」も、それぞれ、3つの要素で考えることができます。実にシンプルな形をしています。

この図で、世の中のあらゆるビジネスのレベニューモデル（広義のビジネスモデル）を読み解くことができると言ったら、皆さんは驚くでしょうか？

でも、実際にそうなのです。

それは、いったい、どういうことなのか？　一緒に見ていきましょう。

レベニューモデル

レベニューモデル
REVENUE MODEL

本当は"何"を売っているのか　　　ESSENCE

コンテンツ ……………

商品の提供方法　　　　具体的に

売場	
対象	
方法	

ビジネスモデル ………

受領の方法　　　　具体的に

クロージング
課金モデル ………

時期	
手段	
継続性	

売場 = 店・Web・相手方・（なし）など
対象 = to C・to B など
方法 = 売買・仲介・代理・委託・賃貸など

時期 = 都度・前・後・成果後
手段 = 現金・クレジット・代行・振込
継続性 = 高い ↔ 低い

このレベニューモデルにおいては、コンテンツは、何を売っているのかを“本質的な意味”で考える必要があります。

たとえば、銀行のメインのコンテンツは何でしょうか？

銀行は、本質的な意味で、何を売っていると思いますか？

——実は、「時間」なのです。

銀行は、個人や企業から預金を集めます。そして、集めた預金を、特に企業に貸し出し、利息を得ます。その利息とは何かと考えていくと、銀行が本質的な意味で売っているものの正体が見えてきます。

逆に銀行ではなく、借りる側の立場になって考えましょうか。企業が、なぜ利息を払うのか。

たとえば、今から新しいカフェを始めるとしましょう。けれども、手元には十分な資金はありません。開店に必要な資金を貯めるには、あと10年くらいかかりそうです。

でも、今、店をオープンしたいのです。

本来ならば、10年後にオープンするはずの店の資金を借りて、事業をしながら借りた元金と利息を返していく。つまり、利息とは、先取りで使うことができた「時間」の対価なのです。

住宅ローンもそうです。本来ならば、35年後に建てられる家に、今から住むことができる。その先取りした「時間」の対価が、利息です。要するに、銀行の本質的な意味でのメイン・コンテンツは「時間」なのです。

では、JRが売っているものは何でしょうか？

もうわかりましたよね、「移動」です。電車に乗せること、ではないのです。満員電車で立たされたとしても、我々が返金を求めないのは「移動」を買っているからです。

このように、本当は何を売っているのか、「エッセンス」を読み解くと、ビジネスの正体が見えやすくなります。

「ビジネスモデル」は“商品の提供方法”のことである

　この講義で言うところの「広義のビジネスモデル」は「レベニューモデル」です。これはちょうど、世の中で普段使われている「ビジネスモデル」と近い意味だと捉えてもらってもいいでしょう。重要なので何度も繰り返しますが、この講義で言う「ビジネスモデル」は「狭義のビジネスモデル」であり、主に商品の流れ、「商品の提供方法」のことです。

　それも、別に難しくはありません。「商品の提供方法」についても、3つの要素で完成します。あらゆるビジネスモデルは、この3つの入れ替えに過ぎないのです。高校の数学、確率や統計のところでやった人もいると思いますが、「場合の数」に近い考え方です。要素は3つですが、樹形図的に枝分かれしていくと、すべてのビジネスモデルが網羅されるようになります。

　それなので、ビジネスを作る我々としては、3つの要素を押さえておけば、無限にビジネスモデルを構築することができるということなのです。

　さて、その3つの要素を見ていきましょうか。その3つとは、「売場」「対象」「方法」です。

「売場」とは、商品の提供場所のことです。たとえば、文房具を売っているのは、伊東屋、東急ハンズ、ロフトなどの大型文具店か、小さな文具店、丸善などの書店に併設された文具売場がメインでしょう。

　この場合、「売場」は「実店舗」ということになります。

　ただし、その文具店はWeb上に販売サイトも持っていたとしましょう。

　その場合、「売場」は「実店舗」と「Web店舗」の併用ということになります。小売ではこのパターンが多くなりました。

1 ストーリー

2 コンテンツ

3 モデル

4 エビデンス

5 スパイラル

6 ブランド

7 アトモスフィア

　他には何が考えられるでしょうか？

「売場」が「顧客の自宅」というサービスは考えられないでしょうか？

　実は、多くあります。水回りの工事をサービスとしているビジネスや訪問介護もそうでしょう。また、新聞や牛乳の宅配、ヤクルトレディのモデルもそうでしょう。出前やウーバーイーツもそうです。

　そして、特殊な例では「富山の薬売り」もそうです。常備薬を顧客宅に設置し、使った分だけ精算する。これは「課金モデル」としても特殊です。

「売場」が「観光地」になる場合もあるでしょう。旅行業者がそうです。

　次の要素、「対象」とはどういうことでしょうか？

　商品を提供する相手のことです。皆さんも「BtoC」や「BtoB」という言葉を一度や二度は耳にしたことがあるのではないでしょうか。

　これは、「Business to Consumer（消費者相手のビジネス）」、「Business to Business（企業相手のビジネス）」という意味です。昨今、「DtoC」あるいは「D2C」という概念がアメリカから興りましたが、これは「Direct to Cosumer」の意味です。「対象」というより、ユニクロのファーストリテイリングやABCマートなど、自社で開発して自社で売る、いわゆる「SPA（製造小売業）方式」の進化型で、実店舗からではなく、Webを中心とした「売場」を構築してからリアルな店舗に広げているモデルのことです。「BtoC」の中の新形態と考えてもらってもいいでしょう。

　この「対象」に入るのは、「消費者向け」、「企業向け」、あるいはその両方の場合もあるでしょう。

　最後の「方法」は、どういう手段で商品を提供するか、ということです。

　これは、民法的に考えると、意外にわかりやすくなるかもしれま

せん。

　民法では、「売買」「仲介」「代理」「委託」「賃貸」について記されていますが、このあたりが「ビジネスモデル」における「方法」の箇所に入るメイン候補になるでしょう。

　次ページのような図があるとわかりやすくなるのではないでしょうか。

　これは複雑に見えて、ある小売業を支えているビジネスの数々を図示したものです。

「売場」である店を「賃貸」する大家がいて、それを「仲介」する不動産仲介業者がいて、クレジットカードやSuicaなどの交通系ICカードでの決済を可能にする受領「代理」業者がいて、その店に顧客を呼んでくる広告「代理」店がいます。もしかして、その店の中には完全な買取仕入れではなく、「委託」で置いてある商品もあるかもしれません。

　これで見るとわかるとおり、実際に純粋な顧客（Consumer）と接しているのは、小売の事業者のみです。あとは「B to B」がほとんどであることに気づくでしょう。また、小売と顧客の間の取引のみで、この全体のサービスを網羅していることにも注目すべきでしょう。ビジネスを便利に展開するためには、こうした経費が否応なくかかってきます。たとえWebだけでビジネスを展開したとしても、Webで展開している時点で、プロバイダーなど通信事業者との契約が必要でしょうし、様々なサービスとの契約も必要となるでしょう。

　つまり、事業者はある側面において、強烈な顧客であり、消費者であるということです。事業を展開する際には、様々な「需要」が必然的に生じるとも言えます。

1 ストーリー

2 コンテンツ

3 モデル

4 エビデンス

5 スパイラル

6 ブランド

7 アトモスフィア

図K ビジネスモデルの例 ―小売の場合―

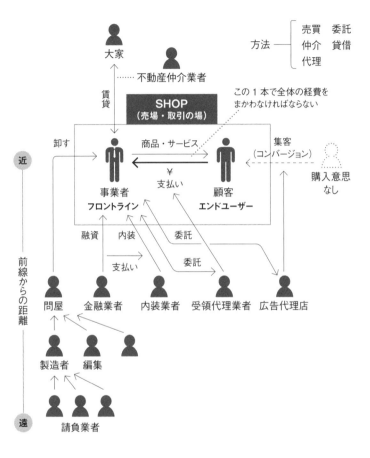

ビジネスモデル ──→ 商品の提供方法		
どこで	**だれに**	**どのように**
売場 ㏄	**対象** ㏄	**方法**
店	to C	売買・仲介
Web	to B	代理・委託
相手方		賃貸

クロージング課金モデル → 受領の方法		
いつ	**どのように**	**続くか**
時期 ㏄	**方法** ㏄	**継続性**
前金・後金	現金・振込	高
都度	クレジット	⇕
成果後	代行・分配	低

商品の"値付け"は非常に難しい～プライシングの作法～

受領の方法である「課金モデル」を考える前に、解決しておかなければならない問題があります。なぜ、それをあえて"問題"と言うか？　非常にアプローチが難しい、まさに問題だからです。

それが、プライシング、すなわち値付け問題です。

プライシングって、「適当にこれくらいかなと考えればいいんじゃないの？」と、思う人もいるでしょう。また、「もし一度失敗したら、変えればいいじゃん！」「売れなかったら、値引きすればいいじゃん！」と、安易に考えている人もいるかもしれません。けれども、あえて、厳しめに言います。プライシングはそんなに簡単なものではありません。僕も様々な商品やサービスを展開する際に、腕を組み、ウンウン唸りながら熟考するのがプライシングです。

まず、プライシングを困難にしている理由の一つが、この原則です。

一度決めたプライス（価格）は簡単に変更できない

いったい、どういうことなのか？

たとえば、皆さんが旅行で北海道に行ったとします。その旅行に大変満足して帰ってきました。ところが、帰ってきた日に使った旅行会社からメルマガが届きます。そこにはこんなことが書かれています。

北海道スペシャルツアー、明日から50％の大幅値引き！

どうでしょう、とんでもなく損をした感覚に陥りませんか？　実際には、前の料金で行った旅行に、大変満足していたのに、なぜか騙されたような、とても損をしたように"錯覚"します。なぜなら、人は"損に敏感"な生き物だからです。

1 ストーリー

2 コンテンツ

3 モデル

4 エビデンス

5 スパイラル

6 ブランド

7 アトモスフィア

　それゆえに、たとえば1,000円の期限付きのクーポンは、その期日内に使わないと1,000円損をしたように"錯覚"します。実際は、損をしていないのです。錯覚なので、勘違い、なのです。

　つまり、一度決めたプライスは、よほどのことがなければ値下げできません。たとえば、カップラーメンが値下げされることに、文句を言う人はそんなにいないでしょう。なぜなら、日常的に需要があり、購入するチャンスが巡ってくるはずだからです。ところが、北海道旅行などは、そうそう行けるものではないでしょう。

　また、では日常的に需要があるものは、売上などの「エビデンス」を伸ばしたいときには値下げを続ければいいじゃないかと思うかもしれませんが、それも簡単ではありません。

　次の図を見てください。

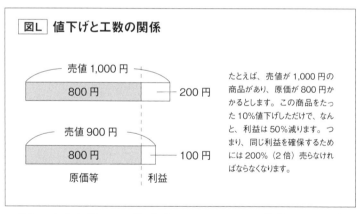

図L　値下げと工数の関係

売値 1,000 円
800 円 — 200 円

売値 900 円
800 円 — 100 円
原価等　利益

たとえば、売値が1,000円の商品があり、原価が800円かかるとします。この商品をたった10%値下げしただけで、なんと、利益は50%減ります。つまり、同じ利益を確保するためには200%（2倍）売らなければならなくなります。

　売れるからと言っての値下げは、もしかして工数的に見ると自分たちの首を絞める結果になるかもしれないのです。

　では、値上げすればいいじゃないか、と皆さんも思うでしょう？

　けれども、値上げすると、それまでのお客様が離れてしまう可能性がでてきます。たとえば、僕は短髪なので、美容室や理容室に行く必要はなく、いつもQBハウスなどのいわゆる1,000円カットを

利用しています。

　QBハウスでは、消費税アップに伴い値上げがありました。消費者として釈然としなかったのは、消費税が8%から10%にアップされて1,100円になるのなら仕方がないかと思いますが、なぜか、1,200円に値上げされたのです。これは、なにか、釈然としませんよね。

　また、あるステーキ屋では、業績が下がり潰れそうなので値上げしました、とありました。これも、ちょっと釈然としません。

　つまり、値上げするには、消費者が納得する合理的な理由、が必要となるということです。

　プライシングの難しさは、値下げをしても地獄、値上げをしても地獄、という点にあります。

　では、他にプライシングの際にはどういうポイントに気をつければいいのでしょうか?

　実は、次のことさえ押さえておけば、基本的には問題ありません。

《プライシングで押さえるポイント》

需要の継続性 …顧客側が購入を継続するのに合理的な価格であるか

供給の継続性 …提供側が供給を継続するのに合理的な価格であるか

　もちろん、質の高い商品を安く売れば、"需要の継続性"は担保されるでしょう。けれども、安くして、事業の継続性を賄えるのでしょうか?

　また、原価を抑えて価格を上げてしまえば、"供給の継続性"は担保されるでしょう。けれども、高くして顧客は購入を継続するでしょうか?

　プライシングの難しさは、この2つの加味すべきポイントに、常に板挟みになり、提供側と顧客側の綱引き状態となり、その合理性

が均衡するポイントをわきまえた上で価格を決定し、しかも、一度決めた価格は揺るがしがたいところにあります。

　実は、このすべての問題を解決するのが「ブランド」なのですが、それについては後の「ブランド」の講で詳しくお話ししましょう。

「課金モデル」を構築する際の鉄則
〜"期限の利益"から考える〜

　祇園や宮川町、先斗町などが有名な京都の花街が、「一見さんお断り」なのは周知のことでしょう。なにも、意地悪でそうしているわけではありません。ある「課金モデル」を採っているゆえに、正確に言えば「一見さんをお断りせざるをえない」のです。

　それは、いったい、どういうことなのか？

　実は、僕が経営する天狼院書店は、京都祇園にも天狼院書店「京都天狼院」という店舗があります。そこでは、開店当初から宮川町からたびたび舞妓さんをお呼びして、撮影会をしたり、インタビュー会をしたりしています。それが可能なのは、有力者からのご紹介があったからです。お願いすると舞妓さんを派遣してもらうことができ、後に請求書をいただき、振り込んでいます。

　つまり、「信用」に基づく、後払いが原則なのです。店に舞妓さんをお呼びする以外にも、お茶屋さんでの支払いも、常連の後払い、いわゆるツケ払いが当たり前の世界なので、どこの誰だかわからない人がひょっこりサービスを受けられる仕組みになっていないのです。

　店に舞妓さんを呼ぶ場合の「課金モデル」はこんな型をしています。

　時期：後払い 🔗 手段：銀行振込 🔗 継続性：やや高め

そうです。「課金モデル」、すなわち《受領の方法》も、「時期」「手段」「継続性」3つの要素を入れれば説明完了です。この3つの要素であらゆる「課金モデル」を表すことができます。

まずは「時期」から見ていきましょう。

これについては、もうすでに払うことが決まっている前提で、"期限の利益"の観点から見て、提供側と顧客のどちらが得をするかで考えるのがポイントです。

```
《期限の利益の優位性と支払いの時期》

提供側 ＞ 顧客   前払い・分割前払い … 顧客が支払うことで提供が
                                 確約、または始動
    ex. チケット購入・修学旅行の費用・工事費用・英会話教室・家賃

提供側 ≧ 顧客   共同購入 … 販売数が目標に到達して初めて
                         値引き料金で提供される
    ex. ECサイトなどでの共同購入・ツアー

提供側 ＝ 顧客   都度払い … 提供と支払いにタイムラグがほとんどない
    ex. 現金払いによる小売・飲食店・サービス業

提供側 ≦ 顧客   成果報酬 … 成果が出るまで支払わなくてもいい
    ex. 売上成果報酬型コンサルタント・著作物の印税・営業代行業

提供側 ＜ 顧客   後払い・分割払い・ツケ払い・解除条件付き払い・無料期間あり
                … 支払いが後日か、返金条件がついている
    ex. 請求書払い・クレジット払い・テレビ通販の分割払い・返品保証商品
```

たとえば、ジャパネットたかたなど、テレビ通販のCMなどで「分割手数料は当社が持ちます」としている事業者を誰もが一度は見たことがあるのではないでしょうか。

これを聞いたとき、「だったら、買ってみようかな」と思った人もいるでしょう。

1 ストーリー

2 コンテンツ

3 モデル

4 エビデンス

5 スパイラル

6 ブランド

7 アトモスフィア

それはなぜでしょうか？

実は、これは"期限の利益"に関して、顧客側に複合的なメリットがあるからです。まずは、今手元にお金がなかったとしても、月々、支払える範囲で支払うことが可能です。これは顧客にとって大きなメリットです。待たずとも欲しい物が手に入ります。

先ほど、銀行が本質的な意味で売っているものは"時間"としたときにも同じような考察をしましたよね。お金を貯める時間を待たずとも商品なり家なりが手に入る——これが顧客の大きなメリット、つまりは"期限の利益"になります。もし、今手元にお金がないことが購入しない理由だったとすれば、このメリットを提示されると、"顧客が買わない理由"、つまりは「購入障壁」が一つ消えます。

また、通常なら、銀行がそうであるように、"期限の利益"を与える代わりに利息をもらいます。それがいわゆる"分割手数料"ですが、ジャパネットたかたは、それも提供側が負担する、と言っているのです。つまり、これも顧客のメリットを増やすアプローチであり、顧客の「購入障壁」をさらに下げる可能性が高くなるのです。

一口に「課金モデル」と言っても、実は売上などの「エビデンス／実数値」を上げるためのひと押し、"クロージング"において、大きな効果を期待できます。また、逆に多くの人が欲しいと思っている、ブランド化された商品ならば、購入方法が前払いしかないとしても、顧客は支払うはずです。

つまり、「ビジネスモデル」における主要素の一つ、支払いの「時期」は、提供側と顧客の相対的な関係性で決まるものなのです。もし、"期限の利益"を相手に与えることによって、顧客が購入する可能性が高くなるのであれば、その方法も考えるのがマーケティングだと言えます。

支払いの「手段」は、提供側と顧客とのメリットの綱引きである

「ビジネスモデル」におけるもう一つの主要素「手段」は、支払いの「時期」と密接に関わった考え方です。"期限の利益"の観点で言えば、「いつからその代金が自由に使えるか」が焦点になります。また、手数料なども加味しなければなりません。

主な支払い「手段」を見ていきましょう。

> ### 《支払いの「手段」》
>
> | 手段 | 期限の利益／手数料 |
> |---|---|
> | 現金 （レジ・自動販売機・券売機）…………………………… | 高い／無 |
> | 受領代行 （クレジットカード・電子マネー・引き落とし）……… | 低い／有 |
> | 振り込み （請求書）…………………………………………… | 低い／有（無） |
> | 引き換え （クーポン・商品券・図書券・振興券・ポイント）…… | 低い／有（無） |
>
> ＊いずれの場合も支払い時期が「前払い」なら"期限の利益"は非常に高い

一般的に、提供側として最良の支払い手段は「現金」です。それ以外は、現金でその場で支払われるよりも、"期限の利益"を損なう可能性がありますし、ツケ払い、後払いなどであれば、受領リスク、つまりは「取りっぱぐれ」の可能性がありますが、「現金」では受領リスクが極端に低くなります。その場で受領できますから。

また、クレジットカードや電子マネーなどの受領代行サービスを使う場合、顧客にとって便利ではありますが、提供側が手数料を支払うことになります。また、請求書を送って支払ってもらう場合も、すぐに支払われることは稀で、翌月末払いなど、"期限の利益"を喪失する可能性が高いものです。クーポン、商品券、ポイントなど"引き換え券（権）"で受領した場合も、それを引き換えなければ、多くの場合、自由な資金として使えません。

1 ストーリー

2 コンテンツ

3 モデル

4 エビデンス

5 スパイラル

6 ブランド

7 アトモスフィア

ただし、提供側にデメリットが生じるということは、多くの場合、顧客側にメリットが生じるということなので、手段は多様化していたほうが、売り損じを回避できる可能性は高くなるでしょう。

つまり、支払いの「手段」においても、提供側と顧客のメリットの綱引きと考え、どこに設定するのが適切なのか考えるべきです。

先ほど言ったように、「現金」が最強ですが、現金での支払いは今後さらに減ってくるでしょう。「支払い手段のポートフォリオ」の多様性が今後のビジネスでは重要になってくるでしょう。

「サブスクリプション」は、なぜ"理想の課金モデル"なのか?

皆さんも、近年、「サブスクリプション」という言葉を聞いたことがあるのではないでしょうか? 聞いたことがなかったとしても、知らない間に、「サブスクリプション」のサービスを利用しているかもしれません。

顧客に対して継続的にサービスを提供し、定期的に課金する「課金モデル」のことです。

たとえば、Netflix や Hulu、アマゾンプライムビデオに代表される VOD（ビデオ・オン・デマンド）サービスや、Apple Music や Spotify、LINE MUSIC などの定額音楽配信サービス、Photoshop や Illustrator、InDesign などのデザインソフトを提供するアドビや、Word や Excel を提供するマイクロソフトも、「サブスクリプション」モデルに移行しつつあります。

いずれも、サブスクリプション・モデルを採用してから、業績が一気に伸びています。Netflix などは、この仕組みによって、巨大な制作費を計上できるようになり、Netflix オリジナルと銘打った、Netflix に加入しなければ観られないオリジナル・コンテンツを数多く、世界中で制作するようになり、ドラマばかりではなく、超大

作映画も制作するようになりました。Netflix オリジナルの映画『ROMA ／ローマ』は、ついに 2019 年のアカデミー賞 10 部門にノミネートされ、監督賞など 3 部門で受賞しました。

　世界中で熱狂的なファンを生んだ、ファンタジー・ドラマ『ゲーム・オブ・スローンズ』を制作した HBO は、元々はアメリカの衛星・ケーブルテレビ放送局でしたが、Hulu やアマゾンプライムビデオなどの VOD（ビデオ・オン・デマンド）サービスでも配信するようになり、一気に世界中で観られるようになりました。

　最終章の 1 話当たりの制作費が、ハリウッド映画に匹敵すると言われていますが、それを支えているのも、「サブスクリプション」です。

　コンテンツ産業ばかりではなく、「サブスクリプション」のインパクトは、スポーツ界にも広がります。

　J リーグには、イニエスタやフェルナンド・トーレスといった、世界的な選手がここ数年で加入するようになりました。その莫大な契約金を支えていると思われるのが、J リーグが、スポーツ配信サービスのダゾーンと交わした 2017 年から 12 年間で 2,200 億円を超えるとされる放送契約です。もっとも、ヴィッセル神戸のイニエスタに関しては楽天代表取締役会長兼社長の三木谷浩史さんから資金が出ているという話もありますが、このダゾーンとの契約が、J リーグにとって大きな契約だったことは間違いないでしょう。このダゾーンも、まさにサブスクリプション型のサービスです。

　それでは、なぜ、サブスクリプション型の「課金モデル」は莫大な売上、つまりは「エビデンス／実数値」を上げることができるのでしょうか？

　そもそも、定期購読や定期購買を意味する「サブスクリプション」の「課金モデル」は、なにも、最近になって初めて出てきた考え方ではありません。

1 ストーリー

2 コンテンツ

3 モデル

4 エビデンス

5 スパイラル

6 ブランド

7 アトモスフィア

『ゲーム・オブ・スローンズ』を制作したHBOの元来のビジネス、衛星放送もケーブルテレビも、視聴者は月々契約して視聴するモデルなのでサブスクリプション型でした。日本でもNHKの衛星放送やWOWOWなどはこのモデルです。

　最近、サブスクリプション型のビジネスが、大企業ばかりではなく、小さな企業にまで広がった背景に、当然、大容量データを送受信できるインターネットの普及があります。また、もう一つの理由が、「課金モデル」の中でも、インターネットの普及にあわせて、先ほど述べた「手段」が多様化したことが理由です。

　たとえば、新聞や牛乳の定期購読・定期購買もサブスクリプション型と言えますが、以前は「集金」と呼ばれる「手段」がメインでした。集金担当者が契約者のところに赴き、現金を預かるのが「集金」です。

　どうでしょう？　途方もなく、労力がかかると思いませんか？

　集金と銀行振込、引き落としだけの「手段」しか用意されていなかったとしたら、実に煩雑です。ところが、現在ではクレジットカード払いが主流になり、それ以外にもPayPalなどの決済手段が増えました。しかも、それは小さな事業者でも利用することができる。

　つまり、「サブスクリプション」が広がった背景に、インターネットの普及とあわせて、受領手段の革命があったのです。これにより、「サブスクリプション」という概念が一気に広がり、小さな事業者でも、「サブスクリプション」にチャレンジするようになりました。

　なぜなら、「サブスクリプション」の導入が成功すれば、マーケティング・コストを極限まで抑えて、しかも、売上などの「エビデンス／実数値」を絶大化することができるからです。

　ちょっと考えてみましょう。たとえば、『ゲーム・オブ・スローンズ』の1話1話を別々にDVDでのみ販売していたとしたらどうでしょうか？

もしかして、その都度、CMなどの広告を出したり、プロモーションをしたりしなければならなかったでしょう。店頭にはポスターを貼り、お客様に営業し、とマーケティング・コストがいちいちかかります。ところが、「サブスクリプション」は、基本的に将来にわたる一括販売なので、そのマーケティング・コストが省けます。それだけでなく、『ゲーム・オブ・スローンズ』以外の他のドラマや映画も、結果的に一括販売されることになります。

　そして、契約者は多く観る月とほとんど観ない月があったとしても、決められた契約金を定期的に支払う必要があります。たとえば、映画は好きだけれども、忙しくてここ半年は映画館に足を運んでいなかった、という人は、当然、行ったときだけ映画代を支払えばいい。ところが、サブスクリプションは、「密」に利用している期間だけなく「疎」にしか利用していない期間も、同額を受領できるという途方もないメリットがあるのです。

　なかには、契約したにもかかわらず1年間、一度も観ていないという人もいるでしょう。その人からも、恐ろしいことに売上が計上されてしまうのです。

　ちなみに、たとえば前払いチケットやポイントなどの権利を利用者が行使しないで、それがそのままサービス提供側の利益になることを"退蔵益"と呼びますが、サブスクリプション型のビジネスでも、この"退蔵益"のような利益が莫大になっているはずです。皆さんも、契約して毎月クレジットカードで支払っているけれども、ほとんど使っていないサービス、いくつかありませんか？　解約が面倒でそのまま契約し続けた分は、サービス提供側の利益になるということです。もっとも、VODサービスなどは、契約者が使っても使わなくても、提供側の負担はそれほど変わらないでしょう。

　つまり、一度契約してしまえば、契約解除されるまで同額を定期的に課金することができ、その母数が大きくなればなるほど、売上

1 ストーリー

2 コンテンツ

3 モデル

4 エビデンス

5 スパイラル

6 ブランド

7 アトモスフィア

が増大します。サブスクリプション型の課金モデルが秀逸なのは、受領漏れがまったくと言っていいほどなく、それ以上に使っていない人からも受領できてしまう点です。マーケティング・コストと受領コストを同時に節減させることができます。

　しかし、夢のような課金モデルですが、それを導入し、軌道に乗せるのは極めて難しいことは、ここまでこの本を読んできた皆さんなら想像に難くないでしょう。

　そうです、このサブスクリプション型の課金モデルは、ひとえに、「コンテンツの質」に依存するからです。何度も言いますが、この「コンテンツの質」を上げることは、非常にコストがかかることなのです。

　先ほどから出てきている例でもわかるように、サブスクリプションが成功しているのは、世界レベルで「コンテンツの質」が高い企業ばかりです。しかも、その巨人のような企業同士で、視聴者数の取り合いの戦争が起きています。

　Netflix などに対抗するために、2019 年にディズニーが新しく「Disney ＋／ディズニープラス」というディズニー公式動画配信サービスを始めました。まさに世界のコンテンツ王ディズニーのサブスクリプション大戦への参戦です。

　一方で、比較的早い段階からパッケージでの販売からサブスクリプションに移行していた、Photoshop や Illustrator などのデザインソフトを提供するアドビは、こういった争いには巻き込まれない可能性が高いです。

　なぜなら、Photoshop や Illustrator 、InDesign に代わりうる有力な対抗馬が、世界にいまだ存在せず、ほとんどその市場を独占できるからです。

　つまり、サブスクリプションを成功させるためには、こんな条件を満たす必要があるでしょう。

> 「コンテンツの質」が圧倒的である
> 「コンテンツ」がブランド化されて人気である
> 「コンテンツ」のオリジナリティが高い

　そう、サブスクリプション型の課金モデルを導入できるかどうかは、コンテンツ次第なのです。

スモールビジネスにおける「サブスクリプション」の可能性

　これからは「サブスクリプション」の時代だと、様々な雑誌やその他のメディアで目にしていた方にとっては、ちょっとがっかりな話だったのではないでしょうか。

　でも、顧客の立場になって考えてみれば、当然のことではないでしょうか。皆さんが消費者としてサブスクリプション型の契約をしている企業は、ほとんど大手か、超大手だろうと思います。あるいは、オンラインサロンや有料メールマガジンを利用するなら、有名人か、高いレベルのコンテンツを提供している人のサービスでしょう。

> 大手か超大手
> 有名人か高いレベルのコンテンツを提供する人

　そう聞いて、考えてもみればそりゃあそうだろう、と意気消沈している皆さんに、少しの希望を提供します。

　大手でなくとも、有名人でなくとも、サブスクリプション型のサービスを提供できる場合があります。

> 生活にとってなくてはならないサービス

を提供することです。

考えてもみてください。インターネット誕生以前から、我々人類はサブスクリプション型のビジネスを利用してきました。

江戸時代の生活を思い浮かべてみてください。今でいうところのマンションやアパートに近い、長屋で生活していた人々は、きっと大家さんに家賃を支払っていたはずです。

僕の幼い頃、つまり昭和末期の時代、毎日夕方には、「はい、こんばんはー！」と白いヘルメットを被り、サングラスをした牛乳屋のおじさんが瓶に入った200ミリリットルの牛乳を配達してくれていました。

僕は中学生の頃、毎朝、新聞配達をしていました。

長屋住まいの人は、家を借りて定期的に家賃を支払うことが、生活に必要でした。

また、スーパーマーケットに頻繁に買い物に行く以前は、牛乳を配達してもらうことが生活に必要でした。新聞を毎日読む人の生活には、新聞配達が必要です。

インフラと言われる電気や水道は、言うまでもなく生活に必要ですが、これも毎月、定期的に支払うサブスクリプション型課金モデルです。

ところが、生活様式が変わると、必要でなくなる場合があります。

牛乳は瓶ではなく、1リットルの紙パックのものをスーパーから買うようになれば、配達は不要になります。また、新聞も電子版にしてしまえば、配達は不要です。つまり、一見、永遠に見えるサブスクリプション型課金モデルですが、「ストーリー」の講で述べたのと同様に、需要が必然的縮小に見舞われるような分野においては、潰えてしまう可能性があります。たとえば、ニコニコ生放送などで一世を風靡したドワンゴは、まさにサブスクリプション型課金モデルで一気に隆盛を誇り、出版社のKADOKAWAグループを呑み込む勢

1 ストーリー

2 コンテンツ

3 モデル

4 エビデンス

5 スパイラル

6 ブランド

7 アトモスフィア

いでしたが、契約者数が落ち込み、業績が急速に悪化し、カリスマ的なトップが表舞台を退きました。

　つまり、サブスクリプション型課金モデルは永遠ではない、との大前提のもと、生活必需コンテンツか、それに近しいコンテンツ、つまりは「生活必需的コンテンツ」を提供することができれば、小規模事業者だとしても、個人だとしてもサブスクリプション型課金モデルの構築は可能ということになります。

　それでは、生活必需的コンテンツとは、どのような商品でしょうか。

　簡単に言えば、生活になくてはならない商品やサービス、のことです。電気も電話もガスも水道もそうですが、インフラではなくとも、それと同様に必要なものが人にはあるはずです。

　たとえば、酒や煙草などの嗜好品は、人によっては人生になくてはならないほどの"中毒性"を持ちます。"中毒"と言うと聞こえがよくないでしょうが、生活にどうしても必要でなくとも、ある人にとって中毒的な需要があるものであれば、生活必需品と同じように消費することでしょう。

　どういうものが一般的に"中毒性"を帯びるものなのか、この際、善悪を無視して思考実験的に挙げていきましょう。

　酒、煙草、ギャンブル、ゲーム、スイーツ、ラーメン、恋愛、風俗、軽犯罪、スナック菓子、スポーツ観戦、格闘技観戦、アイドル、ガチャガチャ、ビックリマンチョコ、韓流アイドル、韓流ドラマ、ジブリ映画、新海誠監督の映画、ディズニーランド、ディズニー映画、宝塚歌劇団、劇団四季、コミック、アニメ、お笑い、アイドル撮影会、鉄道写真、BL、二次創作、クロスワードパズル、ジグソーパズル、クイズ、登山、旅行、筋トレ、美容……もはや、無数にあります。

　ここから共通項を引き出すことはできないでしょうか？

1 ストーリー

2 コンテンツ

3 モデル

4 エビデンス

5 スパイラル

6 ブランド

7 アトモスフィア

　複数回、商品やサービスを体験しても、プラス・ベクトルの効果が期待できるということです。主にストレス解消などに効果があります。何度も言いますが、よし悪しは別として、ですが。

　この「a」に入る数値が大きければ大きいほど、継続性が高いコンテンツということになります。たとえば、僕は過去に少なくとも40回以上は映画『ゴッドファーザー』を観ていますが、何度観ても飽きることはありませんし、福岡の行列ができる天ぷら店ひらおにはこれからも通い続けることでしょう。

　こういった"中毒性"のある商品には、サブスクリプション型課金モデルを構築する余地はありますが、やはり、本当の意味での"生活必需品"やアドビやマイクロソフトのソフトのように"仕事必需品"には敵いません。

　そうした"中毒性"や"必需性"に近ければ近いほど、サブスクリプションに近づくと考えてもいいでしょう。

　言うまでもなく、"中毒性"や"必需性"の高い商品は、コンテンツの質が極めて高いものです。結局は、コンテンツ主義がマーケティングの絶対王者であることに変わりはなさそうです。

完成したレベニューモデルを"拡張"しよう

　レベニューモデルについて、これまでの流れをおさらいしてみましょう。

　いわゆるビジネスモデルを構築する上で、絶対的に必要となるの

が、

いい商品が存在すること

です。

　どんなに優れたビジネスモデルがあったとしても、いい商品がなければ意味をなさないからです。そして、「コンテンツの質」まで考慮したビジネスモデルの考え方が、「レベニューモデル」であり、これは、

レベニューモデル＝コンテンツ×ビジネスモデル×課金モデル

　で表すことができ、ビジネスモデル、課金モデルは、それぞれ３つの要素を入れ替えることで、作り上げることができます。

ビジネスモデル……商品の提供方法▷売場 ∞ 対象 ∞ 方法
課金モデル……受領の方法▷時期 ∞ 手段 ∞ 継続性

　この要素を組み替えることで、無限に「レベニューモデル」を作ることができます。あるいは、こうも言えます。あらゆるビジネスは「レベニューモデル」で表すことができる、と。

　悪戦苦闘、試行錯誤しながら、皆さん、独自の「レベニューモデル」を作り上げてください。まずは、机上でもいいのですが、リアルでビジネスを走らせフィードバックを受けながら、「レベニューモデル」をバージョンアップさせていきます。そうして完成した「レベニューモデル」を、今度は拡張させて、新しいチャンスを作り上げましょう。

　たとえば、お菓子のポッキーは、皆さんもご存じでしょうが、ポ

ご購入作品名

■この本をどこでお知りになりましたか？
□書店（書店名　　　　　　　　　　　　　　　　　　　　　　）
□新聞広告　　□ネット広告　　□その他（　　　　　　　　　）

■年齢　　　歳

■性別　　　男 ・ 女

■ご職業
□学生（大・高・中・小・その他）　　□会社員　　□公務員
□教員　　□会社経営　　□自営業　　□主婦
□その他（　　　　　　　　　　）

ご意見、ご感想などありましたらぜひお聞かせください。

ご感想を広告等、書籍のPRに使わせていただいてもよろしいですか？
□実名で可　　□匿名で可　　□不可

　　　　　　　　　　　　ご協力ありがとうございました。

郵便はがき

102-8519

東京都千代田区麹町4−2−6
株式会社ポプラ社
一般書事業局　行

お名前	フリガナ	
ご住所	〒　　　−	
E-mail	＠	
電話番号		
ご記入日	西暦　　　　　　年　　　月　　　日	

**上記の住所・メールアドレスにポプラ社からの案内の送付は
必要ありません。**☐

※ご記入いただいた個人情報は、刊行物、イベントなどのご案内のほか、
　お客さまサービスの向上やマーケティングのために個人を特定しない
　統計情報の形で利用させていただきます。

※ポプラ社の個人情報の取扱いについては、ポプラ社ホームページ
　（www.poplar.co.jp）　内プライバシーポリシーをご確認ください。

1 ストーリー

2 コンテンツ

3 モデル

4 エビデンス

5 スパイラル

6 ブランド

7 アトモスフィア

ッキーには「いちごポッキー」や「ポッキー〈極細〉」など、様々な種類があります。けれども、考えてみてください。そもそもポッキーが成功しなければ、それらの派生商品は生まれなかったはずです。

つまり、ここでも、兎にも角にもオリジナル商品の「コンテンツの質」を上げることが先決であって、オリジナルのレベニューモデルの完成度が高ければ高いほど、派生など、拡張する商品やビジネスも成功する可能性が高くなります。

では、皆さんのビジネスにさらなる「エビデンス／実数値」上昇のチャンスを与えてくれるレベニューモデルの拡張には、どんな種類があるでしょうか？

このような展開が考えられます。

> 派生……レベニューモデルのある部分をズラして
> 　　　　新たなレベニューモデルを作る
> 応用……レベニューモデルを他の業種に応用して
> 　　　　新たなビジネスを作る
> 追加……レベニューモデルに親和性の高い
> 　　　　オプショナル商品を作る

まずは、「派生」から一緒に見ていきましょう。

「4次元アプローチ」で商機（チャンス）を拡大させる 〜派生型レベニューモデル〜

レベニューモデルのある一部分をズラしてみると、新しいレベニューモデルが誕生します。それが、レベニューモデルの「派生」です。

レベニューモデルの「派生」は、4つのアプローチで考えると非

常に効率よく新しい派生型レベニューモデルを構築できます。

《4次元アプローチ》

空間 ex.東京本店➡福岡支店、リアル店舗➡Webショップ

時間 ex.モーニング、ランチタイム

対象 ex.女性➡男性、若➡老、低所得者層➡高所得者層、BtoC➡BtoB

種類 ex.醤油ラーメン➡味噌ラーメン、廉価版➡高価版

この4つのアプローチを派生モデルの「4次元アプローチ」と呼びます。既存のレベニューモデルの、この4つの要素のどこかをズラすと派生レベニューモデルが生まれて、そこでも売上などの「エビデンス／実数値」を積み上げることができるようになります。

この「4次元アプローチ」は非常に取り組みやすく、費用の投資もそれほど大きくはない場合もあるので、一つのレベニューモデルの完成度が高まった時点で、積極的に派生させていきましょう。

他業種へのチャレンジ～応用型レベニューモデル～

ある業種である程度「エビデンス／実数値」を積み上げることができる、秀逸なレベニューモデルは、「応用」すれば他の業種でも通用する場合があります。

たとえば、ダイエットの事業で成功したライザップは、「結果にコミットする」というエッセンスを他の業種にも「応用」して新しいビジネスを作りました。ゴルフや英語のライザップがそうです。

では、レベニューモデルの「応用」は、レベニューモデルのどの部分を変えるとできるでしょうか?

はい、わかりましたよね。

ストーリー 1

コンテンツ 2

モデル 3

エビデンス 4

スパイラル 5

ブランド 6

アトモスフィア 7

> **レベニューモデル＝コンテンツ×ビジネスモデル×課金モデル**

の中の、主に「コンテンツ」の部分を変えると、応用型レベニューモデルを構築することができます。

ライザップの例で言えば、ダイエットがコンテンツですが、その本質的な意味（エッセンス）はこうです。

> **"体重"で問題を抱えている人の問題を解決する／結果にコミットする**

この"体重"の部分を変えていくと、様々な応用型レベニューモデルができることになります。

> **"ゴルフ"で問題を抱えている人の問題を解決する／結果にコミットする**
> **"英語"で問題を抱えている人の問題を解決する／結果にコミットする**

まだまだ、できそうですよね？　皆さんも一緒に考えてみてください。

"恋愛"はかなり相性がよさそうですよね。恋愛で結果にコミットすることができれば、かなりの需要を獲得できそうです。"料理"も行けそうです。"受験"も行けます。

このように、あるコンテンツでの成功は、他の業種に可能性を広げるチャンスになる場合があります。応用型レベニューモデルの構築は、ゼロからすべて立ち上げるよりも、型ができている分、非常に効率よく事業を動かすことができます。ただし、何度も言いますが、完成度の高いレベニューモデルあってこそ、その中核となるコンテンツあってこそです。

オプションを用意して顧客の追加需要を捉えよ
～追加型レベニューモデル～

　アップルストアや Apple のホームページで、MacBook Pro を新しく買うとき、記憶媒体を SSD の 4 テラにして、グラフィックボードもいいものに替えて、CPU も最強のほうにして、とアルティメット・モデルを選択していくと、20 万円くらいだったものが、結果的に 50 万円近くなっていたりします。

　ソニーストアで一眼カメラを買う際も、本体だけを買おうと向かっても、なぜか新しいレンズや最新最速の SD カードまで追加で買ってしまいます。

　映画館に行く場合もそうではないでしょうか？　映画に感動し、パンフレットを買い、関連グッズを買う。スクリーンも通常のものではなく、どうせなら最新の 4DX や IMAX レーザーで観たくなり、追加料金を払う。興奮は冷めることなく、帰りの電車で Apple Music でサウンドトラックをダウンロードする。

『天気の子』や映画『キングダム』、『劇場版「鬼滅の刃」無限列車編』が大ヒットした際は、パンフレットもサントラも、原作本もそのほか関連グッズも飛ぶように売れました。

　優れた商品の周りには、こうしたオプショナル商品が並びます。そして、その中核商品、すなわち「コンテンツ」の質が高ければ高いほど、顧客は高い満足度を示し、そこにさらなる需要が生じます。追加で作られるオプショナル商品が成功するかどうかは、本体である中核コンテンツの質に依存するということです。もし、爆発力がある「コンテンツ」を用意することができれば、それを取り囲むようにして、様々なレベニューモデルを「追加」で構築して、プラスで「エビデンス／実数値」を獲得しましょう。

　それが「追加型レベニューモデル」です。

1 ストーリー

2 コンテンツ

3 モデル

4 エビデンス

5 スパイラル

6 ブランド

7 アトモスフィア

　追加型レベニューモデルの変えるべき部分は、コンテンツの、主に"メディア（媒体）"の部分です。

『鬼滅の刃』の"映画"

で大ヒットしたら、

> 『鬼滅の刃』の"サントラ"
> 『鬼滅の刃』の"豪華版パンフレット"
> 『鬼滅の刃』の"原作コミック"
> 『鬼滅の刃』の"劇場版ノベライズ"
> 『鬼滅の刃』の"アニメ"

も飛ぶように売れました。読まれました。観られました。

　また、『鬼滅の刃』がえげつないほどにレベニューモデル構築がうまかったのは、時期により、提供する入場者特典を変えたことでした。これで、さらにリピート顧客を獲得しました。

『劇場版「鬼滅の刃」無限列車編』に関しては、後の「アトモスフィア」の講でも触れます。予習的に言えば、飲料メーカーなどとの積極的な"タイアップ"で、空気の醸成にも成功していました。

　そんなに大掛かりなことでなくとも、たとえば、地下アイドルグループや小劇団でも、オプショナル商品を用意します。公演の後に、出演者が自身のブロマイド写真を売るなどして、売上を積み上げる姿を目にした方もいるのではないでしょうか。

　また、焼肉屋のレジで売られているガム、ラーメン屋で売られているアイスクリームも、オプショナル商品です。ここで考慮されるのは、

> メイン・コンテンツを消費した場合、その後や前に、
> 顧客は他に何を"需要する"だろうか

ということです。つまり、顧客の立場で考えられれば、追加型レベニューモデルは見えてくるはずです。提供する側も、顧客として、需要する側としての視点も持たなければならないということです。

現代型「1万年のユートピア」の構築方法
～レベニューモデルの多様化～

第0講ではシベリアの遺跡や縄文時代まで遡って人類と日本人のマーケティング・ジャーニーを見てきました。縄文時代の話をした際に、栗林のみに供給を依存した集団は消滅した話をしました。そのときに出てきた、こんな式を覚えていますか？

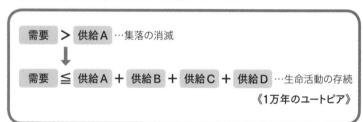

栗林だけに依存した（供給A）集団は、消滅し、原始稲作や狩猟、他の採集にリスクを分散した集団が存続したことを表す式です。"供給の多様化"ができたゆえに、縄文時代はマーケティング的に見て、「1万年のユートピア」になりました。

ちなみにここでいう「需要」は、養わなければならない量のような意味で、「供給」は稼ぎの供給源のような意味です。養わなければならない需要が多ければ多いほど、稼ぎの供給源が必要になるということです。

1 ストーリー

2 コンテンツ

3 モデル

4 エビデンス

5 スパイラル

6 ブランド

7 アトモスフィア

　これは、なにも縄文時代だけの話ではありません。むしろ、現代の我々にこそ、この"供給多様化"は重要になります。なぜなら、昨日、価値の提供ができていたサービスが、1年後そのまま需要されるとは限らないからです。ITの発達などにより、必然的に縮小し、あるいは無効化されるサービス、商品、ひいてはレベニューモデルが多数出てくるようになりました。

　我々はマーケティングの本来的な目的である、

その集団、あるいは個々人の"理想の状態"を維持すること

を達成するためには、"供給の多様化"を進めなければならなくなったということです。

　ここまで講義を受けてきた皆さんなら、この"供給の多様化"を正しく言い換えることができると思います。

　そうです、"供給の多様化"とは、"レベニューモデルの多様化"のことです。

　一つの稼ぎ方だけなく、複数の稼ぎ方を持たなければ、"理想の状態"を維持することが難しい時代になったのです。

　それゆえに、まずは一つの「レベニューモデル」を構築したら、できうる限り、「追加」の需要を獲得し、さらには「派生」させ、業種を超えて「応用」し、追加型レベニューモデル、派生型レベニューモデル、応用型レベニューモデルの構築にチャレンジしましょう。

　これは、フリーランスでも大企業でも変わらず言えることです。むしろ、フリーランスこそが、これからは多くの槍（ランス）を持たねば生き残れないでしょう。時代は、変わりつつあるのです。

　さらには、自分たちが現在依存している「レベニューモデル」と今度はそれほど親しくない新しいフィールドにも、「レベニューモデル」構築の種を蒔いておきましょう。いずれ、その種が芽吹き、皆

さんの危機を救うかもしれません。

　これからの時代は、リスクの回避のためにも、"レベニューモデルのポートフォリオ"を組み上げる必要があるかもしれません。

　そのためにも、多くの分野に早い時期からチャレンジしておくことをおすすめします。それが将来にとって、有益な投資となるはずです。

1 ストーリー

2 コンテンツ

3 モデル

4 エビデンス

5 スパイラル

6 ブランド

7 アトモスフィア

月20万円新しく稼ぐための「56の質問」　③モデル

それでは、今回も月20万円新しく稼ぐための「56の質問」のうち、7つを皆さんに問いたいと思います。これに堂々と答えられるようになると、「レベニューモデル」等のモデル構築、モデルの最適化が非常に楽になります。

FUNCTION ファンクション 3
モデルの最適化

3-1 収益を生む仕組みはどういう型をしていますか？
《レベニューモデル》

3-2 空間・時間・対象・種類の派生の可能性はありますか？
《派生》

3-3 事業目的の応用的拡大の可能性はありますか？
《事業の拡張》

3-4 価格の設定はいくらが適当だと思いますか？
《プライシング》

3-5 どんな「ビジネスモデル」をしていますか？
《ビジネスモデル（提供の方法）》

3-6 どういった課金モデルが最も適切だと思いますか？
《課金モデル（受領の方法）》

3-7 関連で追加できる商品は作れませんか？《オプション》

3-1の《レベニューモデル》は、レベニューモデルの詳細を答えましょう。

3-2の《派生》は、「4次元アプローチ」の可能性について考えてみましょう。

3-3の《事業の拡張》については、「応用」の可能性について考

えてみましょう。

3–4の《プライシング》は、需要と供給の持続可能性を考慮して決めましょう。

3–5の《ビジネスモデル》は商品の提供の方法について詳しく答えましょう。

3–6の《課金モデル》は、受領の方法について詳しく答えましょう。

3–7の《オプション》は、「追加」の可能性について考えましょう。

もし答えられない部分があれば、講義の内容に戻り、試行錯誤して答えられるようにチャレンジしてみましょう。

また、以下の資料（レベニューモデル設計図とレベニューモデル分布図）をレベニューモデルを構築する際に大いに使ってください。

今回は特に長くなりましたが、「レベニューモデル」の論点はビジネスの中核にもなりえますので、しっかりと押さえてください。

さて、次回は、「エビデンス／実数値」についてです。

売上などの「エビデンス／実数値」を上げるためには何が必要なのか？　売上を上げる部隊、セールスフォースはどうやって構築していけばいいのか？　実際に出てきた売上からどう数値を読み解き、レベニューモデルの再構築にどう活かすのか？

非常に面白く、かつ重要な論点になるのでお楽しみに。

1 ストーリー
2 コンテンツ
3 モデル
4 エビデンス
5 スパイラル
6 ブランド
7 アトモスフィア

3

レベニューモデル・メーカー／ REVENUE MODEL MAKER
《レベニューモデル設計図》

　収益を上げるためには「レベニューモデル」を設計する必要があります。単なるビジネスモデルでは、机上のゲームで終わってしまう場合が多いものです。「レベニューモデル」を作る際に助けになるのが「レベニューモデル・シート」、つまりは「レベニューモデル設計図」です。世の中の移り変わりが急速なので、「レベニューモデル」は複数構築しておくのが望ましいと言えます。

**「レベニューモデル・メーカー」の使い方、および、
ダウンロードは、以下の特設 HP から**

https://in-pulse.co.jp/1sheet-marketing

レベニューモデル　そのビジネスの収益モデルを明確にせよ　REVENUE MODEL

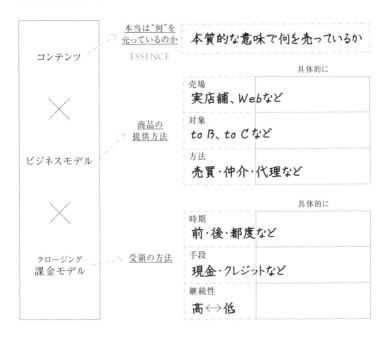

| コンテンツ | 本当は"何"を売っているのか ESSENCE | 本質的な意味で何を売っているか |

		具体的に
	売場	実店舗、Webなど
ビジネスモデル	商品の提供方法	対象 to B、to Cなど
		方法 売買・仲介・代理など

		具体的に
	時期	前・後・都度など
クロージング 課金モデル	受領の方法	手段 現金・クレジットなど
		継続性 高←→低

プライシング・モデル　値付けを明確化せよ　PRICING

正規	原価＋経費＋利益	¥
	グラフで表す	利益　（　　　%）
値引	値引きをしても利益が出るか	¥
		利益　（　　　%）

Project _____   Date _____

Mission　そのビジネスの「レベニューモデル」を明確にせよ

ビジネスモデル　「商品」と「お金」の流れを明確にせよ　　BUSINESS MODEL

図でわかりやすく

4次元アプローチ　派生型レベニューモデルの可能性を模索せよ　　APROACH

空間

時間　　派生の可能性を考える

対象

種類

応用

追加

試算　自由に月次収益を試算してみよう　　ESTIMATION

自由に試算

月次売上　¥ _____

より重要 →　月次収益　¥ _____（　　%）

レベニューモデル分布図

実 大手〈メジャー〉
リスク **大**　利益 **大**

必需性
高

・町の不動産

・コンビニ
　〈フランチャイジー〉　　　　　　　・携帯通信会社
・調剤薬局　　・病院　　　・鉄道
・ドラッグストア・不動産　　・銀行
・アパレル　　・スーパー　・食品メーカー
・飲食店　　　・寺　　　　・TV局
・CAFE　　　・大手出版社・公共サービス
・漁師　　　　・農家　　　・建設
・文房具店　　・大学
・書店

・ライター
・デザイナー　・カメラマン

保有条件 **無** ←

マーケティングの
ヒーローズ・ジャーニー

→ **有**

・弁護士
・会計士
・YouTuber〈無名〉　　　　・居酒屋　　　　　・YouTuber〈有名〉
・温泉街でマッサージ師　　・塾　　　　　　　・プロ野球
・フリーのエステティシャン　　　　　　　　　・テーマパーク
・小さな旅行会社　　　　　　　　　　　　　　・大きな旅行会社
・映画　　　　・コンサルタント　　　　　　　・温泉旅館
　〈インディーズ〉・大学講師　　・ホストクラブ　・映画〈メジャー〉
・小劇団　　　・カウンセラー　　　・商業劇団
・占い師　　　・小出版社

低

境界

虚 ベンチャー／フリーランス
リスク **小**　利益 **小**

1 ストーリー

2 コンテンツ

3 モデル

4 エビデンス

5 スパイラル

6 ブランド

7 アトモスフィア

レベニューモデル分布図

必需性と保有条件

レベニューモデルを考えるとき、特に「コンテンツ」の"エッセンス"を考えるときに、押さえておきたいのは"必需性"と"保有条件"です。

> **必需性**……その商品・サービスは、どれくらい必要な需要とみなされているか
>
> **保有条件**…その商品・サービスは、保有しなければ成立しない条件があるか

「必需性」が高い場合は、当然、その職種自体はなくなりにくいですが、しかし、一方で生活必需品の市場の多くは、資本が大きい企業、大手がひしめいています。

また、たとえば、銀行をやりたい、と思っても、貯金100万円で始められるわけではありません。相当の規模の資金と、そして、許認可などの諸条件が整わなければ始めることはできません。つまり、事業をするために必要な「保有条件」があるということです。

マーケティングの"ヒーローズ・ジャーニー"

ベンチャー企業やフリーランスとして独立起業する人の多くは、必需性がそれほど高くはなく、保有条件が無くても小さく始められる事業からスタートさせます。たとえば、今はブランドと言ってもいいほどの人気があるバルミューダは、スタートは高級トースターでした。テレビや冷蔵庫や洗濯機、パソコンといったメジャーなブ

ランドがひしめく市場ではなく、それほど大規模な戦力を割いてこない、つまりは“ニッチ”とも言える市場からスタートさせました。

　HISは『机二つ、電話一本からの冒険』という澤田氏の著作にもあるように、決して必需性が高くない業界で、澤田氏が身一つで興した会社です。出版や旅行会社、街の不動産は、極論すれば、机と電話が一本あればスタートできます。そこからスタートさせて巨大な企業になるというアメリカン・ドリームのような“ヒーローズ・ジャーニー”を実現している企業があります。

　また、これからの時代は、インターネットと各種サービスによって「保有条件」が緩和されていきます。

　元々は、大きな工場を持たなければ製品を作ることができなかったのが、化粧品などを中心にOEMやODMといった、企画さえ出せば代わりに製造を請け負ってくれる企業が増えたので、オリジナル商品を低コスト・低リスクで出せるようになりました。

　これまで「保有条件」を満たした限られたテレビ局しか放送をできなかったのですが、YouTubeの登場で、一般人が番組を自由に作ることができるようになりました。中には登録者数数千万人を抱え、1コンテンツの視聴数が数百万回を超えるチャンネルも登場しています。芸能人も、芸能事務所やテレビ局から自由になり、独自に配信しているケースが増えてきました。

　映画『カメラを止めるな！』は小さな2つの映画館から始まり、多くのメジャー映画を興行収入の面で圧倒しました。これはSNSの普及によって、従来までの「巨大なセールスフォース」が必要だという「保有条件」を崩しました。

　ある部分では「保有条件」が脆くなり、誰もが参入しやすくなっています。つまり、小が大を喰う“ジャイアント・キリング”が、今のマーケティングの世界では頻発しているのです。

　我々、小さなチャレンジャーが力を振るえるいい時代になってき

1 ストーリー

2 コンテンツ

3 モデル

4 エビデンス

5 スパイラル

6 ブランド

7 アトモスフィア

たということです。

本編にも登場した「D2C」も、今の時代ならできます。

たとえば、独自に開発したランジェリーを「OEM」工場に発注し製造し、まずは店舗を持たずにインターネット上でECショップを開設します。これは実店舗を持つよりもはるかにリスクが少なく済みます。つまり、実店舗を持たなければ商売はできない、という従来の「保有条件」を回避できます。そして、主に宣伝はTwitterやInstagramなどのSNSを使ってフォンを増やし、そこで「セールスフォース」を成立させます。広告代理店に頼まなくともビジネスが成り立つということです。そして、ある程度の規模になった際には、百貨店の"催事売場"で期間限定で出店し、固定費を抑えながらリアル展開します。そこである程度需要が取れると判断すれば、満を持してリアル店舗を開設します。

ただし、リアル店舗はあくまでショールーム的な使い方で、メインはインターネットでの販売とします。ランジェリーに関する様々な情報を詰めた雑誌媒体やメディアを構築して、ブランド認識を高めます。いよいよ、需要が増えれば、自社工場を持つという判断もできるでしょう。

こうして、新しいブランドが誕生し、マーケティングの"ヒーローズ・ジャーニー"が完成します。

ぜひ、皆さんの"ヒーローズ・ジャーニー"を完成させてください。

"キー数値"で「売上」を
極大化しよう
〔エビデンス／ EVIDENCE〕

なぜ売上は"必ず"残酷な数字で僕らの前に現れるのか？
〈売上残酷物語〉

この見出しを見て、テンションが下がった人も多いのではないでしょうか？

売上残酷物語だなんて、あんまりだと。

けれども、この講座は皆さんがそうならないために、リアルを伝える講座です。現実に向き合った上で、その残酷なリアルにどう対処していくかを、講義を通じて考えていきましょう。

今回も、例によって盛りだくさんの講義になります。

- あなたの甘さを浮き彫りにする「ポジティブ率の方程式」とは何か？
- なぜ、売上を上げたいときは売上を見るべきではないのか？
- 魔法の数値「キー数値」とは何か？
- なぜ売上を「因数分解」して把握する必要があるのか？
- 現代のセールスフォースの作り方とは？

さて、いきましょうか。

たとえばフリーランスとして独立したり、起業したり、新規事業

1 ストーリー

2 コンテンツ

3 モデル

4 エビデンス

5 スパイラル

6 ブランド

7 アトモスフィア

を立ち上げたりするときは、希望に満ちてモチベーションも非常に高いことでしょう。

「これからは自由だ！」

「一旗揚げよう！」

「とりあえずは月100万円稼ごう！」

　ところが、大いなる希望に満ちての船出も、出航してすぐにこう思うようになります。

「こんなはずじゃなかった……」

　そう、大抵の場合、売上などの「エビデンス」は、非常に残酷な数値として現れます。それは無差別級の地下格闘技の世界のようなもので、こちらが参りました、と何度言っても謝っても、容赦なく滅多打ちにきます。そして、ビジネスの世界はルールが存在しているようで、ほぼ誰も助けてくれない過酷な戦場であることに気づくことでしょう。

　パラダイスに来たつもりが、壮絶なる戦場だった——。

　人はそれを知るとき、大いなる絶望を抱えます。痛いほどの恐怖を感じます。寝られなくなり、なんとかしなきゃ、なんとかしなきゃ、が口癖になります。

　かといって、大言壮語して独立し、起業し、「代表取締役社長」の銘を打った名刺を親戚や友人や前職の同僚、取引先の人に配ってしまった後では、なかなか、後戻りできない状況に陥っていることでしょう。

　でも、安心してください。

　独立起業した多くの人が、そういう状況に陥ります。世の中は甘くはないことを知ります。給与が毎月25日に振り込まれていたことが奇跡に思えるようになります。自分の存在価値がこんなにも小さかったことを知り愕然（がくぜん）とします。独立起業用に用意した資金も、真夏の雪のごとくに容易に溶けます。

しかし、そこからが本当の勝負です。ほとんどの人はそこで諦めます。結局は、稼ぐこと、つまり、マーケティングは諦めなかった人が勝ちます。往生際の悪かった人が生き残ります。

　特に残酷にあらわれるのが、売上でしょう。

　最低でも100万円稼げるはずが、あっという間に月末になり、リアルで1円も稼げなかった。初めて売上が立てられたのは、起業して半年後のことだった――。

　実は、それは僕です。十数年前の僕です。

　今までの話は、ほとんど、僕の話です。まったくお客様が現れず、眠れなくなり、暗闇の中で目が慣れてきて、アパートの天井の模様すら尽く覚えるような絶望の淵にあったとき、脳裏に浮かんだのが、幼い日、祖母と一緒に街にリアカーで野菜売りに行った光景でした。

　あのとき、祖母はたしかにちゃんとトマトやきゅうりを売っていました。それなのに、大言壮語を吐き、起業して社長になった僕が、なぜ何も売れないんだろう。

　月に100万円稼ぐどころか、月に20万円を稼ぐのも途方もなく遠い夢のように思えました。

　独立起業当初、昔の僕のような状況に陥ることを、「初期起業シンドローム」と名づけることにしましょう。当時は、暗闇の中にあって、なぜそんな状況に陥っているのか、客観的に見ることができませんでしたが、起業から十数年以上経過し、全国で従業員が100名以上になった今では、その原因がありありとわかります。痛いほど鮮明に。

「初期起業シンドローム」の原因は、僕が極度の楽天家だったからです。大丈夫、なんとかなるさ、といつも心のどこかで思っていたからです。

　そう言うと、いいことのように聞こえますが、「初期起業シンドローム」の原因となる楽天性は、こと起業ということに関して見れば、

1 ストーリー

2 コンテンツ

3 モデル

4 エビデンス

5 スパイラル

6 ブランド

7 アトモスフィア

害悪以外の何ものでもありません。

いかに、ネガティブに考えられるか、が独立した人に求められる最たる気質です。あるいは、それを"スキル"とも言えるでしょう。

ネガティブに考えることが、スキルだって？

そう疑問に思う人も多いことでしょう。当時の僕にそう言ったとしても、眉間にしわを寄せて猛烈に反論してきたことでしょう。

「ポジティブに考えない人が、世の中を変えられるはずがない！」

違うのです。世の中を変える必要なんてないんです。マーケティングなんてそうたいそうな話ではないのです。

需要に対して、供給すること。

これがマーケティングの本来の姿です。そして、我々は何のために稼ぐのかと聞かれれば、きっと世の中を変えるためではないはずです。少なくとも、自分や自分が愛情を注ぐべき人たちが、少しでも多くの時間、幸せに過ごすことができればいいはずです。

そうです、マーケティングの目的は、

その集団、あるいは個々人の"理想の状態"を維持すること

でしかないのです。単に、幸福を維持しようと懸命になって働いた結果として、世の中のほんの一部が少し変化するかもしれないだけなのです。誰もがソニーやホンダやトヨタや Google や Apple や Facebook を作る必要はないのです。

たとえば、月に 100 万円稼ぐというのは、懸命なるマーケティング活動の結果でしかなく、それを目的にするのは本末転倒ということになります。何のために月に 100 万円稼ぐのか、のほうがはるかに大切なはずです。月 100 万円稼ぐのは、あくまで手段に過ぎませ

ん。どの業界でも、どの側面でも、この世界においては、手段が目的化したときに、いいことが起きることはほとんどありません。

　ポジティブがダメなら、どうすればいいのか？

　簡単です、極限までネガティブになればいいのです。

　なぜなら、ネガティブになったほうが、皆さんははるかに得をするからです。言い方を換えると、ネガティブにならない限りは、皆さんが目標とする売上、すなわち「エビデンス」に到達することはあり得ないからです。

　それは、いったい、なぜなのか？

あなたの甘さを浮き彫りにする「ポジティブ率の方程式」とは？

　まずは、この方程式をご覧ください。

$$\boxed{\text{現実値}\,\langle\text{実数値}\rangle = \text{試算} \times (1 - \text{ポジティブ率})}$$

　この方程式こそが、売上が"必ず"残酷に出る理由です。

　考えてもみてください。独立起業する多くの人は、どういう性格の人でしょうか？

　はい、基本的にはポジティブな人ですよね。自他ともに認める楽天家が多い。楽天家でなかったとしても、たとえば、高学歴だったり高職歴だったりに依存する、実態的楽天家の人も多い。そういう人たちが起業するものだから、僕なら大丈夫なはず、と根拠の乏しい自信のもと、現実を徹底して甘く見ます。自分では最大限消極的に、ネガティブに売上を試算したつもりでも、蓋を開けてみれば、それでも甘すぎたことがわかるはずです。

　たとえば、ポジティブ率が60％（100％が上限）として、月の売上を100万円と試算したとしましょう。すると、現実の売上は、40

1 ストーリー

2 コンテンツ

3 モデル

4 エビデンス

5 スパイラル

6 ブランド

7 アトモスフィア

万円ほどになるでしょう。これはまだいいほうで、過去の僕は最初の半年間売上ゼロでしたから、ポジティブ率100%だったと言えます。

そのあと、なぜ売上が立つようになったのか？

理由は簡単です。ビジネスという戦場と、現実の恐ろしさを肌で感じたことによって、ポジティブ率が徐々に下がるようになるからです。100%だったものが、90％、80％、70％と減っていきます。

実際には、どういうふうにそれが現れるかと言えば、試算した際に、徐々に"客観視"ができるようになってきて、レベニューモデルなどを、前よりも厳しく見るようになり、結果としてやり直したりする回数が増え、熟考する時間が増えるようになります。楽しかった皮算用が、徐々にリアルに近づいてくるので、楽しくなくなります。やっと、これくらい確保できたかとほっとため息を吐くようになります。

今、僕は起業して十数年経ちますが、ここまで来ると、ポジティブ率は限りなく0％に近づきます。そうすると、試算と現実の売上が一致するようになってきます。ただし、会社の規模が大きくなり、部門ごとの責任者のポジティブ率が全体に影響するようになります。

今の自分のポジティブ率がわからない、と言う人がいるかもしれませんが、現在のポジティブ率を求めるのは簡単です。

たとえば、1ヶ月100万円と"試算"していたのに、"現実の売上"が20万円ならば、ポジティブ率が80％だったことになります。ということは、もっともっとシビアに現実と数値を見なければならないということです。

独立当初、暗中模索のときは、特に冷静に判断できないことも多いと思うので、この方程式が、皆さんがどれくらい甘いのか、客観的に教えてくれます。

なんとかなるさ、自分なら大丈夫、という無責任な楽天家はビジ

$$\boxed{現実値 = 試算 × (1 - ポジティブ率)}$$

$$ポジティブ率 = (1 - 現実値 / 試算)$$

$$\begin{aligned} ポジティブ率 &= (1 - 20万 / 100万) \\ &= (1 - 0.2) \\ &= 80\% \end{aligned}$$

ネスを減ぼします。

そんなポジティブ率100%から、絶対に売れるはずがない、が前提のポジティブ率0%まで徐々に下げていき、極限まで到達すると、不思議なことが起きます。

超絶ポジティブまで反転上昇するのです。

それは、ここまで徹底してネガティブに考えて試算したんだから、これ以上悪くは出るはずがない、という開き直りに近い、反転ポジティブ状態になります。

この"反転ポジティブ"が非常に強い。

「最悪を想定して、最善を願え」という考えとも通じます。まずは最悪を想定して、熟考すること。これが基本スタンス。そして、そこまで考えたんだから最悪が来ても怖くはない、という自信。

これが反転ポジティブの上昇エネルギーになります。

従業員にとっての月末は嬉しいものでしょうが、起業家、経営者にとっての月末は、支払いや返済が一気に来て地獄です。その地獄を100回以上生き延びると反転ポジティブが常態化します。こうなると、ビジネスが面白くて仕方がなくなります。潰れる可能性も一気に減るでしょう。

もし、元々臆病なのに独立してしまった人がいたら、その臆病さは独立起業にとって大いなる優位点になります。

１ ストーリー

２ コンテンツ

３ モデル

４ エビデンス

５ スパイラル

６ ブランド

７ アトモスフィア

売上を上げたいときに注目すべきは売上ではない
～魔法の数字"キー数値"とは？～

　最低でも自分や家族を養わなければならないとすれば、売上を上げることに必死でしょう。けれども、売上とは難しいもので、上げようと思っても、そう簡単に上がるものではありません。

　たとえば、あなたは都内の好立地で喫茶店を営んでいるとします。土日は店が常に満席になっているのに、売上が思うように上がりません。そのときに、売上を上げようと広告を打ってもチラシを配っても、売上はさほど上がりません。

　考え方を変えなければなりません。あなたは緊急でスタッフ会議を開くことにしました。その中の大学生のアルバイト・スタッフがこう言いました。

「パソコンを持って仕事をしている人が多く、席がなくなってしまい、多くのお客様が帰ってしまいます」

　そこに気づけば、簡単です。パソコンの電源を取れる席を減らして、一人あたりの滞在時間を減らせば、結果的に売上が上がることになります。

　つまり、この喫茶店の売上を上げるために見なければならなかった数値が「回転率（数）」だったということです。決して、広告費やチラシ配りの人件費を増やすことではありません。

　このような売上に直接影響を与えるような数値を「キー数値」と言います。まずはキー数値の一覧を見てみましょう。

　特に"率"は、限られた販売数の中のどれくらいの割合が販売できたかで判断する場合に非常にわかりやすくなります。先ほどの喫茶店も、無限に席を増やせれば売上を伸ばせるのですが、そうも行きません。ホテルの客室も飛行機の座席数もそうです。その場合、"率"に注目したほうが、売上が上がることになります。

《キー数値一覧》

回転率（数）	…	カフェ、立ち食い蕎麦屋
稼働率	…	ホテル、旅館、工場、観光バス
空室率	…	不動産賃貸、不動産販売、貸し会議室
搭乗率	…	航空機
乗車率	…	鉄道、バス、船（乗船率）
空席率	…	映画、演劇、コンサート、飲食店
継続率（解約率）	…	新聞、定期購読物、サブスクリプション、有料メルマガ、VOD
客単価	…	小売、アパレル、化粧品、飲食店
視聴率	…	TV、VOD、ラジオ
視聴数	…	動画配信サービス
契約数	…	保険、BtoB、士業
アクティブ率	…	SNS
ダウンロード数	…	アプリ
販売数	…	家、自動車
会員数	…	ファンクラブ、ゴルフ倶楽部
取れ高	…	農業、漁業
期間	…	映画、演劇
興行収入	…	映画
成果	…	学習塾（合格者数）、弁護士
発行部数	…	新聞、出版
貸出金額	…	金融機関

　乗車率の場合は、都会の地下鉄などでは200％などもありますが、基本的に限られた空間なので同じ考え方です。ただし、鉄道などの場合は増えすぎると、顧客満足度が著しく低下します。

　また、サブスクリプション型課金モデルの場合、重要なのは継続率です。解約する人が少なく多くの人が継続してくれれば、雪だるま式に売上は伸びていきます。継続率ではなく解約率（チャーン率）に注目することのほうが、むしろ多いのですが、その理由は明白です。サブスクリプション型課金モデルの場合、解約率を下げる方向に注力したほうが、新規契約数を増やすほうに注力するよりも、コストパフォーマンスが高いからです。サブスクリプションは、ディフェンスを重視、すなわち既存のお客様を重視したほうが、結果的に売上が伸びることになります。

1 ストーリー

2 コンテンツ

3 モデル

4 エビデンス

5 スパイラル

6 ブランド

7 アトモスフィア

映画や演劇で見られる、いわゆるロングラン公演は、キー数値に置き換えて考えると「期間」ということになります。

林芙美子原作で森光子さんが初演から亡くなるまで主演を努め続けた演劇『放浪記』は、1961年から始まり、なんと半世紀にわたり2000回以上も上演しています。この間、莫大な売上を上げ続けたということです。ロングランは、商品開発の側面から見ても、マーケティング的に言えば、非常にコストパフォーマンスがいい。劇団四季の作品も、ロングラン公演により、莫大な売上を上げ続けています。

学習塾などは、有名高校や有名大学への合格者数が「キー数値」になります。これが上がれば上がるほど、ある種のエビデンスとなり、受講生が増えて売上が上がります。

出版や新聞業界でよく見られる発行部数は、単にその媒体の売上が伸びるだけでなく、発行部数を目当てに広告を出稿する企業が増え、広告収入を増やせるので、売上に直結します。視聴率も同じ考え方です。

農業においては取れ高が重要になります。特に稲作では、1反（約10アール）で何俵取れたかが昔から基準でした。10俵（600キロ）を超えてくると豊作とみなされることが多いものです。

さて、様々な「キー数値」が出てきましたが、皆さんのビジネスにおいては何が「キー数値」になりえるのか、考えてみてください。

「キー数値」をズラすと新しい業態が生まれる

また、この「キー数値」をズラすと、新しい業態が生まれる場合もあります。

皆さんは、「俺のイタリアン」や「俺のフレンチ」に行ったことがあるでしょうか。どちらも通常の高級レストランであれば高価な料

理を、非常に低価格で提供しています。開店当初は、椅子もなかったほどだったので、"立ち食いイタリアン"と呼ばれていたこともありました。低価格なのに、シェフは一流で、食材にもお金をかなりかけています。

　なぜ、それが可能なのでしょうか？

　通常、高級イタリアンでは、1席の稼働数は1晩に1回です。2時間ほどかけてコースでゆっくりと顧客が楽しむからです。つまり、通常の高級イタリアンであれば予約がどれくらい埋まっているかの"空席率"と、どれくらいワインを飲んでもらえるかなどの"客単価"が売上を構築する「キー数値」となります。

　けれども、「俺のイタリアン」や「俺のフレンチ」では、この「キー数値」を大胆にズラしました。どうズラしたか？

　立ち食い蕎麦屋の遺伝子とも言える"回転率"を「キー数値」にしたのです。

　これにより、椅子を排除するなどにより"回転率"を上げることによって、結果的にその席当たりの売上を増大させることに成功し、それによって、食材費も一流のシェフの人件費も賄えるようになったのです。

　1,000円カットでいきなり業界の革命児となったQBハウスも、"客単価"などの「キー数値」から"回転率"にズラすことによって、新しい業態を生みました。

　こうして「キー数値」に焦点を当てて考えることによって、既存の業態から新しい業態を生み出すことも可能です。そこには大きなチャンスが埋まっているかもしれません。

1 ストーリー

2 コンテンツ

3 モデル

4 エビデンス

5 スパイラル

6 ブランド

7 アトモスフィア

売上をいかに「因数分解」するかがフィードバックの鍵になる!

ここで一度、1シート・マーケティング、すなわち7つのマーケティング・クリエーションを振り返ってみましょう。特に、「コンテンツ」、「モデル」、「エビデンス」の層を見ていきましょう。

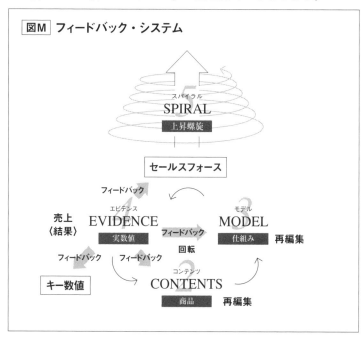

この「コンテンツ」と「モデル」の部分を総合的に考えると前回の講義で詳しく述べた「レベニューモデル」となります。「コンテンツ」の質を上昇させて、「ビジネスモデル」「課金モデル」の最適化を進めながら、この「レベニューモデル」を上昇させていくのですが、「レベニューモデル」を上昇させるためには、売上などの「エビデンス」からの正確なフィードバックがキーとなります。

なぜ、その売上になったのか、という正確な分析が必要というこ

とです。

　モータースポーツの最高峰 F1 では「エビデンス」はタイムということになります。簡単に言ってしまえば、どれだけ速いタイムでコースを回れたかを競います。その際に重要になってくるのは、ドライバーのドライビング・テクニック、すなわち技量面ももちろんですが、同じくらいかそれ以上に重要になってくるのが、マシーンの性能です。マシーンの性能は、物理学者たちなどがスーパーコンピュータや大掛かりな風洞を使って計測しているのですが、理論値と実際のタイムが一緒になるとは限りません。試算と実際の売上が狂うのと一緒のことです。

　この際に、エンジニアたちは、なぜ速さが出せないのかを、あらゆる部分から検証します。エンジンなのか、ウィングなどのエアロパーツなのか、それともタイヤとの相性なのか。また、エンジンでもどの部分がうまく機能していないのか。実はエンジンなどは、細かくフィードバックされる機能が充実しています。現在どういう状況なのか、前回のテスト走行ではどういう状況だったのか、エンジニアたちにシェアされます。その正確なフィードバックがあってこそ、"正しい変更"を加えることができ、結果、速いタイムという、いいエビデンスを引き出すことができるのです。

　売上などの「エビデンス」を上昇させるためには、F1 を理想とするフィードバック・システムの構築が必要です。ただし、F1 ほどの予算は割けないはずですし、たとえば、美味しさを数値化するのも難しいので、かなりの部分は"仮説"に頼ることになるでしょう。けれども、定点観測を基にした"仮説"であれば、試行錯誤を繰り返すうちに真偽でいうと徐々に"真"に近づいてくるはずです。

　また、フィードバック・システムなどとたいそうな物言いをしてしまいましたが、そんなに複雑でなくて大丈夫です。メインで考えなければならない要素は、以下の 4 つです。

1 ストーリー
2 コンテンツ
3 モデル
4 エビデンス
5 スパイラル
6 ブランド
7 アトモスフィア

《売上の因数分解》

コンテンツの質

モデルの最適度

キー数値

セールスフォースの力量

　この4つの項目を、できれば"数値化"するのが望ましい。

　もっと言ってしまうと、その数値の変化が、売上の上昇に比例している関係が理想です。

　これが難しいのは、たとえば、とても美味しいラーメンを開発して、開発者自身はコンテンツの質が極めて高いと思っていても、それが客観的に数値化してスコアにしたときに、正しいのかどうかわからないからです。

　たとえば、不特定多数が評価すると、これが大きくブレます。ある人にとって、とても美味しいラーメンも、ある人にとってはとても不味いかもしれない。

　けれども、この数値を判断する人を、一人に集約してしまえば、どうでしょう。個人差という変数をまずは排除できます。その人が定点観測を続ければ、主観的にでも数値がそれほどブレる可能性が低くなります。

　それに加えて、何らかの"定点観測"を新たに加えると、スコア化の正確さが増します。

　たとえば、ラーメン屋を経営しているのならば、既存商品と新開発商品とでは、平均でどれくらいスープや麺を残すかを計測してもいいでしょう。メニューごとの質を知りたければ、メニューごとで計測します。

この"定点観測"の方法は、クリエイティブ分野でも応用可能です。

　僕は「秘めフォト」という女性限定のフォトサービスを提供していて、おかげさまでご好評をいただき、2021年3月現在で1,700名以上のお客様にご利用いただいて、なお、人気が衰えていませんが、その理由は、徹底した"定点観測"にあります。

　写真の現像ソフトで、納品する作品にするか、ボツにするかを仕分ける作業を必ずレーティング（星付け）して行うのですが、星3つ以上で納品にすることにしています。また星5つやそれ以上のものにレッドのタグをつけることがあるのですが、星3つがヒットだとすれば、5つはホームラン的な作品、レッドは場外ホームラン的な作品というふうに自分の作品を分けています。「秘めフォト」のサービスを始めてから欠かすことなく、すべての撮影機会で、そのレーティングの作業と、撮影枚数に対して星3つは何％で、星5つ、レッドはそれぞれ何％だったかを表計算ソフトにレコーディングしています。

　それが、僕にとって"コンテンツの質"を測る指標となっています。まさに野球の打率のように、今月は星3つの納品率が46.2％だったとか、細かく記録して月次、年次決算も出しています。このレコーディングで明らかにわかることは、その数値で作ったグラフの線が明らかに右肩上がりで上昇しているのです。また、それに比例して、売上も上昇しています。

　また、これだけでなく、もう一つ、サービスが軌道に乗る前の初期にしていたことがあります。「秘めフォト」を経験されるお客様からの声が、天狼院書店の他のサービスと比べても圧倒的に多かったので、月に何本お褒めのメッセージを頂いたか、とメッセージの総文字数も記録することにしました。本当に長い文面でいただくので、それは売上に対して比例関係の数値になるのではないかと思ったの

1 ストーリー

2 コンテンツ

3 モデル

4 エビデンス

5 スパイラル

6 ブランド

7 アトモスフィア

です。

お礼の文面の長さは、お客様満足度に比例します。これが多くなればなるほど、結果的に売上が伸びるだろうと考えました。そして、まさにそのとおりになりました。

このように、通常なら数値化しにくいと思われる、クリエイティブの質やお客様満足度も、数値にすることは可能です。僕に言わせれば、数値化できないものはない。

皆さんも、ご自身でレコーディングすべき数値を見つけ、何より、ルーチンにして記録していってください。表計算ソフトでも、メモでも、記録できれば何のソフトでも構いません。

モデルの最適度に関しては、たとえば、10段階評価で、今何段階目まで来ているか、これも主観で判断していいでしょう。

そして、もしかして、それ以上に初期のマーケティングでは重要になってくるのが、セールスフォースの力量かもしれません。

それは、いったい、どういうことなのでしょうか?

セールスフォースがエビデンスを決める～販売力～

特に「ブランド」と認識される前の段階においては、セールスフォースが売上を決めると言ってもいいでしょう。

セールスフォースとは、企業の部署で言えば、営業部や販売部などのセールス部門のことで、これにオウンドメディアなども加えた、"総合的な販売システム"のことと考えればいいでしょう。直訳すれば、セールスとは売ることであり、フォースとは力や軍隊なので、セールス力やセールス軍という意味合いに捉えてもいいでしょう。

ともあれ、大きな組織であれ、小さな組織であれ、企業であれ、フリーランスであれ、稼ぐためにはセールスフォースの構築が欠かせません。

昔、僕の田舎では祖母が街にリアカーで野菜売りに行っていたことは前にも触れましたが、まさに祖母とリアカーが、自営業で農業を営む三浦家のセールスフォースでした。高校の文化祭でホットドッグ店をするのなら、その店と販売担当の生徒がセールスフォースでしょうし、彼らが自分のSNSでホットドッグ店について広めるなら、その機能もセールスフォースの一部となります。

　そうです、セールスフォースという呼び名は多少厳（いか）ついですが、もっと単純化すればこうなるでしょう。

セールスフォース＝需要に対して供給する仕組み

　もし、皆さんが開発した商品やビジネスを、顧客がブランドと認識しているのなら、あるいはセールスフォースは必要ないかもしれません。たとえば50年間行列が途絶えたことない吉祥寺小ざさの提供する「幻の羊羹」は、広告を打つ必要も営業する必要もPRする必要もないでしょう。そもそも、セールスフォースがいらないのです。

　けれども、セールスフォースがいらない状態になるのは、マーケティングにとって究極の状態だと言っていいでしょう。なぜなら、プラダでもグッチでもメルセデス・ベンツでもフェラーリでもタグ・ホイヤーでもトヨタでもソニーでもAppleでも、広告を出しますし、現に強大なセールスフォースを有しています。

　ちなみに、吉祥寺小ざさで言えば、まさに1坪の店と、もなかを売るWebショップがセールスフォースとなりますが、売上に比して極端にセールスフォースの経費が低いことがわかるはずです。

　独立起業当初は、多くの場合、皆さんのビジネスも心血を注いで開発した商品も、ほとんどの人に知られていない状態から始まります。たとえば、スーパーに営業に行く際に、グリコやロッテなら、話

1 ストーリー

2 コンテンツ

3 モデル

4 エビデンス

5 スパイラル

6 ブランド

7 アトモスフィア

は通りやすいはずですし、仕入担当者も無下には扱わないでしょう。けれども、得体の知れない三浦商会の名刺で営業に行ったらどうでしょうか。けんもほろろに帰されるに違いありません。

つまり、信用がまるでない時期のセールス・コストは割高になってしまうということです。広告でも大手には敵うはずがありませんし、PRをしようにもメディアが相手にしてくれる可能性も低い。

ドラクエで言えば、全力でかかってスライムをやっと倒せる状態です。ここから少しずつ経験値を積んで、仲間を集めてチームを組み、少しずつレベルアップしながら力をつけていきます。

そう、まるでドラクエでパーティーを組むように、セールスフォースを構築していきます。

それでは、セールスフォースを構成する要素には何があるでしょうか？

主に、この3つです。

《セールスフォースの3つの構成要素》

人 …営業部／販売部

メディア …オウンドメディア／SNS

店 …リアル店舗／Web店舗

もっとも、自社ですべて自前で作り、最強のセールスフォースへと育てるのが理想ですが、それではあまりに時間がかかります。一部、外注するという手段もあります。外注する場合は、利益の一部を渡す、というイメージで経費がかかります。

	自社	他社
人	…営業部／販売部	営業代行
メディア	…オウンドメディア／SNS	広告・PR
店	…リアル店舗／Web店舗	委託・卸し

　SNSや自社のホームページでは戦力的に弱い場合は、お金を支払って他社の力を借りるしかない。それが広告だったり、PRコンサルタントへの依頼だったりします。

　広告代理店は、発信力の弱いビジネスに対して、お金をもらって代理で発信する仕組みを提供する職種であり、PRコンサルタントは、まだ大手メディアが見つけていないビジネスを代わりに大手メディアに売り込んでくれる職種です。いずれも、外部のセールスフォースとして機能します。

　プロ野球の球団運営に似ています。広島東洋カープのように、生えぬきの選手がレギュラーの多くを占める場合でも、戦力が足りないから助っ人外国人選手に高い金額を払って来てもらい、チームを構成するように、セールスフォースの編成は、足りない部分を補う"編集作業"です。

　店に関しては、最初は人通りの多い、いい場所での営業は無理でしょう。もし資金があったとしても、ブランド価値が低いために借りることは難しい。まずは駅から遠い裏通りや、路面店でない、地下や2、3階から始め、徐々にいい場所に移るのが正攻法でしょう。また、Web上では、そもそもオウンドメディアやSNSの発信力が重要になるので、最初はこれもアクセスが少ないでしょう。インターネット広告を利用するしかないかもしれません。

　いずれにせよ、セールスフォースの構築には、時間的・金銭的コ

ストがかかります。

　やがて、自社のオウンドメディアが育てば、広告を出すのも不要になるでしょうし、やがて商品が「ブランド」と認識されるようになれば、そもそもセールスフォースを縮小してもよくなるかもしれません。

　セールスフォースの力量は、「エビデンス」に直結します。たとえば、優秀な営業部隊を有する出版社は、本を拡大販売するのに有利です。ビジネスに関わり、マーケティングをする上で、強いセールスフォースを有することは理想です。

　このセールスフォースの成長と軌跡についても、数値化し継続して"レコーディング"することを強くおすすめします。もっとも、セールスフォースのレコーディングは、営業成績が数値で出やすいので、こちらはそんなに難しくないかもしれません。

　コンテンツの質、モデルの最適度、キー数値、そして、セールスフォースの力量。

　この要素を改善していくことによって初めて、「エビデンス」、つまり多くの場合、売上は上昇していくでしょう。

　今まで説明してわかるように、これを上昇させ、しかも上昇を維持させることは非常に難しいのです。この上昇螺旋を維持する方法については、次回の講義、「スパイラル」で詳しく話します。

1 ストーリー
2 コンテンツ
3 モデル
4 エビデンス
5 スパイラル
6 ブランド
7 アトモスフィア

月20万円新しく稼ぐための「56の質問」　④エビデンス

　それでは、今回も月20万円新しく稼ぐための「56の質問」のうち、7つを皆さんに問いたいと思います。これに堂々と答えられるようになると、レベニューモデルも上昇螺旋を描くようになり、「エビデンス」も徐々に上がるようになるでしょう。

FUNCTION ファンクション4
営業アプローチ

4-1 総合的な営業力はどれくらいありますか？
《セールスフォース》

4-2 どれくらいのレベルの販売拠点がありますか？　《ショップ》

4-3 広告・広報戦略はどれくらい機能していますか？
《広告・PR戦略》

4-4 ビジネスに対してどれくらい悲観的になれますか？
《ネガティブ・アプローチ》

4-5 「売上」を"因数分解"できますか？《因数分解》

4-6 そのビジネスの「キー数値」を読み解けますか？
《キー数値》

4-7 正確にフィードバックをする仕組みはありますか？
《レコーディング》

　4-1の《セールスフォース》は、自社他社含めてどういう構成をしていて、どれくらいのパフォーマンスがあるかを答えてください。

　4-2の《ショップ》については、どの規模の販売拠点がどこにあるかを具体的に答えましょう。

　4-3の《広告・PR戦略》は、それぞれがどれくらい機能してい

るかを答えましょう。

4-4の《ネガティブ・アプローチ》は、ポジティブ率の方程式を踏まえて答えましょう。

4-5の《因数分解》は、特に４つの項目（コンテンツの質、モデルの最適度、キー数値、セールスフォースの力量）に分けて説明してください。

4-6の《キー数値》は、皆さんのビジネスにおける「キー数値」について、挙げられる分だけ挙げましょう。

4-7の《レコーディング》は、どの項目を数値化してレコーディングするかを考えましょう。

セールスフォースの構築によって、いよいよ、戦略立案というフェーズから、戦略遂行というフェーズに移行します。実際に戦略通りに実践してみるという段階に来て、おそらく、思い通りにいかないことに苛立ち、不安に思い、あるいは恐怖を覚えるのではないでしょうか。

しかし、今回の講義を聴けば、誰もが通る道だということ、打開する方法はあるということがわかってもらえたのではないかと思います。

そして、次回の講義の「スパイラル」は、いかに戦略を遂行し続けるかというのがメインの論点になります。

次回の講義もお楽しみに。

1 ストーリー
2 コンテンツ
3 モデル
4 エビデンス
5 スパイラル
6 ブランド
7 アトモスフィア

4

エビデンス・メーカー／EVIDENCE MAKER
《レコーディング・システム》

　売上などの「エビデンス／実数値」を上げるためには、商品開発やレベニューモデルの構築、そしてセールスフォースに日々、細やかなフィードバックが必要となります。そのときに重要になるのは、どの項目を記録し続け、フィードバックするか、という点です。つまり、レコーディング・システムが必要となります。レコーディング・システムを作る際に「エビデンス・メーカー」は大きな助けになるでしょう。

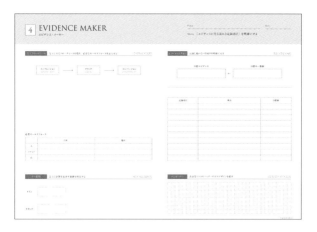

**「エビデンス・メーカー」の使い方、および、
ダウンロードは、以下の特設HPから**

https://in-pulse.co.jp/1sheet-marketing

1 ストーリー

2 コンテンツ

3 モデル

4 エビデンス

5 スパイラル

6 ブランド

7 アトモスフィア

売上
フローチャート

売上に至るフローチャートを描き、
必要なセールスフォースを記入せよ

FLOWCHART

インプレッション IMPRESSION		クリック CLICK		コンバージョン CONVERSION
表示数	→	手にした人の数	→	目的（購入など）達成した人の数

自由に目的達成までの
フローチャートを描く

その上で

必要セールスフォース

	自社	他社
人		
メディア	必要なセールスフォースの整理	
店		

キー数値

売上に影響を及ぼす数値を特定せよ

KEY NUMBER

メイン　　　キー数値 ──→ その説明

セカンド

Project _____   Date _____

Mission 「エビデンスに至る流れと記録項目」を明確にせよ

レコーディング項目 記録し続けるべき項目を明確にせよ   RECORDING

目標エビデンス   目標キー数値

| 売上の目標値 | ← | キー数値の目標値 |

- - - 売上やキー数値と比例関係にある項目 - - -

記録項目	理由	目標値
	一覧化	

↓ それを踏まえて

ヘッダーラフ 表計算ソフトのヘッダーのラフデザインを描け   HEADER ROUGH

表計算ソフトのヘッダーデザインし、
これを元にレコーディング・システムを構築

"マネジメントの方程式"で「旋回力」を維持せよ〔スパイラル／ SPIRAL〕

なぜ優れたマーケティング戦略があっても売上が上がらないのか?

　机上で戦略を構築するのは楽しいものです。皮算用をして、どれくらい儲かるのか計算するのもワクワクします。

　けれども、現実はそんなに甘くはありません。しっかりと勉強し、完璧なレベニューモデルを作り、完璧な戦略を練ったと思っても、売上がなかなか上がりません。ようやく、少しずつ売上が上がり、希望が見えてきた頃には、独立起業当初のモチベーションは、もはや限りなく"ゼロ"に近づいていて、これから事業を続けていく気力も体力も財力もなくなり、というふうにもなりかねません。

　実は、難しいのは、レベニューモデルを構築しようと試行錯誤し、上昇スパイラルを発生させることではなく、それを維持することです。つまり、上昇スパイラルを発生させ続けることのほうが非常に難しい。

　それは、いったい、どういうことなのでしょうか?

　今回の講義も盛りだくさんでいきます。

1 ストーリー

2 コンテンツ

3 モデル

4 エビデンス

5 スパイラル

6 ブランド

7 アトモスフィア

- ・極めてシンプルな「マネジメントの方程式」とは?
- ・遂行率を上げるための3つの方法とは?
- ・信長の戦略も「マネジメントの方程式」で表せる?
- ・マネジメントが確保すべきものは何か?
- ・マーケティング戦略の実現可能性を高める「5つのマネジメント力」
- ・「儲けよう」と思うと結果的に失敗する理由

さて、いきましょうか。

なぜ戦略を立案するよりも、遂行し、それを維持し続けるほうがはるかに難しいのでしょうか?

理由は、簡単です。戦略通りに遂行されないからです。

もし、立案した戦略通りに遂行されるならば、そう苦労は多くはありません。たとえ、戦略が間違っていたとしても、遂行力が高い組織であれば、その戦略が間違いであることがたちどころにわかり、戦略の修正で問題が解決するからです。

ところが、戦略の遂行力が弱い、すなわち、言われたとおりに動けない組織ならどうでしょうか? 上昇スパイラルが維持できない理由が戦略のせいなのか、遂行力のせいなのか、はたまた工数のせいなのかわからなくなります。

たとえば、『三国志』において天才軍師諸葛亮が諸葛亮である所以は、遂行力の高い将軍たち、関羽や張飛、趙雲などが存在したからです。織田信長が織田信長たり得たのは、羽柴秀吉がいて、柴田勝家がいて、徳川家康がいたからです。

戦略の実現は、戦略の遂行力によって決まります。

売上(エビデンス)が上がるかどうかは、戦略の質と、組織がどれだけそれを遂行できるか(遂行率)、と組織がどれだけ働いたか(工数)によって決まります。

これを式に表すと、非常にシンプルなかたちになります。

> **戦略×遂行率×工数＝売上（エビデンス）**

どんなに優れた戦略を描いたとしても、それを遂行する力が組織になければ売上は上がりませんし、本来遂行する力があったとしても、実際に遂行するために必要な労働工数が確保できなければ売上が上がりません。

優れたレベニューモデルを持ち、マニュアルなどの教育システムがあっても、実際に働く人と労働時間を確保できないと営業ができないということです。シンプルながら、この一つの式に"マネジメント"のすべてが込められています。

この式を、「マネジメントの方程式」と呼びます。

上昇スパイラルを発生させる旋回力を維持し、売上を確保し続けるためには、「マネジメントの方程式」を使いこなす必要があります。

極めてシンプルな「マネジメントの方程式」で考える

この「マネジメントの方程式」、実に使い勝手がよく、様々な使い方ができます。ぜひ、この機会に習得してもらえると、経営者として組織をマネジメントする際だけでなく、どういう働き方をしようかと考える際などにも使えます。

まずは、基本的な使い方から見ていきましょう。

たとえば、月に1,000万円稼ぐことができる戦略があって、組織の遂行率が100％で、必要工数が100％確保できているとしましょう。この場合、月に1,000万円稼ぐことができます。

これを、この式に当てはめてみましょう。

1 ストーリー

2 コンテンツ

3 モデル

4 エビデンス

5 スパイラル

6 ブランド

7 アトモスフィア

> 戦略 月1,000万円 × 遂行率 100% × 工数 100% ＝ 売上 月1,000万円

　この状態であれば、マネジメントがうまく機能していると言えるでしょう。戦略も申し分なく、遂行率も高く、必要な労働工数も確保できているので、本来のポテンシャルである1,000万円を稼ぐことができる状態です。

　では、こんな状態ならどうでしょうか？

> 戦略 月1,000万円 × 遂行率 120% × 工数 83.3% ＝ 売上 月1,000万円

　〔遂行率〕を100％から120％に引き上げると、同じ〔売上〕月1,000万円を上げるためには、〔工数〕が83.3％ということです。

　これは、つまりは自分の頭で考えて決められた時間に言われた以上のことをやれば、早く帰っても、売上が同じなので、給与も変わらない、ということです。これは、働く人にとっても、会社にとっても、いい状態だと言えるでしょう。

　次に、こんな状態ならどうでしょうか？

> 戦略 月1,000万円 × 遂行率 120% × 工数 100% ＝ 売上 月1,200万円

　会社の戦略としては月1,000万円稼ぐことができればいいと考えていたのに、現場の遂行率が高く、しかも、早く帰ることもせずに通常通り働き、結果として月1,200万円稼いだ、という状態です。こうなると、会社は働く人にボーナスを支給するでしょう。昇給させることだってありえます。これも、働く人にとっても、会社にとってもいい状態です。

　逆に、こんな状態ならどうでしょうか？

> 戦略 月1,000万円 × 遂行率 60% × 工数 166% = 売上 月1,000万円

　遂行率60％とは、言われたとおりにできない組織です。そうなっても、給与を払わなければならないし、家賃などの経費も払わなければならないので、目標の売上を確保するためには、工数にしわ寄せがいきます。つまり、遂行率が低ければ、働く人の労働時間は増大します。これは、働く人は元より、会社にとっても非常に不幸な状態です。

　この状態の組織を、「バカ組織」と呼びます。「バカ組織」では、生産性が低く、そのために多くの労働工数を必要とするので、みんな疲弊し、離職率が高まります。社内にロールモデルを探すことができづらくなり、未来が見えない状態になります。こうして、上昇スパイラルの逆で下降スパイラルに陥り、最悪の場合、組織は壊滅します。

　逆に、こんな状態ならどうでしょうか？

> 戦略 月1,000万円 × 遂行率 150% × 工数 80% = 売上 月1,200万円

　会社としては月1,000万円稼ぐ戦略しか用意しなかったのに、現場が自分の頭でそれぞれ考えて非常に高い遂行率を見せ、しかも、働く時間も減らしたのに、月1,200万円の売上を計上した、という状態です。

　ちょっと考えてみてください。工数80％とは、どういうことなのか？

　たとえば、通常、週5日働く場合、この80％でいいとなると、どうなりますか？

　そうです、週4日だけ働けばいいということになります。つまり、

1 ストーリー

2 コンテンツ

3 モデル

4 エビデンス

5 スパイラル

6 ブランド

7 アトモスフィア

週休3日でもいいことになります。しかも、戦略以上に稼いでいるので、週休3日間なのに、ボーナスも出る。間違いなく、理想の状態です。

まとめると、こうなります。

月1,000万円×100%×100%＝月1,000万円
言われたとおり

月1,000万円×120%×83.3%＝月1,000万円
言われた以上　早く帰れる

月1,000万円×120%×100%＝月1,200万円
言われた以上　　　　　　　ボーナスが出る

月1,000万円×60%×166%＝月1,000万円
言われたことが　早く帰れない
できない
＊工数が100%だと倒産
持続はできるが人は辞める《バカ組織》

月1,000万円×150%×80%＝月1,200万円
言われた以上　週休3日　ボーナスが出る
《理想のマネジメント》

戦略×遂行率×工数＝売上

並べてみると、一目瞭然でしょう。

"遂行率"によって、結果が大きく変わってきます。つまり、上昇スパイラルを発生させるマネジメントのポイントは、"遂行率"なのです。この"遂行率"を上げることができれば、マネジメントを非常に効率よくすることができ、また、採るべき方法の幅も広がります。逆に"遂行率"が低い状態では、マネジメントに関して苦戦し、ひいてはマーケティングでも苦戦します。

では、"遂行率"を上げるためにはどういう方法があるでしょうか？

遂行率を上げるためにできる3つの方法

　実は、マネジメントの核とも言える"遂行率"を上げるためには、3つのアプローチしかありません。

> ・採用　…　遂行率が高い人を採用する
> ・教育　…　遂行率が上がるように教育する
> ・管理　…　遂行率が上がるように管理する

　そもそも"遂行率"の高い、つまりは自分の頭で考え、こちらが期待した以上の成果を上げる人を雇い入れることができれば、当然、"遂行率"が上がります。

　問題は、そんな優秀な「採用」ができるか、という点です。もちろん、ブランド価値が高い企業であれば、優秀な人材を雇い入れるのは難しくないでしょう。けれども、始めたばかりのビジネスやブランドとみなされていない企業では、当初、遂行率が低い人を雇うしか方法はないでしょう。スパイラルが上昇し、ブランドに近づけば近づくほど、優秀な人材を雇いやすくなります。または、ブランドに近くなくとも、ストーリーやレベニューモデルが秀逸であれば、将来性を買って、優秀な人が合流する可能性もあります。いずれにせよ、まずは遂行率が高い人を採用できないことを前提に、マネジメント戦略を組む必要があります。

　その際に重要になってくるのが「教育」と「管理」です。
「教育」の役割は、端的に言えば、遂行率を上げることです。使える戦力になるように鍛え上げるイメージです。当初は遂行率が低い人でも、適切に教育することである程度まで遂行率を上げることができるでしょう。マニュアルの整備や優秀なマネージャーがいることなど、教育の仕組みが確立していれば、遂行率の上昇幅も増えま

す。起業当初など、まずはセールスフォースの構築と遂行に注力しなければ売上が立たないので、教育などが後回しにされがちですが、そこに時間的コストを投資したほうが、遂行率が上がるので、メリットが多くなります。

「管理」は、様々なインセンティブ給与や賞与の付与、職位などの昇格、福利厚生の充実を図るなどのプラス面でのアプローチと、その逆に、ルール違反や成果が上がらない人やグループに対して、罰則で応じたり、職位を降格させるなどのマイナス面でのアプローチによって遂行率を上げる役割があります。いわゆる、"アメとムチ"です。

　ここで難しいのは、ムチを振るえるかどうか、という問題です。

　人は、誰もが嫌われたくないものです。同僚からも部下からも、「いい同僚、いい上司」と思われたいはずです。ところが、迎合することによって、その人自身は好かれたとしても、組織に対して、つまりはマネジメント面において、害悪となる場合があります。

　ムチを与えなければならない局面で、適切に責務を果たさない管理職が存在すると、組織全体の遂行率が下がります。

　褒めるのは誰でもできます。ただし、本当に必要なのは、叱（しか）るべき局面で叱ることができる存在です。合理的に叱ることができる人が遂行率を上げる上で欠かせない存在となります。もっとも、ここで重要になるのは、個人的な好き嫌いが基準ではなく、組織にとってそのムチが合理的かという判断です。私憤などで叱る、自分の好き嫌いで叱る、というのは遂行率を逆に下げる行為になります。

　小さな企業だとしても、人が集うとそこに人間社会が形成されるので、人間関係の問題が多かれ少なかれ生じてきます。その問題を上手に解決することも「管理」として必要になります。

　そうしたすべての結果として「遂行率」の上昇が実現します。

織田信長の戦略を「マネジメントの方程式」で読み解く

「遂行率」を上昇させれば、売上は上昇しやすくなるでしょう。

けれども、見てきたとおり、「遂行率」は簡単には上がりません。特に起業当初はそうです。かと言って、「遂行率」が上がるまで待っていれば、資金が尽きてゲームオーバーとなってしまいます。

その問題を解決するために、「マネジメントの方程式」を"型"を変えて使います。

もう一度、「マネジメントの方程式」を見てみましょう。

$$\boxed{\text{戦略} \times \text{遂行率} \times \text{工数} = \text{売上}}$$

と、実にシンプルなかたちの方程式になっています。

ポイントはこれが"方程式"で表すことができることです。

それは、いったい、どういうことなのか?

中学生の頃に、すでに僕らは方程式という概念を数学で習っています。方程式は、移項してかたちを変えることができます。

たとえば、起業当初で優秀な人が集まらず、なかなか遂行率が上がらないという場合、皆さんはどうしますか？ それでも、売上を上げなければ旋回力を維持できないという状況です。

この問題を解決するには、2つの方法があるでしょう。まずは先ほどの解説でも出てきた「工数」を引き上げる方法です。

戦略 月1,000万円 × 遂行率 60% × 工数 166% ＝ 売上 月1,000万円

しかし、これに関しては最悪の戦略で、「バカ組織」と呼ぶと話しました。持続可能性が低いモデルになるからです。

「遂行率」を上げるのはすぐにはできない、けれども「工数」を上

1 ストーリー

2 コンテンツ

3 モデル

4 エビデンス

5 スパイラル

6 ブランド

7 アトモスフィア

げるのも得策ではなく、しかも「売上」は必要数確保しなけれならない——そうなると、手段は限られますよね。

そうです、「戦略」を上げるしか方法がない、ということになります。

この方法を「戦略主義」と呼び、「マネジメントの方程式」はこういう型に変化させて使います。

〔戦略主義のマネジメントの方程式〕

$$戦略 = \frac{売上}{遂行率 \times 工数}$$

遂行率と工数が限られている中で、必要な売上を確保するためには、どれくらいの優れた戦略が必要なのかを求めるための式です。

たとえば、月の売上は1,000万円を確保しなければならず、遂行率が60％で工数が最大100％であることが動かせないのだとすれば、次のような式が成り立ちます。

$$戦略 = \frac{月1,000万円}{60\% \times 100\%} = \frac{月1,000万円}{0.6 \times 1} = 月1,666万円$$

つまり、遂行率が低いことを念頭に置き、あらかじめ月1,666万円レベルの戦略を事前に用意しなければならない、ということです。

戦国時代、織田信長の率いる尾張兵は、今川義元や武田信玄、上杉謙信の軍団に比べて、弱兵だったと言われています。兵力も当初は限られていました。けれども、数々の戦いにおいて、圧倒的な勝利を収めることができたのは、織田信長が自らの兵団の弱さを知っていて、それでも負けない戦略を用いたからです。圧倒的な兵力差に対抗するために、桶狭間の戦いでは奇襲攻撃の戦略を採り、長篠

189

の戦いでは、最強の武田の騎馬隊に対抗するために、大量の新型兵器、鉄砲を用意しました。当初弱兵を率いた織田信長は、勝利をするという「エビデンス」を獲得するために、優れた戦略を用意せざるをえなかったということでしょう。

マーケティングにおいても同じことが言えます。

当初、遂行率と工数の確保が難しいのであれば、優れた戦略でカバーせざるをえません。もちろん、その優れた戦略の中には、優れた「ストーリー」や優れた「コンテンツ」、優れた「モデル」、すなわち優れた「レベニューモデル」が含まれます。

たとえば、突出した「コンテンツ」があれば、ここでも、遂行率の低さをカバーできるということです。

さらに、「マネジメントの方程式」を型を変えて考えましょう。

次は、働く時間を少なくしたい場合です。

働く時間を少なくしたい場合の「マネジメントの方程式」

皆さん自身か、皆さんの企業の働く時間を少なくしたい場合も、「マネジメントの方程式」が使えます。

働く時間、つまり「工数」に焦点を当てるので、「マネジメントの方程式」はこう型を変えます。

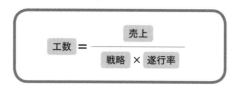

$$工数 = \frac{売上}{戦略 \times 遂行率}$$

たとえば、働く時間を週5日ではなく、週4日にしたいのであればどうアプローチすればいいでしょうか。しかも、稼ぎは変えたくない、という場合です。

$$80\% = \frac{\text{月1,000万円}}{\boxed{戦略} \times \boxed{遂行率}} = \frac{\text{月1,000万円}}{\text{月1,000万円} \times 125\%} = \frac{\text{月1,000万円}}{\text{月1,250万円} \times 100\%}$$

ご覧のとおり、戦略を月 1,000 万円のまま、遂行率を 125％にするか、戦略を月 1,250 万円レベルまで引き上げて遂行率を 100％のままにするかで達成できます。もちろん、戦略を月 1,250 万円まで引き上げた上で、遂行率も 125％まで引き上げれば、工数 80％のままで、つまりは週休 3 日のままで、売上を月 1,250 万円まで引き上げることも可能です。

最後に、「遂行率」に焦点を当てた「マネジメントの方程式」も紹介しておきましょう。

「JR 九州」の躍進の理由は、
戦略の天才唐池氏と"遂行率"の掛け算である

JR 九州のクルーズトレイン「ななつ星 in 九州」は、予約の取れない豪華観光列車として有名です。とてつもない人気で、抽選の当選者しかサービスを受けることができず、当選を伝える電話で泣き出す人もいるほど。泣くのは、サービスを提供する側ではなく、購入する顧客側です。

「ななつ星」に限らず、JR 九州は「指宿のたまて箱」や「ゆふいんの森」、「A 列車で行こう」などの観光列車を展開して人気を博しています。それだけでなく、レストラン「うまや」や高級温泉宿である「奥日田温泉うめひびき」なども展開し、九州の地を超えて幅広くビジネスを広げています。

それを仕掛けているのが、JR 九州の唐池恒二会長です。

様々な企画を実現し、JR 九州をブランドへと上昇させた立役者

は、戦略の天才と言えるかもしれません。

　ただし、僕はJR九州の躍進の理由は、その唐池会長の天才的企画力だけではなかったのではないかと思っています。躍進のもう一つの理由には、あまり触れられていません。

　僕は、それが"遂行率"の高さなのではないかと思っています。

　言うまでもなく、日本の鉄道の定時運行率は極めて高い。世界中が驚愕するレベルであって、その日本の鉄道の中核を担ってきたJRグループは、国鉄時代から高い"遂行率"があっただろうと推察されます。

　"遂行率"は、もっと分解して考えると、特に100％までは"遵守率"と言います。日本の鉄道などが優れているのが、この"遵守率"の部分です。

　銀行でも官公庁でも大企業でも、この"遵守率"が高い組織というのは、良し悪しは別として、軍隊のように「規律された状態」を理想とします。産業革命以来、一糸乱れぬ遂行が、高い生産性を生んできました。階級が整備され、上司からの指令は遵守する、という組織です。

　ただし、こういった組織体は、殊に独自性を出すのが弱い場合が多いものです。それはそうです。それぞれの願望を聞いていれば、組織は体をなさなくなるからです。

　JR九州の強さは、元来あったこの"遂行率（遵守率）"の高さに、唐池会長という企画の天才を戴いたことにあります。

　つまり、「マネジメントの方程式」で言えば、次のようになります。

$$遂行率 = \frac{売上}{戦略 \times 工数}$$

元来、極めて高かった遂行率が軸となり、工数を固定して考えた

ときに、戦略の天才が現れれば、必然的に売上が上昇します。

先ほどからの試算をベースに考えてみましょう。

$$125\% = \frac{売上}{月1,500万円 \times 100\%}$$

$$売上 = 月1,500万円 \times 100\% \times 125\% = 月1,875万円$$

とんでもなく高いエビデンスが計上できるのがわかります。あえて、この試算では、唐池会長のもとでJR九州の社員の独自性も伸びたと仮定して遵守率の概念を超えて、遂行率125%としましたが、たとえ、ここが遵守率100%となったところで、エビデンスは高水準を維持できます。マーケティングにとって、いかに"遂行率（遵守率）"が重要かという証左になるかと思います。

逆を言えば、大企業や官公庁などの組織は、天才的な戦略家をトップに据えると、飛躍的に業績を向上させることができる可能性があるということです。

たとえば、戦国最強と謳われる武田信玄の軍団や上杉謙信の軍団を、戦略の天才織田信長が率いれば、天下無双のはずです。

小さな組織の場合は、まずはいかに遵守率を高くできるかに焦点を当てるべきでしょう。また、フリーランスの場合は、どう自分自身をマネジメントできるかが勝負になるでしょう。自分との約束をいかに遵守できるか。これは売上を大きく左右します。

〔フリーランスのマネジメント〕

戦略 × 自分との約束の遵守率 × バイタリティ（工数） ＝ 売上

そうです、個人でも大企業でも、理論的には何ら変わらないので

す。自分の状況に合わせて、型を自由に変えながら、ぜひ、「マネジメントの方程式」を駆使してスパイラルを維持してください。

　次は、さらにマネジメントの本質について、一緒に解き明かしていきましょう。

マネジメントは、いかに"必要工数"を確保するか

　せっかく「コンテンツの質」が上がり、「モデル」の最適性が上がり、つまりは「レベニューモデル」がよくなってきて、「エビデンス」が上昇し、"種火"がかすかに熾こったとしても、それに空気を入れ続けて炎に育てるには、"工数"が必要となります。"工数"を使って試行錯誤を旋回させ続ける必要があります。

　つまり"必要工数"をコントロールする必要に迫られます。

　一般的に、この旋回力を維持するために"必要工数"をコントロールすることを「マネジメント」と言います。

　マネジメント、と聞くと難しそうな印象を受けるかもしれませんが、定義自体は大した話ではありません。

いかに"必要工数"を確保するか

　これに尽きます。マーケティング、つまりは、稼ぐことを成功させるために、どうやって"必要工数"を確保するかを考えるのがマネジメントであり、つまりはマーケティングの重要な一部であると言えます。

"必要工数"とは、戦略を遂行するのに必要な労働工数

　のことです。

1 ストーリー

2 コンテンツ

3 モデル

4 エビデンス

5 スパイラル

6 ブランド

7 アトモスフィア

では、"必要工数"を確保するためには、いったい、どうすればいいのでしょうか?

3つの段階があります。

〔必要工数を確保するために必要なこと〕

① 必要工数 を因数分解して明瞭化

② 実現可能性 の追求 …実際にそれができるのか?

③ 持続可能性 の担保 …できたとしても続けられるのか?

まずは「①"必要工数"を因数分解して明瞭化」しなければ当然ながらマネジメントはうまくいきません。自分の現在のビジネスにおける"必要工数"を正確に見積もるところから始まります。

たとえば、Uターンして田舎で喫茶店をオープンしたとします。それを成功させるためにはどれくらいの"工数"が必要か、正しく見積もる必要があります。

たとえば、喫茶店の営業を維持するために、

調理スタッフ:1 名
販売スタッフ:1 名
経理スタッフ:1 名
集客スタッフ:1 名

が必要だとしましょう。もし、その喫茶店を夫婦でやるのなら、夫が調理をし、妻が販売をし、営業時間外に妻が経理を担当し、夫がチラシ配りなどの集客に勤しめばなんとか2人分の工数で賄えそうです。

ところが、喫茶店なのに夫が市販のカレールーを使って独自に味

付けしたカレーが大ヒットしてしまったらどうでしょうか。

　調理、販売面での"必要工数"が増大するでしょう。料理、販売、それぞれにアルバイトを雇わなければならなくなるかもしれません。また、夫は調理に専念しなければならなくなり、妻は販売の工数が増大した上にアルバイトの教育などもあり、経理をしている時間もなくなってしまいそうです。そこで、夫のチラシ配りから広告に切り替え、妻の経理の仕事は税理士事務所に依頼することで、"必要工数"を外部に分散することが可能になります。ただし、その分、経費が増大します。

　たとえば、出版社などは超外部分散型モデルです。本というコンテンツは制作しますが、たとえば小説なら、執筆は小説家に依頼しますし、装丁のデザインは装丁家に依頼します。印刷は印刷会社に当然依頼しますし、なんと校正・校閲も専門の外部業者に依頼する出版社が多数です。強力な営業部は存在しますが、一方で全国の書店への配本は取次に依頼しますし、実際に本の販売をするのは、主に全国の書店です。極論すれば、編集さえ担えれば、後は外部への依頼で成り立ち、自社内工数を極限まで縮小することができます。

必要工数＝内部工数＋外部工数（経費に転換）

　どこまで自分たちでやり、どの部分の工数を外部に分散するかも戦略的に考える必要があります。すべてを内部工数で賄えれば、経費がかからないように思えますが、非効率になる場合があります。やはり、デザインなどは素人とプロでは成果物に雲泥の差ができるので、「餅は餅屋」ということわざがあるとおり、経費をかけてもプロに頼んだほうが結果的にコストパフォーマンスが高くなります。

　もっとも、様々なクリエイターが自社内にいるのであれば、オール内部工数にしてもいいでしょう。ただし、それには採用や教育が

1 ストーリー

2 コンテンツ

3 モデル

4 エビデンス

5 スパイラル

6 ブランド

7 アトモスフィア

できるか、管理ができるかという問題が出てきます。

また、それまで人を雇っていたレジの業務をセルフレジに切り替える、というのも外部工数と捉えていいでしょう。技術革新による自動化によって、人件費を節約できる可能性があります。つまり、効率化できる部分は、効率化したほうが必要工数は減り、経費も縮減できる可能性があります。

言うまでもなく、同じ売上であれば、必要工数が多いより、少ないほうが効率がよく、すなわち、生産性が高いということになります。

また、あくまで必要人数ではなく、"必要工数"を目標にします。それは、週1日3時間しか入れないアルバイトが5人いるよりも、週5日8時間入れるアルバイトが1人いるほうが組織にとっては有益な場合が多く、頭数がいればいいという話ではないからです。

"必要経費"は、"必要工数"を活かすために必要な経費

"必要工数"の明瞭化ができたら、次に「②"実現可能性"の追求」を検証しましょう。

"必要工数"を活かすために必要な経費、すなわち"必要経費"がいくらなのかを正確に把握する必要があります。

もう一度、振り返ってみましょう。

> **"必要工数"とは、戦略を遂行するのに必要な労働工数**

のことであり、

> **"必要経費"とは、"必要工数"を活かすために必要な経費**

のことです。

たとえば、Uターンして開業した夫婦の喫茶店の場合、その店の運用に必要な工数を活かすために必要な経費には、もちろん、喫茶店の家賃や光熱費、通信費などの経費が入ります。いわゆる、会計で言うところの販売管理費が"必要経費"に当たります。

そして、この"必要経費"さえわかれば、その経費を賄えるだけの"必要利益"はいくらなのかを逆算できます。

まとめるとこうなります。

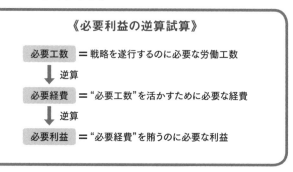

《必要利益の逆算試算》

必要工数 ＝ 戦略を遂行するのに必要な労働工数

↓逆算

必要経費 ＝ "必要工数"を活かすために必要な経費

↓逆算

必要利益 ＝ "必要経費"を賄うのに必要な利益

そして、"必要利益"から逆算して、目標となる売上（エビデンス）、つまり、"予算"が算出されます。

はい、ようやく、馴染み深い言葉が出てきましたね。

予算は、こうして逆算的な試算から導かれるべきものなのです。

予算とは、マーケティング戦略の実現可能性を高めるために必要な売上目標とも言えます。

マーケティング戦略の実現可能性を高める 「5つのマネジメント力」

マーケティング戦略の実現可能性を高めるためには、次の「5つのマネジメント力」を高める必要があります。

1 ストーリー

2 コンテンツ

3 モデル

4 エビデンス

5 スパイラル

6 ブランド

7 アトモスフィア

《5つのマネジメント力》

支払力	……給料や外注の費用を支払えるか？
採用力	……採用できるか？　＊「ストーリー」「ブランド」も影響
順応許容力	…雇われた人が組織に順応できるか？
教育力	……必要なレベルまで遂行率を引き上げられるか？
管理力	……労働戦力のポテンシャルを最大限活かせるか？

　ここでのポイントは、"能力"ではなく"力"だということです。"能力"は主に資質を指す言葉ですが、"力"は「仕組み（システム）」を表します。そして、資質を上げることは難しいですが、仕組みは工夫次第で改善できます。それぞれの仕組みを、試行錯誤しながら完成させていきましょう。

　マネジメントにおいても、絶え間ない地道な努力が必要となります。

　そうなんです。マーケティングとはどこまで行っても、試行錯誤、地道な努力が最も重要な成功要因になります。そう考えれば、実に単純ですよね。真面目にやっている人が報われやすい、わかりやすいゲームだと思ってもいいでしょう。

「儲けよう」と思うと結果的に失敗する理由
～持続可能性の担保～

　これまでを振り返ってみると、「儲けよう」という目標設定は、いかにナンセンスかわかるはずです。

　たとえば、「儲けよう」とアプローチすれば、"必要利益"はかなり背伸びした額になり、そうなると予算が高くなって、予算が"フ

ァンタジー化”します。つまり、誰も達成できると思えない、実現可能性が乏しい目標となるので、それを達成しようとするモチベーションは低くなります。重要なのは、超えられるかもしれない、と思えるか。実現可能性があるかです。予算のファンタジー化を避けると、今度は“必要経費”を圧縮せざるをえなくなるでしょう。“必要経費”を圧縮すると、“必要工数”の確保が難しくなり、設備投資や様々な投資部分が手薄になり、そうなると、上昇スパイラルを発生させることが難しくなります。要するに、商品開発に関する試行錯誤にも、モデルの最適化を模索するのにも、工数が必要であり、それが確保できないとなると、当然、売上などのエビデンスを上げることは難しくなります。

　それでは、どう目標設定すればいいのでしょうか？

　答えは、簡単です。「儲けよう」ではなく、「続けよう」に目標をシフトさせると、実現可能性が飛躍的に上昇します。そして、結果的に「儲かる」ことになります。

　たとえば、受験勉強のときに、最高点で合格しようとは考えないはずです。最低合格点を超えようと考えたほうが、アプローチしやすくなるでしょう。それと同様に、とにかく「続けよう」という最低限のラインに目標を設定することで、ようやく実現可能性が見えてきます。

　事業が続けられる最低限の目標ラインのことを会計的には“損益分岐点”と言います。絶大に儲かる大きな売上目標設定ではなくて、“損益分岐点”を基準として、少し利益が出る程度に目標を設定すれば、やるべきことが明確化します。

　マーケティング、つまり、稼ぐことは一過性であっては意味がありません。皆さんのお父さん、お母さんやご家族も稼ぎ続けて、養い続けてくれたと思います。

　重要なのは、一度きりではなく、持続的な利益であり、持続可能

性です。

　試行錯誤のスパイラルを旋回させ続けることが、マーケティングの要諦となります。

　では、マーケティングを持続可能なものとするためには、いったい、何が必要でしょうか？

　これも、明白です。

> ◎ "必要利益" の継続的な確保
> △ 潤沢な "キャッシュフロー"

　この二通りですが、「◎」をつけ、「△」をつけたように、"必要利益" の継続的な確保に焦点を当てるべきでしょう。なぜなら、潤沢なキャッシュフロー（お金の流れ）をすでに持ちながらビジネスを始めることは、稀だからです。大きな額の遺産を相続したり、多額の貯金があったり、ベンチャーキャピタルから投資を受けたりする以外に、スタート時点で潤沢なキャッシュフローが存在することはありえません。

　レベル99からドラゴンクエストを始めるようなものです。楽に勝てて、おそらく、無理をしなければ持続可能性も担保できるでしょうが、極端につまらないゲームになるでしょう。

　それなので、ここでは、"必要利益" の継続的な確保、のほうだけに焦点を当てましょう。

　"必要利益" を継続的に確保できるということは、"必要経費" を継続的に確保できるということであり、つまりは "必要工数" を継続的に確保できるということになり、それは継続的にマネジメントを続けられて、上昇スパイラルを発生させる元となる "旋回力" を維持できるということです。

　つまり、この "旋回力" を維持している間に、コンテンツの質を

上げるための試行錯誤をし、モデルの最適化にチャレンジし、レベニューモデルの完成度を高めて、売上などのエビデンスを上昇させればいいということになります。

　"必要利益"が確保できるということは、このマーケティングという名のゲームはその間終わらないということです。その間にレベルアップを図ればいいということで、エビデンスを積み上げながら旋回を続けると、やがて上昇スパイラルが発生し、さらに旋回力を維持できれば、最終的にはブランドと認識されるようになります。

　この旋回している期間が、マーケティングの継続期間となり、その間に信用力が上昇し、認知度も上昇します。"必要利益"を確保し続けられたということは、あらゆる数値が上昇したという証左でもあります。

　そうなると、エビデンスも上昇し、利益も確保できるようになるので、結果的に"キャッシュフロー"が潤沢になってきます。そうなると、持続可能性がさらに強化されて、すべての数値がさらに引き上げられる要因となります。

　こうして好循環が生まれます。この好循環の先に、そうです、皆さん大好き、「ブランド」が天空の城ラピュタのように浮遊して存在することになります。

　それは、どういうことなのか？　次回の講義で詳しくお話ししましょう。

1 ストーリー
2 コンテンツ
3 モデル
4 エビデンス
5 スパイラル
6 ブランド
7 アトモスフィア

月20万円新しく稼ぐための「56の質問」 ⑤スパイラル

　それでは、今回も月20万円新しく稼ぐための「56の質問」のうち、7つを皆さんに問いたいと思います。これに堂々と答えられるようになると、マネジメントについて理解が深まったということになり、上昇スパイラルを発生させられる可能性が格段に上がるだろうと思います。

　では、行きましょう。

FUNCTION ファンクション5
スパイラルの維持

5-1 必要な"工数"は正確に把握できていますか？
《工数の因数分解》

5-2 必要な"工数"は確保できていますか？《必要工数の確保》

5-3 必要な"経費"は正確に把握できていますか？《維持費》

5-4 必要な"利益"は正確に把握できていますか？《必要利益》

5-5 保有する資金は十分と言えますか？《キャッシュフロー》

5-6 理想の働き方はどういうものですか？
《マーケティングの方程式》

5-7 旋回力の維持は恒久的に可能ですか？《持続可能性》

　5-1の《工数の因数分解》は、レベニューモデルを維持するために必要な工数を因数分解の上、なるべく正確に見積もって答えてください。この見積もりが甘くなると、工数がオーバーになり、持続可能性に黄色信号が灯ります。

5-2の《必要工数の確保》は、工数の因数分解をした上で、それが確保できているかを確認し、確保できていない場合、確保に向けて動いてください。

5-3の《維持費》は、経費の見える化が目的で、その認識が甘いと上昇スパイラルがいつまでも起きません。

5-4の《必要利益》は、経費を維持できる利益のことで、決して売上のことではありません。あくまで必要利益を明確にすることで、売上高に惑わされないで、利益の確保を意識することができます。

5-5の《キャッシュフロー》は、お金の流れのことで、出ていくお金よりも入ってくるお金のほうが高い状態であれば問題ありません。融資も利益の範囲内で返済できていれば、基本的には問題ありません。もちろん、税金等は加味しておく必要があります。

5-6の《マーケティングの方程式》は、個人では働き方、企業では企業文化にも関わる重要な部分です。方程式でどういう働き方が理想かを見える化しましょう。

5-7の《持続可能性》については、最も重要な項目で、上のすべての質問を考慮した上で、判断してください。

今回も、メーカー・シートを用意しました。それが「持続可能計算書」です。これに記入していけば、上昇力を生み出す過程が一目瞭然で、持続可能性を担保できる予算も算出できます。ぜひ、実際にビジネスを作る際に使っていただければと思います。

1 ストーリー

2 コンテンツ

3 モデル

4 エビデンス

5 スパイラル

6 ブランド

7 アトモスフィア

5

スパイラル・メーカー／SPIRAL MAKER
《持続可能計算書》

マーケティングにとって最も重要な要素のひとつは、「持続可能性」でしょう。稼ぎが一過性では、"理想の状態"を持続させることはできません。最も重要であり、それを実現させるのが難しいのが「持続可能性」とも言えます。あるいは、ビジネスの要諦は「持続可能性」にあると言ってもいいかもしれません。「持続可能計算書」である「スパイラル・メーカー」を使えば、どうやればビジネスに上昇力を持たせられるかを一目瞭然化できます。

**「スパイラル・メーカー」の使い方、および、
ダウンロードは、以下の特設 HP から**

https://in-pulse.co.jp/1sheet-marketing

収益計算　すべてのレベニューモデルの収益を簡易計算せよ

仮置きでOK

収益項目	売上	粗利率（簡易）	粗利
	￥　／月 ×	％ ＝	￥　／月
収益項目	売上	粗利率（簡易）	粗利
	￥　／月 ×	％ ＝	￥　／月
収益項目	売上	粗利率（簡易）	粗利
	￥　／月 ×	％ ＝	￥　／月
収益項目	売上	粗利率（簡易）	粗利
	￥　／月 ×	％ ＝	￥　／月
収益項目	売上	粗利率（簡易）	粗利
	￥　／月 ×	％ ＝	￥　／月

レベニューモデル毎に収益計算

ブラックボックスを方程式で解く

マネジメントの方程式　「マネジメントの方程式」で現状　なぜ予算通りにいかないのか？

戦略〈月予算：￥〉	遂行率〈0〜100%〉	工数〈0〜100%〉	売上〈月売上：￥〉
￥　／月 ×	％ ×	％ ＝	￥　／月

予算

決算

戦略　達成のための必要人件費〈試算〉：￥　／月

新採用　□ 要　□ 不要

GAP

左を踏まえて現状を把握

Project _____   Date _____

Mission 「そのビジネスが持続可能になる計算式」を明確にせよ

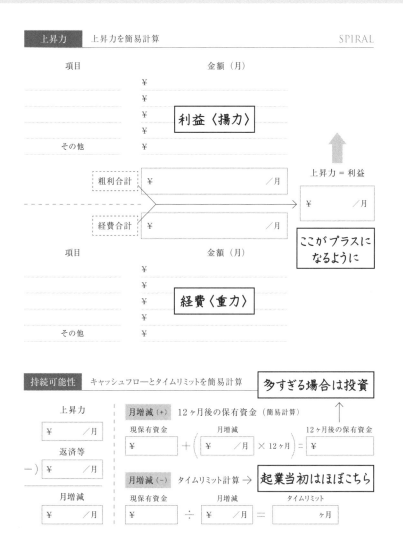

上昇力　　上昇力を簡易計算　　　　　　　　　　　　　　SPIRAL

項目　　　　　　　　　　　　　金額（月）

_____　¥ _____

_____　¥ _____

_____　¥ _____　　利益〈揚力〉

_____　¥ _____

その他　　　　　　　　　　　¥ _____

粗利合計　¥ _____ ／月　　　　上昇力 ＝ 利益

¥ _____ ／月

経費合計　¥ _____ ／月　　　　ここがプラスに
　　　　　　　　　　　　　　　　なるように

項目　　　　　　　　　　　　　金額（月）

_____　¥ _____

_____　¥ _____

_____　¥ _____　　経費〈重力〉

_____　¥ _____

その他　　　　　　　　　　　¥ _____

持続可能性　キャッシュフローとタイムリミットを簡易計算　　多すぎる場合は投資

上昇力
¥ _____ ／月

返済等
－）¥ _____ ／月

月増減
¥ _____ ／月

月増減 (＋)　12ヶ月後の保有資金（簡易計算）

現保有資金　　　　　月増減　　　　　12ヶ月後の保有資金
¥ _____ ＋（¥ _____ ／月 × 12ヶ月）＝ ¥ _____

月増減 (－)　タイムリミット計算 →　起業当初はほぼこちら

現保有資金　　　　　月増減　　　　　タイムリミット
¥ _____ ÷ ¥ _____ ／月 ＝ _____ ヶ月

行列の先にあるものの正体 「ブランド認識」 〔ブランド／ BRAND〕

ブランドは結果論であり、客観的なものである

ついに今回は皆さんが大好きな「ブランド」のお話です。
こういった項目をやっていきます。

- ・なぜブランドは "共同幻想" に過ぎないのか?
- ・ブランドは「恋愛論」の結晶作用である理由とは?
- ・「ブランド認識」が生まれる仕組みとは?
- ・ブランドのメリット、価格自由設定権とは?
- ・ハイパー領域を開く「ブランド・システム」とは?
- ・ブランドがあらゆる交渉を優位にする理由とは?

さて、いきましょうか。
ブランディング、という言葉がありますが、以前からとても違和感を覚えていました。なぜなら、ブランディングがブランド化させることだったとしたら、1シート・マーケティング、すなわち「7つのマーケティング・クリエーション」のほぼすべてを完璧にやらなければ到達できない段階、もはや "マーケティングの境地" と言ってもいいくらいのことだからです。

ストーリーを明確に描き、質の高いコンテンツを開発し、モデルが最適化され続け、戦闘力の高いセールスフォースを保有して、堅実に利益を上げられ、キャッシュフローを潤沢にできるくらいのエビデンスを吐き出し続け、上昇スパイラルを維持し続けて、マネジメントを十全にし続けた先に、まるで天空の城ラピュタのように浮かび上がるのが「ブランド」です。つまり、ブランディングとは、そのすべてを欠けることなく行った結果であって、「では、私、ブランディングやります」というノリでやれるものではありません。

そして、そもそも、ブランド化させることに焦点を当てることも、本質から外れるようにも思えます。なぜなら、ブランドとは、上昇スパイラルを旋回させ続けた結果として、徐々に外側からそうみなされるようになるものであって、自らがブランドです、などと喧伝すべきものでもないからです。

吉祥寺小ざさの「幻の羊羹」は、自ら"幻"と名づけて売っているわけではなく、「羊羹」として売っているものを、周りが勝手になかなか手に入らないからそう呼んでいるだけのことで、もっと言えば、50年以上途絶えることがない行列も、上昇スパイラルを回し続けた結果に過ぎないのです。

そう考えると、本質的な意味でのブランディングとは、「7つのマーケティング・クリエーション」の5要素目であるスパイラルまでを、いかに地道に真摯にやるかということに尽きることになります。

では、我々は「ブランド」を作るべく、アタックすることは不可能なのでしょうか？

いいえ、そんなことはありません。0段階目として、ブランドとは結果論であり、客観的なものであることを認識するのが、ブランドを作る上で非常に重要だということです。

1シート・マーケティング「7つのマーケティング・クリエーション」において、「ブランド」はこう定義されます。

1 ストーリー
2 コンテンツ
3 モデル
4 エビデンス
5 スパイラル
6 ブランド
7 アトモスフィア

「下の層がすべて有 機 的に機能し続けることによって、
ほとんど機能し続けている期間のみ、外よりそうみなされる」

ここでのポイントは、「ほとんど機能し続けている期間のみ」というところです。そう、ブランドは基本的には"利那的"なものであり、機能し続けているという前提が失われると、途端にブランドとみなされなくなります。

たとえば、芸能人が『週刊文春』などでスキャンダルをすっぱ抜かれたりすると、それまでどんな実績があろうとも、即、ブランドとはみなされなくなります。"浮遊"を押し上げる力が消えると、落ちます。飛行石を失ったラピュタのように。

なぜなら、ブランドの本質は、"共同幻想"だからです。

それは、いったい、どういうことなのか?

ブランドは"共同幻想"に過ぎない

重要なので、もう一度、繰り返します。

ブランドは、下の層がすべて有 機 的に機能し続けることによって、ほとんど機能し続けている期間のみ、外よりそうみなされる。つまり、「7つのマーケティング・クリエーション」が機能し、バランスの取れている期間のみ、ブランドは浮遊して存在し、"利那的"なものである――。

これを前提に戦略を立てないと、リスクを抱えることになります。"共同幻想"であり、ゆえに本質的には"利那的"であるのに、自らが「ブランド」である前提でマーケティング戦略を組み上げると、その浮力を失った瞬間にマーケティングが瓦解します。

たとえば、店の前に連なる行列が永久不変のものだと錯覚し、それを前提に戦略を組み上げたときに、マーケティング崩壊の大きな

1 ストーリー
2 コンテンツ
3 モデル
4 エビデンス
5 スパイラル
6 ブランド
7 アトモスフィア

リスクを抱えることになります。それは爆弾のようなもので、浮力が消えた瞬間に炸裂します。

　行列がなければ、チラシ配りやこまめなSNSなどのメディアでの配信、定期的な挨拶状など顧客との接点を増やす努力をし、つまりはセールスフォースを機能させていたはずなのに、行列ができた途端にその機能を解くと、行列がなくなったときにエビデンスが上げがたくなります。セールスフォースが弱体化するからです。それゆえに、行列ができたときでも、常にこれは"共同幻想"だという認識を持ち、いつなくなるかわからないと危機感を覚えながら、やるべきマーケティング活動を続けることができれば、リスクはほとんどなくなります。

　また、あるコンテンツにブランドが大きく依存している状態で、何らかの理由でそのコンテンツに対する需要が急に失われていったときに、それに依存していたビジネス全体が崩壊の危機にさらされます。

　そうならないためにも、あるコンテンツがブランドとみなされていたとしても、新しい需要を常にフロンティア・スピリットを持って追い求めるのが、リスクが少ない道になります。つまり、西部開拓時代の開拓民のように、フロンティアを開拓する冒険に出続けたほうが、実際にはリスクが少なくなる、ということです。

　ビジネスは完成した、と思った瞬間から崩壊が始まるのです。

　もし、新しい需要を作ることに挑戦し続けることができれば、皆さんのビジネスの持続可能性は、飛躍的に高まるでしょう。

　これからの時代、この"持続可能性"こそが、ビジネスにとって最も重要なポイントになります。いや、マンモスを追いかけてきた時代から、そもそもそれは不変だったのですが。

「ブランド」という"共同幻想"はあくまで外の人がそうみなすものであって、内部の人はそれを当てにしないのが、最も堅実な戦略

になります。行列になろうとも、もてはやされたとしても、我々は
やるべきことを、地道に淡々とやるべきなのです。

　それでは、「ブランド」という名の"共同幻想"は、いかにして形
作られていくのでしょうか？

ブランドは『恋愛論』の"結晶作用"と同じである
〜ブランド認識〜

　フランスの小説家スタンダールが書いた『恋愛論』では、恋愛は
何もない枝を結晶していくようなものだと説かれました。いわゆる
「結晶作用」がそれです。

　ブランドも、およそ恋愛と同じで、「結晶作用」によってもたらさ
れます。なぜなら、恋愛と同様ブランドは、これをブランドとみな
さなければならない明確な根拠がないからです。それぞれが、いわ
ば勝手に恋におち、そのコンテンツやビジネスを「ブランド」とみ
なします。

　つまり、どこかの段階で、そのコンテンツやビジネスを「ブラン
ド」と認識するときがあるということです。それは、恋愛において、
好きだ、と思う瞬間と似ています。

「ブランド」が恋愛と違うのは、"共同幻想"だという点です。

　たとえば、時価総額世界一になったAppleですが、元々はガレー
ジから始まりました。そのときは誰もそうなるとは思っていません
が、今、我々がアップルストアに行くとき、間違いなく「ブランド」
だと認識します。ガレージからアップルストアに至るまでのどこか
の段階で、我々はそれぞれのタイミングでAppleを「ブランド」と
認識したはずです。

　僕の場合は、iMacやiBookの時代には、Appleをオシャレだが
壊れやすい、使い勝手の悪い外国製品と認識し、ソニーのVAIOの

ほうが「ブランド」だと認識していました。ところが、Mac の OS が安定し、MacBook Air が出たときに、完全に「ブランド」だと認識して、今に至っています。

　おそらく、デザイナーやクリエイターの人はそれよりも前にマッキントッシュの時代から Apple を「ブランド」と認識していたかもしれませんし、また、iPhone から「ブランド」だと認識した人もいるでしょう。つまり、人はそれぞれのタイミングで、それを「ブランド」だと認識する、ということです。

　これを"ブランド認識"と言います。

　では、ブランド認識は、どのように発生するのでしょうか？

好きになる理由は十人十色である～ブランド認識の発生～

　恋愛においても、なぜ好きになったのか、理由を聞かれると困るかもしれません。

　一目惚れの場合はわかりやすいですが、多くの場合は、複合的な理由で、徐々に好きになって、いつか、好きだなと認識するものでしょう。

　つまり、好きになる理由は十人十色です。そして、ブランド認識もまったく同じなのです。

　主なブランド認識の要因を次ページに挙げておきましょう。

　"需要"が"供給"を超えている状態、つまりは、提供されている商品の数よりも、欲しい人のほうが多い状態が続くと、人はその商品の前に行列を作ります。

　たとえば、隣同士でラーメン屋をやっているところがあって、片方はガラガラで片方には行列ができている場合、人はどちらのラーメンを食べたいと思うでしょうか？

《ブランド認識の要因》

需要過多の継続	＝"需要"が"供給"を超えている状態が続くこと	行列
実績	＝エビデンス×量	信用
外観的エビデンス	＝有力メディア／有力者による紹介実績	話題性
デザイン性	＝ストーリー×パッケージ	見た目
応用	＝既存ブランド×異業種参入	期待
人	＝キャラクター×サービスの質	キャラクター

行列のほうですよね。

その際に、人の脳の中では無意識的にこんな計算がされています。

ガラガラだということは、需要よりも供給のほうが多いということで、おそらくその店が出すコンテンツの質が低い可能性が高い。一方で行列になっているということは、供給よりも需要のほうが多いということで、その店が出すコンテンツの質が高い可能性が高い。

その需要と供給から導き出したリスクヘッジの結果、人は行列のほうのラーメンを食べたいと思うようになります。そして、人は選択を失敗したくない生き物なので、混んでいる店のほうに引き寄せられるのです。この論点は後ほど、もう一度出てきます。

次の「実績」に関しても、需要過多の変形版だと思ってもらっていいでしょう。長期間にわたり、需要があったということは、信用に足る何かがあるのだと推察するのに十分な根拠になります。

「外観的エビデンス」つまりテレビや雑誌などのマスメディアや有名人のSNSなどで取り上げられることも、顧客の安心材料となります。○○が紹介しているのなら間違いないだろう、と認識します。モンドセレクションに選ばれた、アカデミー賞を受賞した、というのも、実績でもあり、外観的エビデンスとも言えますが、いずれにせ

214

1 ストーリー
2 コンテンツ
3 モデル
4 エビデンス
5 スパイラル
6 ブランド
7 アトモスフィア

よ、顧客が「ブランド」と認識するのに強烈な後押しになります。

「デザイン性」つまり見た目も、重要な要素です。たとえば、高級ホテルや高級旅館のエントランスは、ビジネスホテルとは大きく違います。こういうところに泊まりたい、泊まる自分はすごい、と認識させるのに役立ちます。高級ジュエリーショップや高級時計のショップも、見た目に力を入れています。それは、"共同幻想"を強化させる狙いがあります。たとえば、ベンツやフェラーリを雨ざらしの店で買うことはないでしょう。ショップの外観も、百貨店の菓子売場の高級菓子のパッケージも、Appleのi Phoneのパッケージも、「ブランド」と認識させるための手が込んだ演出です。"共同幻想"には、この手の演出が実によく効きます。

「応用」つまり他の分野で業績を上げて「ブランド」とすでにみなされている企業が、他分野に進出する場合も、「ブランド」と認識されやすくなります。

たとえば、雑誌『自遊人』で確固たる地位を築いた岩佐十良氏は、請われて温泉宿の運営に乗り出しました。そして、またたく間にリゾート旅館とみなされるようになり、予約が取れない宿となり、『週刊ダイヤモンド』の日本のリゾートランキングでも、星野リゾートが展開する「星のや」などのブランドと並んで3位に選出されました。はい、ご存じの方も多いと思います、高級温泉宿「里山十帖」がそれです。その後、岩佐氏は「箱根本箱」や「松本十帖」など展開を広げています。

さらに、「人」がブランド認識の大きな手助けになる場合もあります。「コンテンツ」の提供をサポートする温泉宿の女将や銀座の高級クラブのママ、あるいは、「コンテンツ」と同一になっている芸能人などがそれです。また、くまモンなどのキャラクターもここに入れてもいいかと思います。

様々なブランド認識の要因がありますが、人はこれらを複合的に

感受して、「ブランド」と認識するようになります。

　そして、人がブランド認識するのに最低限の刺激のことを、「ブランド認識の閾値」と言います。

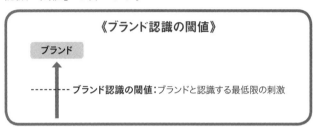

《ブランド認識の閾値》

ブランド

------- **ブランド認識の閾値**：ブランドと認識する最低限の刺激

　もちろん、このブランド認識の閾値は、人それぞれです。けれども、ほとんどの人がブランドと認識する全体閾値を目指せば、多くの人が皆さんのビジネスをブランドとみなすようになります。

　ちなみに、全体閾値の考え方は非常に単純です。

　最もブランドと認識しにくい人にブランドと認識させることができれば、全体のほとんどの人がブランドと認識する、という考え方です。

　たとえば、泣ける映画、と言っても泣きやすい人はすぐ泣きますが、泣きにくい人はなかなか泣かない。けれども、その泣きにくい人までが泣くのなら、みんなが泣くだろうという考え方に似ています。つまり、泣きにくい人を泣かせることを目的にすれば、実現可能性が高くなるということです。

　このように、内部ではなく、顧客の認識に依存するところの多いブランドですが、そう認識されると、絶大なるメリットがあります。

　ブランド認識されると得られるメリットには、どんなものがあるでしょうか？

　見ていきましょう。

ブランドは顧客を"思考停止"させる〜ロイヤルティ〜

ブランド認識されると、提供側と顧客の相対的位置関係に変化が生じます。

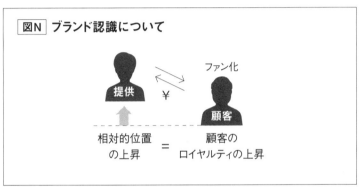

図N ブランド認識について

ファン化

提供 ¥ 顧客

相対的位置 = 顧客の
の上昇 ロイヤルティの上昇

提供側のほうの位置が上昇し、顧客がファン化します。それをマーケティング的には、顧客ロイヤルティの上昇と言います。ロイヤルティとは、忠誠心という意味で、自らが提供するコンテンツに対して、あるいは、ビジネスに対してロイヤルティを持つ顧客、つまりはファン化した顧客が増えると、マーケティングが実にやりやすくなります。ブランド認識され、顧客総体としてのロイヤルティが上昇すると、提供側に絶大なるメリットが生じるということです。

そのメリットの中でも特に顕著なのは、顧客を"思考停止"させられることです。

そう言うと、悪いことのように聞こえるかもしれませんが、もちろん、いい意味での"思考停止"のことで、逆に顧客としての我々にも日常的に起きていることです。

つまり、我々は日々顧客として、ブランドと認識した対象に対しては"思考停止"している部分があります。

それは、いったい、どういうことなのか？

1 ストーリー
2 コンテンツ
3 モデル
4 エビデンス
5 スパイラル
6 ブランド
7 アトモスフィア

そもそも、人は面倒を嫌う生き物です。サボれるところはサボりたいと思う生き物です。そのために、

> ・変更するのが面倒だから、現状維持したい
> ・疑うのが面倒だから、信頼したい

と、思っています。現状維持したいのも、信頼したいのも、そもそもは面倒だからです。自分の選択が正しいと思いたいのも、間違っていたら面倒だからです。

たとえば、先ほどのガラガラのラーメン屋と行列ができているラーメン屋の話では、行列に並んでありついたラーメンは、美味しくなければ困るのです。選択が間違っていたら面倒だからです。そうすると、どうなるでしょうか？

食べる前から、もうすでに"美味しい"のです。美味しくなければ困るので、美味しいはずだ、いい匂いのはずだ、見た目もいいはずだと、「コンテンツの質」を底上げさせるバイアスがかかります。観光地で食べる、なんの変哲もないラーメンが美味しく感じられるのも、駅弁が割高なのに美味しく感じられるのも、この"底上げバイアス"が影響します。

人は、正しい選択の結果、よい体験をしたと思い込みたいのです。

これは、提供側に多大なるメリットを与えます。実際のコンテンツの質よりも底上げされて判断されるからです。高級ホテルに行った際には、とてもいいサービスを受けていると錯覚します。

ところが、一方で、ガラガラのラーメン屋ならどうでしょうか？逆に相対的位置関係が逆転して、顧客の立場が提供側より上に来ます。そうなると、「コンテンツの質」に関わる部分以外にも、お冷やが出てくるのが遅かった、店員の愛想が悪かった、商品の提供スピードが遅かったと、オペレーションに関わる部分でもあら探しをす

1 ストーリー

2 コンテンツ

3 モデル

4 エビデンス

5 スパイラル

6 ブランド

7 アトモスフィア

るようになります。そして、不思議なことに、たとえば、隣の行列店とまったく同じ質のラーメンを出したとしても、おそらく、2つの店舗でアンケートを取れば、大きく結果は変わってくるのです。

ブランド認識がもたらす大きなメリットと、ブランドと認識されていないことで生じるデメリットです。

これ以外にもブランド認識には様々なメリットがあります。

顧客を"思考停止"にさせることによって生じる提供側のメリットをまとめてみましょう。

```
《思考停止のメリット》

潜在的競合の消滅

サービスへの安心

値付けの不詮索
```

たとえば、一度ソニーのカメラを使い始めると、変更するのが面倒で現状維持したい欲求が強くなるので、Canonの最新モデルがいいと聞いても、あら探ししたくなります。それは、ブランド認識による"思考停止"によって、潜在的な競合を顧客自らが消滅させようとするからです。これが、"潜在的競合の消滅"であり、サービス提供側としては多大なるメリットになります。

また、ブランドと認識した対象のサービスには、先ほどのガラガラのラーメン屋とは逆に、過剰なほどに安心感を抱きます。高級ホテルならば、サービスはいいだろうと勝手に思い込むのです。これも思考停止の一部です。ただし、これは注意が必要であって、サービスの提供があまりにひどかった場合は、可愛さ余って憎さ百倍、「○○さんともあろうものが」とクレームに発展する場合があります。"底上げバイアス"が働く一方で、期待値のハードルも上がるということです。

さらにメリットが高いのは、"値付けの不詮索"です。たとえば、そもそも値段を見ずにラーメン屋の行列に1時間並んで、ようやく念願のラーメンにありついた際に、人はそれが1,200円だったとしても気にしないということです。行列ができるほどに需要過多である商品を購入できるだけで幸せ、とのロイヤルティが働きます。逆に、ガラガラのラーメン屋で1,200円の値付けを見た際には強い違和感を覚えるはずです。

　ブランドにおける、値付け、つまりはプライシングについて、もう少し詳しく見ていきましょう。

ブランド化のメリットは高額化ではなく、価格の自由設定権にある

　プライシング、値付けについては、「モデル」の講でも詳しくお話ししましたが、今回は、ブランド化によるプライシングの絶大なるメリットについてお話ししましょう。

　その前に、振り返っておきましょう。

《プライシングで押さえるポイント》

需要の継続性 ……顧客側が購入を継続するのに合理的な価格であるか

供給の継続性 ……提供側が供給を継続するのに合理的な価格であるか

　プライシングは、基本的に一発で決めるのが原則であり、変動させるのはなかなか難しいものです。加味するべきポイントは、"需要の継続性"と"供給の継続性"であって、その両者が綱引きした際に、均衡状態になったとき、適正な価格が現れます。

　ブランドには、この原則を変形させてしまう威力があります。

1 ストーリー

2 コンテンツ

3 モデル

4 エビデンス

5 スパイラル

6 ブランド

7 アトモスフィア

　次ページの図を見てください。

　上の２つの図は「モデル」の講でもやったものです。ブランド化されていない場合はこのグラフの考え方がプライシングの原則となります。

　ところが、ブランド認識されると値付けの方法がより自由になります。簡単に言えば、値上げをしても、値下げをしても、ブランド認識されてある程度需要が確保できるので、マーケティングが成り立つ、ということになります。

　これを、「価格の自由設定権」と言います。

　ブランドになれば、価格を上げられると普通なら考えるかもしれません。たしかに、価格を上げても需要がある、というのは提供側にとっては大きなメリットです。

　しかし、それ以上のメリットがあります。

　実は、あえて価格を下げることによって絶大なるメリットが生じます。

　いったい、どういうことなのか？

　３つ目の図を見てください。単純な思考実験ですが、そのコンテンツがブランド認識されてきていることを受けて、売価の20％の値上げに踏み切ります。当然、1,000円で売っていたときよりも、需要が下がります。

　需要が下がった分を補うために広告を打ったり、チラシを撒いたりする必要が増えて、営業費が増えます。つまり、値上げした分、そのまま利益が積み増されるわけではないのです。

　ところが、同じくブランド認識されてきたコンテンツをあえて値下げしたとしたらどうでしょうか？

　元々、需要があったものが品質を保持したまま値下げされるので、当然、需要が増えます。これを機に、行列化するかもしれません。そ

図O プライシングの原則

●通常

├──────── 売価 1,000 円 ────────┤

800 円 原価等	(200 円) 営業費	200 円 利益

●値下げ

├──────── 売価 900 円 ────────┤

800 円 原価等	(200 円) 営業費		100 円 利益

※原価等は変わらず

10% の値下げで利益が 50% に → 200%（2 倍）売らないといけない

●値上げ（ブランド化Ⅰ）

├──────── 売価 1,200 円 ────────┤

900 円 原価等	(300 円) 営業費	300 円 利益

※営業費は上がる

値上げによる需要減をカバーするために営業費が増えるが、利益も増える

●値下げ（ブランド化Ⅱ）

├──────── 売価 900 円 ────────┤

600 円 原価	300 円 利益

※行列化により営業費が実質ゼロになり、その分が利益に転換

値下げによる需要増による行列化、営業費が実質ゼロになり利益も増える

→ 強大な参入障壁

222

1 ストーリー

2 コンテンツ

3 モデル

4 エビデンス

5 スパイラル

6 ブランド

7 アトモスフィア

うなると、さらなるメリットが生じます。原則として、行列化すれば営業費は実質的に"ゼロ"になるということです。

恐ろしいのは、この営業費はすべて利益に変換されるということです。

なぜなら、営業費は通常、商品の価格に転嫁されています。たとえば、広告を打ったりすれば、その費用は当然、商品の価格に上乗せされます。ところが、行列化して、需要過多の状態が極大化したらどうでしょうか。営業費は削減され、価格に転嫁されていた分が浮き、原価等が縮減されて、その分、利益に積み増されるということです。

この簡易な思考実験では、ブランド認識された商品は、値上げでも300円の利益を確保でき、値下げでも同じ利益を確保できるということになりました。

そうだとすれば、どちらを選択しても、メリットは一緒なのでしょうか?

まずは、顧客のメリットが大きく違います。同じ品質にもかかわらずに通常よりも安く手に入ったのなら、顧客メリットが増大し、需要に拍車がかかります。それが続けば、顧客ロイヤルティが増え、顧客がファン化します。

また、提供側としても、さらなるメリットがあります。値下げすることによって、ライバルに対して強大なる参入障壁を築くことができるようになるということです。

たとえば、万が一同じコンテンツの質の商品をライバルが投入してきた場合、相手が同じ900円で売り出しても利益は100円に過ぎず、一方でブランド認識されているほうは、利益は300円になります。しかもブランド認識されていれば、需要も大きいので、負けるはずがない。本当にライバルを追い落としたければ、あと100円値

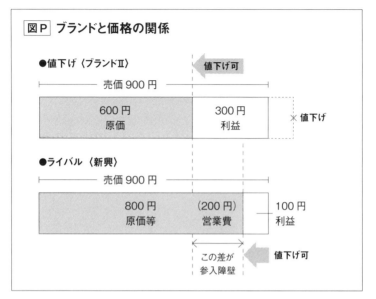

図P ブランドと価格の関係

●値下げ〈ブランドⅡ〉

値下げ可

売価900円

| 600円
原価 | 300円
利益 |

×値下げ

●ライバル〈新興〉

売価900円

| 800円
原価等 | （200円）
営業費 |

100円
利益

この差が
参入障壁

値下げ可

下げすれば、相手は利益がなくなるのでゲームオーバーとなります。そして、ライバルから市場という名の需要の塊を守ることが可能となります。

　つまり、これが"価格の自由設定権"の大いなるメリットです。

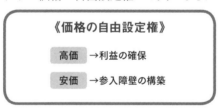

《価格の自由設定権》

高価 →利益の確保

安価 →参入障壁の構築

　価格を引き上げることもできるし、引き下げて防衛戦争もできる。

　ブランドと認識されることは、マーケティングをする上で、やはり効果が高いようです。

　"価格の自由設定権"以外にも様々なメリットがあります。

1 ストーリー

2 コンテンツ

3 モデル

4 エビデンス

5 スパイラル

6 ブランド

7 アトモスフィア

「ブランド・システム」でブランドのメリットを読み解け

さて、ここまで講義を見てきて、皆さんもブランドと認識されると多大なるメリットがあることを感じてきただろうと思います。

それをもう少し、感覚的ではなく、視覚的に理解していきましょう。

まずは、この図をご覧ください。

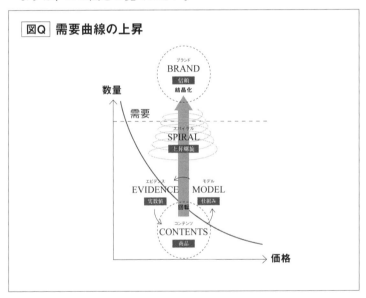

図Q 需要曲線の上昇

ブランド
BRAND
信頼
結晶化

数量

需要

スパイラル
SPIRAL
上昇螺旋

エビデンス   モデル
EVIDENCE   MODEL
実数値   仕組み
回転

コンテンツ
CONTENTS
商品

価格

この講義でも何度か出てきた、需要の曲線です。

同じコンテンツだとすれば、価格が高ければ需要は低くなり、価格が低くなれば、需要が大きくなるという単純な図式です。

この場合だとブランドと認識される以前なので、需要を大きくしたければ、単純に価格を下げるしかないという状況です。

ところが、矢印のように主にコンテンツがブランドと認識されるところまで上昇したとしたら、どうなるでしょうか?

その変化を表したのが、この図です。

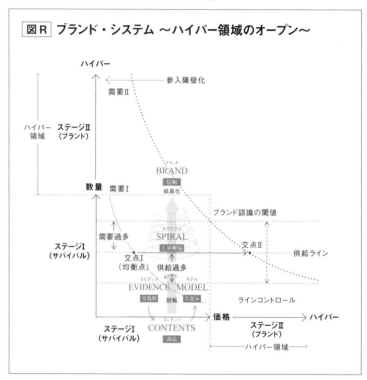

図R ブランド・システム 〜ハイパー領域のオープン〜

ご覧のとおり、戦う領域が拡大します。ブランド認識以前とは違って、価格の上限が"ハイパー"になります。そして、需要量も極端に増え、こちらも"ハイパー"になります。つまり、ブランド認識による「ハイパー領域」を開くことができます。

需要の曲線は、需要Ⅰから需要Ⅱへと上に移動し、ハイパー価格とハイパー数量でも需要される、すなわち、欲しいと思われるようになります。

これまでマーケティングの舞台が「ステージⅠ：サバイバル」だったとしたら、ステージが上昇し、「ステージⅡ：ブランド」に進む

1 ストーリー

2 コンテンツ

3 モデル

4 エビデンス

5 スパイラル

6 ブランド

7 アトモスフィア

イメージです。

そうなると同じ供給量だった場合、価格を交点Ⅰから交点Ⅱに上げても同じ数量が受容されます。あるいは、ブランド認識されても同じ価格だった場合、需要量が飛躍的に上昇します。

当然、ビジネスの規模も変わってきます。それに耐えられる組織を構築する必要に迫られることでしょう。

この際には、様々な問題が噴出しますが、ビジネスにとっては必要な"成長痛"のようなものなので、冷静に対処する必要があります。

また、ブランドへの成長は、やっかみなどを受けやすくなります。なぜなら、他人の成長は何よりの「ハラスメント」になるからです。もし、同級生が自分より遥かに成功していたら、お祝いを言いつつ、どこか複雑に思うはずです。だからと言って、人の嫉妬を気にして成長を抑えるのは本末転倒です。

原点に返り、自分が思い描く"理想の状態"が何なのかを再び認識した上で、進むべきステージに場を移せばいいのだと思います。

ブランド認識があらゆる交渉を優位にさせる

皆さん、一緒に想像してみましょう。

皆さんは、これから喫茶店を開くことにします。その際に、皆さんが思う繁華街の路面店に出店できるでしょうか?

東京では銀座や新宿、渋谷や池袋の一等地。九州では福岡天神でしょうか。関西だと心斎橋や梅田の繁華街、東北では仙台の中央通りでしょうか。

その路面店に出店できるでしょうか?

たとえ、出店資金があったとしても、出店は難しいでしょう。なぜなら、信用が弱いからです。けれども、外からブランド認識され

るようになると、徐々に交渉が可能になってきます。

　また、銀行からの融資に関してもブランド認識は優位に働きます。金融機関の融資は前年度の成績表、すなわち決算書に基づきますが、期待値によって貸し出し金額は大きく変化します。ブランド認識され、将来性があると判断されれば、そうではない場合よりも優位な条件で交渉が進められます。

　実は、スパイラル、マネジメントにおける"遂行率"に関しても影響があります。ブランド認識が高まると、それまで見向きもしてくれなかった優秀な人材が入ってくるようになります。新規事業を立ち上げたり、そうでなくとも不備を整備したりと、上昇スパイラルの旋回力を維持するのに、大きな戦力となります。当然、コンテンツの質の上昇、すなわち商品開発の面でも、優秀な人材の加入はプラスに働きます。

　弱小チームには優秀なストライカーは加入しませんが、たとえば天皇杯を制したチームには入りたいと思う著名サッカー選手が出てくるはずです。

　このように、いたるところでメリットを発揮するブランドですが、最初に戻りますが、あくまでブランドは結果論であり、客観的なものです。

　我々がすべきことは、地道な日々の試行錯誤であって、上昇スパイラルの旋回を止めずに回し続けることです。

　そうです、実にシンプルなことなのです。

1 ストーリー

2 コンテンツ

3 モデル

4 エビデンス

5 スパイラル

6 ブランド

7 アトモスフィア

月20万円新しく稼ぐための「56の質問」 ⑥ブランド

今回も月20万円新しく稼ぐための「56の質問」のうち、7つを皆さんに問いたいと思います。

FUNCTION ファンクション6
結晶化

6-1 その「商品／サービス」はどれくらい利用されていますか？《実績：量と期間》

6-2 顧客を待たせる可能性はありますか？《行列の可能性》

6-3 マスメディア等に取り上げられた実績はありますか？《外観的エビデンス》

6-4 顧客を「思考停止」させられますか？《ブランド認識》

6-5 そのビジネスにストーリー性やデザイン性が浸透していますか？《デザイン性》

6-6 ステークホルダー全体からの忠誠心を確保できていますか？《ロイヤルティ》

6-7 その業界における影響力はどれほどですか？《プレゼンス》

6-1の《実績》はビジネスに対する信頼性に大きく影響します。

6-2の《行列の可能性》は、ブランド認識の一つの大きな顕在化である行列の可能性を考えることにより、今、皆さんのビジネスがどの段階なのか考える指標にします。

6-3の《外観的エビデンス》は、マスメディアに取り上げられた実績のことで、ここのエビデンスが大きい場合、ビジネス全体やコンテンツの「独自性」が高い可能性もあります。

6-4の《ブランド認識》については、顧客が皆さんのビジネスに

たいしてどんな態度でいるか、特に「思考停止」が起きているかを確認することで、皆さんのビジネスの段階を考える指標にします。

6-5の《デザイン性》は、現在はブランド認識にとって不可欠な要素となったデザインのレベルがどれくらいなのかを考えます。

6-6の《ロイヤルティ》は皆さんのビジネスに対する顧客等の忠誠心のことで、これが高い場合、かなりビジネスを優位に進められます。サブスクリプションの構築もこの値によるでしょう。

6-7の《プレゼンス》については、業界における影響力で、これが高ければ競争優位に立てますが、一方でライバルからターゲットとみなされる可能性も高くなります。様々な妨害が起きることも考えられますので、そうなった場合は、マーケティング的な意味合いでも、法的な意味合いでも、防衛策を講ずる必要が出てきます。マーケティング的に標的とされることは、成功の証とも言えますが。

今回は、メーカー・シート「ブランド・メーカー」を用意しました。ぜひ活用してみてください。

では、次回はついに第1編の最終講義「アトモスフィア」、つまりは流行についてです。次回もお楽しみに。

1 ストーリー
2 コンテンツ
3 モデル
4 エビデンス
5 スパイラル
6 ブランド
7 アトモスフィア

ブランド・メーカー／ BRAND MAKER
《ブランド・アプローチ戦略》

「ブランド」は主観的なものではなく、客観的にそうみなされるものです。けれども、そうみなされるためのアプローチは可能です。どうすれば「ブランド」とみなされるようになるか、アプローチ戦略を考えるときに「ブランド・メーカー」は役立つことでしょう。ポイントは、「ブランド認識」です。いかに「ブランド」と認識されるかにかかっています。

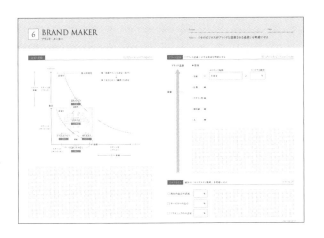

**「ブランド・メーカー」の使い方、および、
ダウンロードは、以下の特設 HP から**

https://in-pulse.co.jp/1sheet-marketing

ブランドシステム　　　　　　　　　　　　　　　BRAND SYSTEM

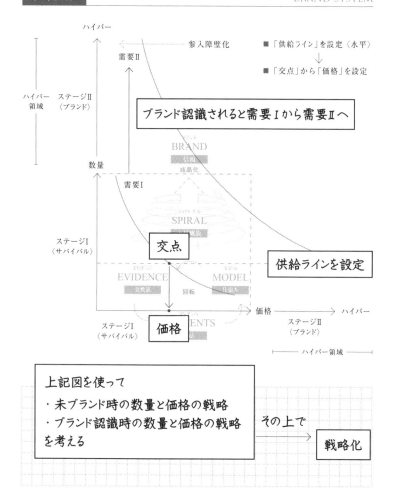

ハイパー

需要Ⅱ　　　　　参入障壁化　　　■「供給ライン」を設定〈水平〉
　　　　　　　　　　　　　　　　　　　　↓
　　　　　　　　　　　　　　　　　　■「交点」から「価格」を設定

ハイパー　ステージⅡ
領域　　〈ブランド〉

ブランド認識されると需要Ⅰから需要Ⅱへ

BRAND
信頼
結晶化

数量

需要Ⅰ

SPIRAL
信頼

ステージⅠ　　　　　　　　　　交点
〈サバイバル〉

供給ラインを設定

EVIDENCE　　　　MODEL
実戦試　　　　　構築本

価格　　　　　　　ハイパー

ステージⅠ　　　価格　　　　　　　　　　ステージⅡ
〈サバイバル〉　　　　　　　　　　　　　〈ブランド〉

ハイパー領域

上記図を使って
・未ブランド時の数量と価格の戦略
・ブランド認識時の数量と価格の戦略
を考える

その上で

戦略化

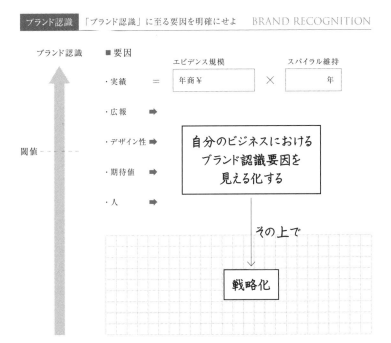

ブランド認識 「ブランド認識」に至る要因を明確にせよ   BRAND RECOGNITION

ブランド認識   ■要因
                        エビデンス規模   スパイラル維持
            ・実績 =   年商¥   ×   年

            ・広報 ➡

閾値   ・デザイン性 ➡   自分のビジネスにおける
                        ブランド認識要因を
            ・期待値 ➡   見える化する

            ・人   ➡

                              その上で

                        戦略化

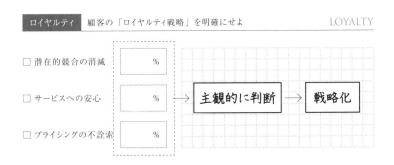

ロイヤルティ 顧客の「ロイヤルティ戦略」を明確にせよ   LOYALTY

☐ 潜在的競合の消滅   [%   ]

☐ サービスへの安心   [%   ] → 主観的に判断 → 戦略化

☐ プライシングの不詮索 [%   ]

第7講

"教室理論"が「流行」を作る
〔アトモスフィア／ATMOSPHERE〕

なぜ"流行"はコントロール不能なのか？

今回は、第1編の最終講義になります。

流行、つまり「アトモスフィア」についてです。

流行を作るにはどうすればいいのか？　実際に流行を作ることができるのか？　偶発的に起こるものなのではないのか？　コントロール可能なのか？

流行と聞くと、皆さんの頭の中には様々な疑問が湧き起こるだろうと思います。

今回は、こんな項目をやっていきます。

> ・流行の見極めとは？
> ・あのとき、教室で流行っていたものは本当に欲しかったのか？
> ・流行を生み出す「教室理論」とは？
> ・"買いたい空気"の作り方とは？
> ・コントロール可能な"小さな空気"とは？
> ・"流行"を目標とすべきではない理由とは？

さて、いきましょうか。

1 ストーリー

2 コンテンツ

3 モデル

4 エビデンス

5 スパイラル

6 ブランド

7 アトモスフィア

　皆さんも、この言葉を聞いて、ちょっと血が沸く感じになりませんか？

　ファミコン、ビックリマンチョコ、『ドラゴンクエストⅢ』、たまごっち、ニンテンドースイッチ、『鬼滅の刃』——そのコンテンツに対する需要が大きくなり、その前に行列ができ、やがて異常なほどに爆発的に広がり、最初は確信的に欲しいと思っていた人、つまりは"確信的需要者"だけの対象だったコンテンツが、欲求が少ない人までに"需要"が広がり、終局的には、「欲しい」ではなく、「買わないとまずい」状況にまでなる。

　これを、俗に"流行"と言います。

　たしかに、皆さんが世に送り出すコンテンツが"流行"すれば、需要は爆発するので当然、エビデンスも絶大化します。マーケティング的な観点から見れば、好ましい状況と思えますが、そう簡単に作ることはできず、またできたとしてもコントロールが非常に難しいのが"流行"です。

　それは、"流行"が空気のようなもので、もっと言えばガスのようなもので、燃え上がれば一気に広がりますが、大火をコントロールするのは難しいように、一度燃え広がった"流行"をコントロール下に置くのは非常に難しいのです。

　1シート・マーケティング「7つのマーケティング・クリエーション」の最上の層「アトモスフィア」を目指すのは、マーケターとして賭けになる可能性が高く、たとえば資金が底をつきそうになり、乾坤一擲に"流行"を狙う賭けに出ることは、マーケターとして完全なる敗北であり、持続可能性という最重要課題から言えば、禁じ手であると言ってもいいでしょう。

　通常、マーケティングをする場合、まずは、"流行"、つまりは「アトモスフィア」はファンタジーだと捉えるのがいいでしょう。

　前回の「ブランド」の講義でも似たようなことを言いました。

ブランドは結果論であり、客観的なものである。

そして、刹那的なものだと。

「アトモスフィア」は、その特徴がさらに顕著になります。

実態は、ほとんどの場合、"一時的な需要増大"でしかなく、これを"恒久的"と錯覚すると、マーケティング戦略を大きく誤ります。特に必然的な理由に乏しい、デザートや肉の量り売りなど、「モデル」を理由とした"流行"は脆くて消えやすいものです。流行の理由が「コンテンツの質」である場合は、それでもなお消えにくいものですが、やがて、"流行"が終息して需要が常態化するでしょう。

もう大昔のことになりますが、雑誌『Hanako』で「スイーツの女王」として大特集を組まれたイタリアの庶民のデザート、ティラミスは、当時、大流行しましたが今では当たり前となってコンビニでも置かれています。

つまり、いずれにせよ、やがて終息します。それを前提として戦略を組み上げなければ手痛いダメージを受けることになります。

その流行は"一時的"なものなのか、
あるいは"恒久的"なものか？〜見極め〜

とあるステーキの量り売り業態は、"一時的な需要増大"を"恒久的"と見誤り、一気に店舗を拡大し、戦略的に失敗し、一転して縮小を余儀なくされました。このケースにおける"一時的"か"恒久的"かの見極めは極めて難しく、「俺のフレンチ」「俺のイタリアン」の"回転率"にポイントを置いた「モデル」を、ステーキの業界に移植することはできないだろうかと考えること自体は、極めて優れたアイデアだったと思います。

ただし、「俺のフレンチ」「俺のイタリアン」などと違ったのは、シ

1 ストーリー

2 コンテンツ

3 モデル

4 エビデンス

5 スパイラル

6 ブランド

7 アトモスフィア

ェフの質と食材の質、つまりは"コンテンツの質"です。「俺の〜」では、当初の立ち食いフレンチ、イタリアンという斬新な「モデル」に注目されがちですが、実は、"コンテンツの質"にこだわっていました。一時的な流行から恒久的なビジネスに転換される可能性が高く、そうなると、ある程度店舗を拡大しておいても流行終息後も需要が下げ止まることが予想されます。

ところがステーキの量り売り業態では、"コンテンツの質"が際立っていませんでした。質が悪いわけではありません。問題は際立っていなかったという点です。たとえば、ファミレスの顔をしたレストランである「ロイヤルホスト」の大人気メニュー、アンガス・サーロインステーキは、"コンテンツの質"が非常に高い割にはファミレスに寄せた値段です。しかも、"回転率"を主眼に置いていないので、ゆったりとしたソファー席などで食事をすることができて、家族でも個人でもゆっくりと食事を楽しめます。つまり、このステーキの量り売り業態のライバルは、「ロイヤルホスト」や「ステーキ宮」など、すでにリーズナブルな価格で質の高いコンテンツを提供している店で、その場合は、これらのライバルをはるかに凌駕した"コンテンツの質"を顧客に示す必要があったということです。そこそこ美味い、ではダメだったのです。一度は話のネタに行った顧客が、結局は"戻った"ということでしょう。

この"一時的"と"恒久的"の見極めが完璧だった企業があります。

寒天のトップメーカー、伊那食品工業は48期連続増収増益でも有名になった、つまりは「スパイラル」に優れた企業であり、ブランドでもあります。ある時期、マスメディアで寒天ダイエットが広範囲に取り上げられ、需要が極大化しました。

そうです、"流行"の始まりです。そのときに、伊那食品工業は、これを"一時的"だと見極め、その当時の極大化した需要に合わせ

た積極的な設備投資をしませんでした。つまり、一時的な"需要過多"の状態に合わせて設備投資し、大増産すればやがて"流行"が去ったときに逆に"供給過多"になり、その設備を圧縮し、リストラをせざるをえなくなるからです。この判断が功を奏し、その後も伊那食品工業は着実な成長を続け、48年連続増益増収という奇跡的な「スパイラル」的成果を上げたのです。

　我々は結果を知っているので、冷静にそう判断できますが、もし、潰れるかどうかの瀬戸際で踏ん張っているときに、
「社長、〇〇という商品が飛ぶように売れています！！」

　と、スタッフから報告を受けたとしたら、当事者として正しい見極めができるかどうかは実際には非常に難しい問題です。もし、それが"一時的"ではなく、"恒久的"であった場合は、攻勢に出なかったことは、戦略的過失とみなされる場合もあります。

　だとすれば、どうするのが正解なのか。

　伊那食品工業のように、"流行"が起きても動じる必要のない、「スパイラル」的な基礎体力を保有しておくこと。

　あるいは、突如と降って湧いた"需要爆発"に関しては、それが"一時的"であるリスクを念頭に置きつつ、総動員態勢で「スパイラル」を回し、"需要"を取れるだけ取って売上、すなわち「エビデンス」に転換して、キャッシュフローを潤沢にしておき、それから地に足のついた戦略を立案するのがいいでしょう。

　とにかく、チャンスはものにする、がマーケティングの原則で、深追いしないのもマーケティングの原則だからです。マーケティングは、戦争で使われる軍略と似ているかもしれません。

　司令官や軍師は、冷静沈着でいなければなりません。

　次は、"流行"の作り方について、一緒に考えていきましょう。

　そう、"流行"は作ることができるのです。前提と理論を踏まえれば、ですが。

1 ストーリー

2 コンテンツ

3 モデル

4 エビデンス

5 スパイラル

6 ブランド

7 アトモスフィア

あのとき、僕は本当にローラースケートが欲しかったのか
～光 GENJI 症候群～

　平成以降生まれの人は信じられないかもしれませんが、昭和のある時期、全国でローラースケートが大流行しました。滑らかなコンクリートがある地面には、小・中学生が毎日のように溜まり、ラジカセで音楽をかけながら、ローラースケートを走らせていました。

　僕もその一人で、どうしてもローラースケートを "やらなければならなくなり"、叔母が嫁いだスポーツ店に頼んで、なんとか念願のローラースケートを手に入れました。そして、毎日、農機具置き場のアスファルトで友達と練習し、滑れるようになりました。

　昭和のある時期、全国のどこでも見られた光景だと思います。

　今思うと、なぜあんなに熱に浮かされたようにローラースケートをやっていたのか、不思議でなりません。

　ただし、原因はわかっていました。

　あるクラスメートの男子が、お姉さんに光 GENJI のカセットテープを借りてきたのが事の発端でした。当時ジャニーズ事務所の光 GENJI というグループが日本中を席巻しており、彼らはローラースケートを履いて歌を歌うのが特徴でした。そして、その歌番組を録音したカセットテープが増殖してクラス中に広がり、光 GENJI を知らない人は話についていけなくなりました。やがて、あるクラスメートの男子が、誕生日のプレゼントにローラースケートを買ってもらったことで、クラス中にローラースケートに対する "需要" が一気に広がりました。

「もしかして、ぼくらも光 GENJI になれるんじゃないか？」

　と、"錯覚" が始まったのです。こうなったら、俺も俺もとクラス中がローラースケートを買いに走りました。流行についていけなくなると、遊びに呼んでもらえなくなり、取り残されてしまうので、今

はさすがにそんなことはないでしょうが、昭和時分の小学生として
は死活問題でした。

　つまり、いまだに本当に自分自身がローラースケートが欲しかっ
たのかどうかわからないのです。おそらく、日本中の多くの小学生、
中学生がそうだったのではないでしょうか。正確には、自分自身で
はなく、クラスがローラースケートを欲しがったのかもしれません。

　それは、いったい、どういうことなのか？

空気を作る「教室理論」とは？

　まずは、この図をご覧ください。

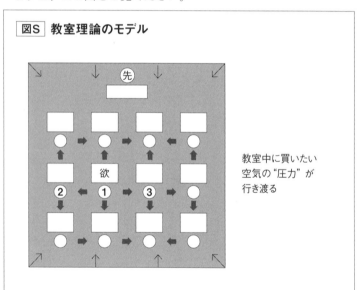

　昭和の時代に、ローラースケートの"流行"が教室で起きたこと
を示したモデルです。非常に単純なモデルで、"流行"が起きる現象
を説明することができます。

1 ストーリー

2 コンテンツ

3 モデル

4 エビデンス

5 スパイラル

6 ブランド

7 アトモスフィア

　まず、第一波としてお姉さんから光GENJIのカセットテープを借りた友人から、光GENJIのブームがクラス中に広がり、次いで、第一波の空気が"圧力"として行き渡る中、第二波として友人の一人が誕生日プレゼントでローラースケートを買ってもらったことをきっかけとして、ローラースケートに対する需要がクラス中に一気に広がり、需要が圧力となって、クラス中に満ちます。

　この段階になると、本当はローラースケートが欲しいわけではない生徒も、欲しいと"錯覚"するようになります。あるいは、欲しいと思わなければダメなのではないかと、半ばクラスの圧力に屈し、"需要化"します。

　一点から起きた需要は、オセロのように次々と増加していくことによって、またたく間に教室中に広がります。

　たとえば、①の後ろの座席の生徒は、①、②、③と、②の後ろ、③の後ろの生徒が"需要化"してしまったら、席の周りのすべての方向が"需要化"してしまっている状況なので、かなりの確率で、オセロがひっくり返るように"需要化"してしまうことでしょう。

　つまり、"需要化"の要因となる人やメディアなどの媒体への"接 点^{タッチポイント}"が多ければ多いほど、その人が"需要化"する可能性が高くなります。

　これは、ウイルスの感染にとてもよく似ていると言えるでしょう。

　感染者がクラス中で増えれば増えるほど、"接点"が増えて感染するリスクが高まるのと同様のことです。

　この限られた区域で、"流行"が起きる過程をモデル化したものを、「教室理論」と呼んでいます。なにも、昭和のローラースケートだけに起きたことではなく、ほとんどの"流行"は、この「教室理論」を基として発生します。

　日本中の流行となれば、これが別のクラスで同様に起き、学年で起き、学校で起き、街で起き、県で起き、地方で起き、国で起きと、

フラクタル的に広がっただけのことです。フラクタルとは、簡単に言えば、部分と全体が同じかたちをしているという考え方で、日本中どこを切っても同じ現象が起きたという意味です。

「教室理論」で起きることをまとめてみましょう。

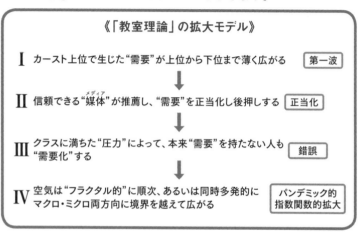

《「教室理論」の拡大モデル》

Ⅰ　カースト上位で生じた"需要"が上位から下位まで薄く広がる　【第一波】

Ⅱ　信頼できる"媒体（メディア）"が推薦し、"需要"を正当化し後押しする　【正当化】

Ⅲ　クラスに満ちた"圧力"によって、本来"需要"を持たない人も"需要化"する　【錯誤】

Ⅳ　空気は"フラクタル的"に順次、あるいは同時多発的にマクロ・ミクロ両方向に境界を越えて広がる　【パンデミック的指数関数的拡大】

　学校、会社、グループを問わず、どこのクラスでも影響力を持った人（カースト上位）がいるものです。多くの場合、そこが起点となって流行が始まり、教室を出たとしても、家に帰ってもテレビや兄弟姉妹が需要を後押し、また翌日教室に行くとさらに"需要化"が進んでいれば、人は「欲しいかもしれない」あるいは「持っていないとまずくないか」と"錯覚"します。そう、基本的には"流行"は多くの人の勘違いなのです。その"空気"がクラスの境界を越えて"フラクタル的"に広がっていけば、ちょうど感染症のパンデミック状態のようになって、同時多発的に自動化して"需要化"の波が広がっていきます。

　これが、"流行"つまりは「アトモスフィア」の正体です。

　それでは、この「教室理論」の原理を応用して、"買いたい空気"を作るにはどうすればいいでしょうか？

1 ストーリー
2 コンテンツ
3 モデル
4 エビデンス
5 スパイラル
6 ブランド
7 アトモスフィア

「教室理論」の原理を応用して"買いたい空気"を作る
～タッチポイントの配置～

たとえば、皆さんが店をやっているとして、顧客を来店させて商品を買ってもらいたい場合、どうアプローチすればいいでしょうか？

「教室理論」の原理を応用すれば、それは可能です。簡単に言ってしまえば、"教室の状態"を作ってしまえばいいのです。つまりは、"需要化"を促す人やメディアの"接点"をターゲットの周りに数多く配置すればいいということになります。

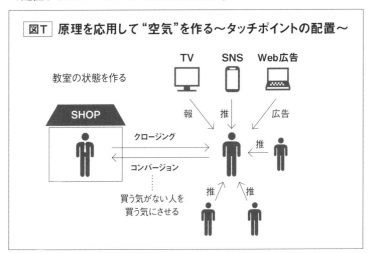

図T 原理を応用して"空気"を作る～タッチポイントの配置～

教室と違うのは、実際は教室という区域を区切ることが難しいことです。それなので、様々な"需要化アプローチ"と競合することになります。同じ業種であれば、その競争は熾烈化します。そして、熾烈になればなるほど、さらに多く、厚く"接点"をちりばめる必要があるので、コストが増大して費用対効果を下げます。

理想は、誰も競合がいないところで"需要化アプローチ"をする

ことです。それだと競合がいないので、効果的に"接点"をちりばめることができ、費用対効果が上がります。

　一般的に、競合が多く、"需要化アプローチ"の競争が熾烈化している市場を"レッドオーシャン"と言い、逆に競合がほとんどいない市場を"ブルーオーシャン"と言います。当然、"ブルーオーシャン"を見つけたほうがマーケティング的に優位に立てますが、競合があまり存在せずに、しかも十分な需要を確保できる市場を見つけるのは難しいものです。

　ただし、原理的には「対象に対してなるべく多くの"接点"を作る」ことを目標にするだけです。

「教室理論」の原理を応用して"買いたい空気"を作り"購入／クロージング"まで至る手順をまとめるとこうなります。

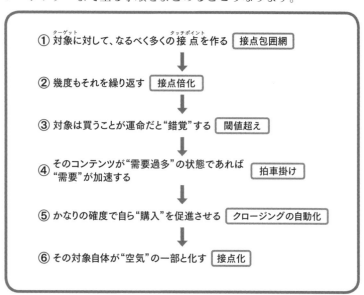

① 対象に対して、なるべく多くの接点（タッチポイント）を作る　［接点包囲網］

② 幾度もそれを繰り返す　［接点倍化］

③ 対象は買うことが運命だと"錯覚"する　［閾値超え］

④ そのコンテンツが"需要過多"の状態であれば"需要"が加速する　［拍車掛け］

⑤ かなりの確度で自ら"購入"を促進させる　［クロージングの自動化］

⑥ その対象自体が"空気"の一部と化す　［接点化］

「アトモスフィア」の大きな利点は、"クロージングの自動化"にあります。これによって、セールスフォースの工数が削減でき、営業

経費を圧縮できます。すでに、買う気満々の人が店に来たのと、冷やかし半分で来店した顧客とでは、「エビデンス」にするのに労力が違うということです。また、買った人自体が"接点"となって他のまだ買っていない人に影響を与えることになるので、これも非常に効率がよくなります。

ただし、「アトモスフィア」は、"錯覚"により購入した人の割合が多ければ多いほど、終息も一気に訪れて、"需要"が一気に減ります。場合によっては、流行しなければ長くあったはずの需要まで食い潰す場合もあります。

ゆえに、非常に扱いが難しいのです。

また、少人数グループなどで「アトモスフィア」を作るのはそう難しくはありませんが、街や県、地方、日本中と、規模を拡大するに従い、「アトモスフィア」を作るのは難しくなります。

なぜなら、規模が大きくなるにつれて、"需要化"に必要な"接点"が大きくなり、それには"接点"を広範囲に広げられる力と費用が必要になるからです。

今なお広告代理店や大資本がマーケティングの王者である理由

たった2館の上映から、日本中を巻き込んだ大ヒット作品となった映画『カメラを止めるな！』は大資本や広告代理店がバックにいてマーケティングを担ったわけではありません。演劇や映画の雑誌『えんぶ』を発行する会社が立ち上げた映画クリエイターや俳優養成のためのENBUゼミナールのプロジェクトとして制作された映画が、SNSなどの口コミで爆発的に広がり、大ヒットを収めました。つまり、需要化を促した"接点"は、その作品を観た人たちでした。

ただし、こういった小さな組織や資本が仕掛けるマーケティングが、これほどの"需要"を獲得するのは非常に稀です。

同じく SNS がヒットの大きな力となった『君の名は。』も『シン・ゴジラ』も『ボヘミアン・ラプソディ』も『劇場版「鬼滅の刃」無限列車編』も、大資本や広告代理店の力なくしてはあそこまでのヒットになっていませんでした。

『劇場版「鬼滅の刃」無限列車編』に関しては、元々ソニー系の子会社だったアニプレックスと、大ヒットゲームなどを手掛けたことのあるユーフォーテーブル、そして、数々の世界的大ヒットコンテンツを世に送り出している集英社のスクラムがなければ、あのような空前のヒットに繋がらなかったはずです。

　コミックのヒットがあり、アニメ版のヒットがあり、そして劇場版のヒットがあり、またコミック、アニメ、グッズの爆発的需要に繋げるという、広範囲かつ複合的であり、幾層にもわたって厚い"接点"の構築に成功した結果でした。

　彼らの成功の要因は、なにも資本力だけではありませんでした。それぞれの企業ごとに、大きな"空気"を扱った経験が幾度となくあったからです。ヒットさせた経験がある種の"型"を形成し、"流行"を再現させるときに大きな要因となります。

　出版でも、同じ編集者が何度もミリオンセラーを出すことができるのは、"コンテンツの質"を担保するスキルがあることは元より、以前のミリオンセラーの"型"を踏襲し、応用して使うことができるからです。

　逆説的に言えば、以下の条件が整わなければ、"流行"を再現性高く作ることは難しいという結論になります。

1 ストーリー

2 コンテンツ

3 モデル

4 エビデンス

5 スパイラル

6 ブランド

7 アトモスフィア

《“流行”を再現性高く作る条件》
・“流行”に値する「コンテンツ」を作ることができること
・広範囲に厚く需要化の“接点”をちりばめる能力と
　資本力を保有していること
・以前に“流行”させたことがあり、その“型”を
　保有していること

たしかに、「教室理論」の原理の応用で、“流行”を作ることができます。しかし、この条件を保有している企業や組織、人は限られています。それゆえに、再現性高く“流行”を作ることが非常に難しいということになります。

ただし、小さな範囲でなら、この「アトモスフィア」のメリットをマーケティングに応用して使うことが可能です。

コントロール可能な“小さな空気”は
マーケティングに非常に役立つ

未知なるウイルスは人間が扱うときに大きなリスクを伴います。下手をすれば、パンデミックが起き、人類全体に大きなダメージを引き起こす場合があります。ほとんど、大地震や巨大台風などの自然災害レベルで、制御が不能になります。

ところが、凶悪なウイルスも、ワクチンなどを使用すれば人類が制御できるものとなります。

それと同様に、「アトモスフィア」は多くの面で制御不能で、作るのも難しいですが、閉じられた「場・時・量」でのみ使う場合は、ワクチンが有益性を発揮します。そして、制御可能となります。

```
┌─────────────────────────────────┐
│        《小さな空気を使う》        │
│                                 │
│   場  …ファンクラブ限定          │
│                                 │
│   時  …タイムセール             │
│                                 │
│   量  …数量限定                 │
└─────────────────────────────────┘
```

「場・時・量」に制限をかけて閉じることによって、そこに概念として の「教室」が生じます。そして、そこで“需要化”を促進させれ ば、“需要”圧力を比較的容易に上昇させることができます。

初売りやブラックフライデーのセールや、クリアランス・セール、 閉店セールなども、時を制限することによって、「教室」を生じさせ、 そこに「アトモスフィア」を生じさせて“需要”を爆発化させる手 法です。

ただし、「場・時・量」を閉じることは、他の顧客に対して排他的 になってしまうということでもあるので、その点の留意は必要とな るでしょう。

狙うは「ブランド」以上、「流行」未満

「アトモスフィア」は、たしかに実現できれば、一時的にも“需要” は爆発し、想定していない規模の「エビデンス」を上げることでしょ う。けれども、流行やブームを仕掛けるのは、かなりの条件が必 要となり、小さな事業規模の場合は不可能です。また、もし爆発的 な需要が突如として生じたとしても、供給が追いつかなくなる場合 もあります。

実現可能性と持続可能性を考慮すると、条件を保有していない限 りは、やはり「アトモスフィア」は戦略に組み入れがたいという結 論に至ります。

　だとすれば、我々はどこを目指してマーケティング戦略を展開すればいいのでしょうか?

　おそらく、最も利益が高く、リスクが少なくなるのが、「ブランド」以上、「流行」未満の状態なのではないでしょうか。

　つまり、「ブランド」として認識されるようになったら、「アトモスフィア」にならないように、コントロールすること、つまりは"寸止め"にすることがビジネスとして一番メリットが大きいと言えます。つまり、十分に利益を上げながらもリスクが少ない。

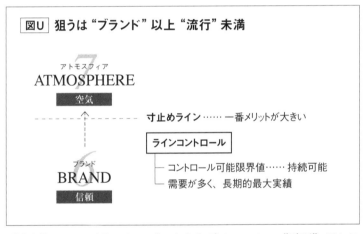

図U　狙うは"ブランド"以上"流行"未満

アトモスフィア
ATMOSPHERE
空気

‐‐‐‐‐‐‐‐‐‐‐‐‐↑‐‐‐‐‐‐　**寸止めライン**…… 一番メリットが大きい

ラインコントロール

└─ コントロール可能限界値…… 持続可能
└─ 需要が多く、長期的最大実績

ブランド
BRAND
信頼

　"流行"になる手前であれば、十分なボリュームの"需要"がありつつも、コントロール不能には陥りません。たとえば、毎日限定販売などをしても、"需要"が続くことでしょう。

　まさに、吉祥寺小ざさの「幻の羊羹」がそれです。50年間行列が途絶えないということは、50年間"需要過多"の状態が続いているということで、マーケティングとして見ると、理想の状態と言えるでしょう。

　それでは、もし吉祥寺小ざさが拡大戦略を採ったならどうなっていたでしょうか?　たとえば、誘致されるままに全国の百貨店の地

下に出店していたとしたら、京都の老舗「とらや」などとの競合になります。また、家賃や人件費を維持するために、売上を増大させなければならず、セールスフォースも拡充して、営業経費も増大したことでしょう。もしかして、売上規模が拡大したかもしれません。ただし、50年間行列が途絶えない業態であり続けたかと問われれば疑問です。もし、それを見越した上で「アトモスフィア」になる前に"ラインコントロール"したとすれば、吉祥寺小ざさは恐るべきマーケティングの天才ということになるでしょう。なぜなら、十分な利益と持続可能性をしっかりと担保し続けていると見えるからです。

　ただし、こうも言えます。

　事業の規模も、持続可能性を目指すかどうかも、結局は事業展開する皆さん次第だと。

　なぜなら、原点に戻って言うと、マーケティングの目的は、

その集団、あるいは個人の"理想の状態"を維持すること

であり、"理想の状態"はそれぞれの人によって大きく異なるからです。その目的次第で、採るべき戦略が大きく変わるからです。

　1シート・マーケティングの「7つのマーケティング・クリエーション」は、Appleやトヨタなどの世界企業レベルから、僕の祖母のリアカーでの野菜売りや高校の文化祭の模擬店まで、フラクタル的に対応可能です。

　そして、どう使うかは、皆さん次第ということになります。

　結局は、1シート・マーケティングも、皆さんの"理想の状態"を維持するという究極的な目的を達成するための、手段に過ぎません。ただし、目的を達成するための大きな武器になることは間違いないでしょう。

使い続ける中で、自由に、そして、ダイナミックに皆さん自身の使い方を編み出してもらえればと思います。

1 ストーリー

2 コンテンツ

3 モデル

4 エビデンス

5 スパイラル

6 ブランド

7 アトモスフィア

月20万円新しく稼ぐための「56の質問」　⑦アトモスフィア

　今回も月20万円新しく稼ぐための「56の質問」のうち、7つを皆さんに問いたいと思います。今回がいよいよ、最後の7問になります。

FUNCTION ファンクション7
流行を科学する

7-1 そのビジネスを「流行」させる必要はありますか？《必要性》

7-2 どれだけ多くの「接点（タッチポイント）」を保有していますか？《接点の数》

7-3 「接点」の質は高いでしょうか？《接点の質》

7-4 「教室理論」を実践できる「教室」を想定できますか？《教室理論の実践》

7-5 これまで「流行」させたことはありますか？《型の保有》

7-6 「流行」をコントロールできる組織力はありますか？《組織力の強固さ》

7-7 「小さな空気」を想定できますか？《小さな空気の実践》

　7-1の《必要性》は、「流行」の必要性で、大企業以外はほとんどの場合は必要ないのではないかと思います。

　7-2の《接点の数》は、顧客の周囲に配置する「タッチポイント」の数のことで、どれくらいの資金や企業の力、個人的影響力（インフルエンサーなら大きい）があるかによって大きく左右されます。

　7-3の《接点の質》は、文字通り「タッチポイント」の質についてで質が高いほうが効果が高まります。

1 ストーリー

2 コンテンツ

3 モデル

4 エビデンス

5 スパイラル

6 ブランド

7–4 の《教室理論の実践》では、実際に「教室理論」を実現できるかを考えてみましょう。フラクタル的拡大ができるかも考えましょう。

7–5 の《型の保有》は、これまで流行させた経験があるかどうかの問いで、多くの人はないのではないでしょうか。

7–6 の《組織力の強固さ》は、ディフェンス力についての質問で、万が一コントロール不能になった場合、防衛できるかを思考実験します。

7–7 の《小さな空気の実践》は限られた「場・時・量」で空気を操る戦略が機能するかを考えてください。

以上、今回の質問を含めて 56 問が明確に答えられるようになれば、新しく月 20 万円を稼ぐのは難しくなくなると思います。また、銀行からの融資や、そのほか資金調達する際にも、かなり優位に話し合いを進められることでしょう。

答えられない部分がある場合は、ぜひ、講義の部分に戻って復習してみてください。答えが見つかるはずです。

次のページから 56 問の質問をまとめましたので、参考にしてください。

FUNCTION 0
ファンクション

インセンティブ

0-1 そのビジネスは「世の中」に何をもたらしますか？《**ビジョン**》

0-2 そのビジネスは「あなた」に何をもたらしますか？《**インセンティブ**》

0-3 そのビジネスに対して強い動機（欲望）はありますか？《**欲望の強度**》

0-4 その「インセンティブ」は誰のためですか？《**インセンティブの主性**》

0-5 そのビジネスを起こすことに対して使命感はありますか？《**使命感**》

0-6 その「ビジョン」は「インセンティブ」を満たしますか？《**包含性**》

0-7 継続に対して支障はありますか？《**障壁**》

FUNCTION 1
ファンクション

ストーリーの創造

1-1 なぜ創業したのですか？《**創業の理由**》

1-2 創業者はどういう人ですか？《**創業者のプロフィール**》

1-3 そのビジネスに独自性はありますか？《**独自性**》

1-4 どんな企業文化がありますか？《**企業文化**》

1-5 利害関係者はどういう人や組織ですか？《**ステークホルダー**》

1-6 必然的需要がある市場ですか？《**市場の拡張性**》

1-7 再定義の必要性はありますか？《**再定義**》

FUNCTION 2
ファンクション

商品開発と調達

2-1 その商品が存在しなければならない理由は何ですか？《**商品の目的**》

2-2 その商品はどんな構想で開発しましたか？《**商品のデザイン**》

2-3 開発者のスキルはどれくらいのレベルですか？《**技能レベル**》

2-4 その商品に独自性はありますか？《**オリジナリティ**》

2-5 ビジネスを遂行する上での調達力はありますか？
《**調達力／素材・人材・取引先**》

2-6 調達したものを編集する力はありますか？《**編集力**》

2-7 商品の完成形にこだわっていますか？《**パッケージ化**》

FUNCTION 3
ファンクション

モデルの最適化

3-1 収益を生む仕組みはどういう型をしていますか？《**レベニューモデル**》

3-2 空間・時間・対象・種類の派生の可能性はありますか？《**派生**》

3-3 事業目的の応用的拡大の可能性はありますか？《**事業の拡張**》

3-4 価格の設定はいくらが適当だと思いますか？《**プライシング**》

3-5 どんな「ビジネスモデル」をしていますか？
《**ビジネスモデル（提供の方法）**》

3-6 どういった課金モデルが最も適切だと思いますか？
《**課金モデル（受領の方法）**》

3-7 関連で追加できる商品は作れませんか？《**オプション**》

ファンクション
FUNCTION 4
営業アプローチ

4-1 総合的な営業力はどれくらいありますか？《セールスフォース》

4-2 どれくらいのレベルの販売拠点がありますか？《ショップ》

4-3 広告・広報戦略はどれくらい機能していますか？《広告・PR 戦略》

4-4 ビジネスに対してどれくらい悲観的になれますか？
《ネガティブ・アプローチ》

4-5 「売上」を"因数分解"できますか？《因数分解》

4-6 そのビジネスの「キー数値」を読み解けますか？《キー数値》

4-7 正確にフィードバックをする仕組みはありますか？《レコーディング》

ファンクション
FUNCTION 5
スパイラルの維持

5-1 必要な"工数"は正確に把握できていますか？《工数の因数分解》

5-2 必要な"工数"は確保できていますか？《必要工数の確保》

5-3 必要な"経費"は正確に把握できていますか？《維持費》

5-4 必要な"利益"は正確に把握できていますか？《必要利益》

5-5 保有する資金は十分と言えますか？《キャッシュフロー》

5-6 理想の働き方はどういうものですか？《マーケティングの方程式》

5-7 旋回力の維持は恒久的に可能ですか？《持続可能性》

FUNCTION 6
ファンクション

結晶化

6-1 その「商品／サービス」はどれくらい利用されていますか？
《実績：量と期間》

6-2 顧客を待たせる可能性はありますか？《行列の可能性》

6-3 マスメディア等に取り上げられた実績はありますか？《外観的エビデンス》

6-4 顧客を「思考停止」させられますか？《ブランド認識》

6-5 そのビジネスにストーリー性やデザイン性が浸透していますか？
《デザイン性》

6-6 ステークホルダー全体からの忠誠心を確保できていますか？
《ロイヤルティ》

6-7 その業界における影響力はどれほどですか？《プレゼンス》

FUNCTION 7
ファンクション

流行を科学する

7-1 そのビジネスを「流行」させる必要はありますか？《必要性》

7-2 どれだけ多くの「接点（タッチポイント）」を保有していますか？
《接点の数》

7-3 「接点」の質は高いでしょうか？《接点の質》

7-4 「教室理論」を実践できる「教室」を想定できますか？《教室理論の実践》

7-5 これまで「流行」させたことはありますか？《型の保有》

7-6 「流行」をコントロールできる組織力はありますか？《組織力の強固さ》

7-7 「小さな空気」を想定できますか？《小さな空気の実践》

さて、第1編は今回の講義で終了です。

これまで1シート・マーケティングの根幹理論である「7つのマーケティング・クリエーション」を詳しく見てきました。

実は、1シート・マーケティングで現れる部分が氷山の一角であり、その水面下には様々な理論やシステムが眠っていることをわかっていただけたのではないでしょうか。

そして、マーケティングとは、思ったより、難しくない。自分にもできると思っていただけたのなら嬉しいです。

次の第2編からは応用編です。

テーマは「マーケティング・システム」を読み解く、です。

様々なトピックごとに、楽しみながら「マーケティング・システム」を読み解いていきましょう。

第2編に入る前に、テーマ課題の回答例も用意しましたので、そちらも、お読みいただければと思います。

この第1編を習得すれば、皆さんの考えたプランのほうが、回答例を遥かに凌駕するだろうと期待しています。

では、第1編、基礎編の講義、改めまして、お疲れ様でした。

1 ストーリー

2 コンテンツ

3 モデル

4 エビデンス

5 スパイラル

6 ブランド

7 アトモスフィア

テーマ課題 回答例 1 荒廃した農園
アンサープラン／思考実験

10年間売上 "0" の梨園～100年行列プロジェクト～

ポイント

① あえて10年間、本格的な売上を立てない

② "旬" 付近に工数を集約させる

③ サブスクリプション化

後継者のいない梨園を継承したと仮定します。荒廃した農園は全国に広がっていて、実現性がないプランではないと思います。しかも、「コンテンツの質」が高いにも関わらず、後継者がいないだけで年齢が問題で離農する方も多いでしょう。

梨園にしたのは、参入障壁が高いことと、旬が明確な「コンテンツ」であることが大きな理由です。新規参入が少なければ、レベニューモデルが確立したあとも運営がやりやすくなります。

また、今回、あえて10年間、本格的な売上を立てない戦略にしました。一つは、圧倒的な「コンテンツ」を作り上げるために、かなりの研究・研修期間が必要であり、だとすれば、それを逆にメリットに転化できないかと考えた結果でした。10年売上 "0" で開発した「プレミアム・フルーツ」はマスメディアも食らいつくでしょう。

ただし、10年間、売上を立てないということは、「スパイラル」の視点からみればかなりのリスクです。徹底して固定費を下げ、人件費を下げ、持続可能性を担保します。また、今回のプランは、クラウドファンディングも株式会社にして株主を募る手段も取りません。なぜなら、100年続くことを前提としているからです。

一度作った強固なレベニューモデルを世代を経て受け継いで行く

1 ストーリー
2 コンテンツ
3 モデル
4 エビデンス
5 スパイラル
6 ブランド
7 アトモスフィア

戦略です。

そのために、採用する「課金モデル」が以下になります。

> **時期** 前払い **手段** 電子決済等 **継続性** 極めて高い

すなわち、「サブスクリプション」です。

梨が旬の時期になると、"枠"を契約している顧客の元に梨園から送られることになります。"枠"に関しては、1万円が1枠として、農園の規模に応じて上限を設定します。上限の設定は、たとえば、1,000枠用意できる規模であれば、"枠"は500枠までとして、不作のリスクに備えます。また、それ以上に取れた分のみ、一般客にも販売します。10年間で、この"枠"を一杯にして、そして、"枠"で確実に買いたい層を増やすために、一般客販売で母数を増やしておき、"枠"が空いたら契約できる行列を形成しておきます。たとえば、年に1万円の契約ならば、無理がなく、毎年梨園から「プレミアム・フルーツ」が送られてくるのを楽しみにするはずです。

価格の設定は、「需要の持続性」と「供給の持続性」のバランスで考えますが、「プレミアム・フルーツ」なのに"枠"契約ならば割安の設定でいいと思います。その方が"枠"契約に流れやすく、またすでに契約している人たちは、解約することをためらうはずだからです。つまり、キー数値の"解約率（チャーン率）"を極限まで落とす戦略です。

また、梨が不作だったときのために、更にリスクヘッジして、違う果物の「プレミアム・フルーツ」を派生展開しておきます。そうです、「4次元アプローチ」の"種類"のズラしによって、さらに新しいレベニューモデルを構築するとともに、それぞれのリスクヘッジにも利用します。梨が駄目な際には桃を送ります、などの契約をしておけばよいでしょう。

毎年、旬の時期に「プレミアム・フルーツ」が届く。これは需要が習慣化され、たとえば契約者が高齢化した場合も、その家族が継承する可能性が高くなります。そうすると、なかなか"枠"は空かなくなり、"枠"が空かないと、一般客販売も瞬く間に売れきれてしまうでしょう。そうすると、最終的には「死ぬまでに一度は食べたいプレミアム・フルーツ」としてブランド認識される可能性が出てきます。

　こうなると、テレビなどのマスメディアの取材は頻繁に来るでしょう。ブームになる可能性もあります。けれども、ここは持続可能性を重視して、増産は決してしない戦略を採ります。

　そうなると、さらにセールスフォースの構築や維持にかかるマーケティング・コストを削減できるようになり、行列が恒常化するので、100年間マーケティング・コストほとんど"0"で運用できるようになります。

　つまり、最初の10年間の売上"0"期間が、将来に対する投資的な役割を果たすことになります。

　また、このプランは、農園の働き手にもメリットを与えます。

　「マネジメントの方程式」の部分の1年間を通した"工数"を大幅に削減できるからです。なぜなら、農繁期は限られているからです。農繁期以外の期間を比較的自由に使うことができます。そして、"旬"の季節になれば、まだかまだかと待っている需要、つまりは"枠"契約のお客様に対して供給すればいいのです。ただし、他品種との混植が必要など、梨の栽培は非常に難易度が高いことがリスクとして考えられますが、それを成功させると逆に"参入障壁"となり、マーケティング的に優位になります。

　最初の10年は特に苦労すると思いますが、長期的に見るとこの生活、なかなかいいと思いませんか？

　「1万年のユートピア」に近い生活かもしれません。

皆さんも、100年間行列が途絶えない梨園、やってみたくなったのではないでしょうか？　少なくとも、僕はいつかやるつもりです。思考実験で作ったプランですが、悪くないと思います。

1 ストーリー

2 コンテンツ

3 モデル

4 エビデンス

5 スパイラル

6 ブランド

7 アトモスフィア

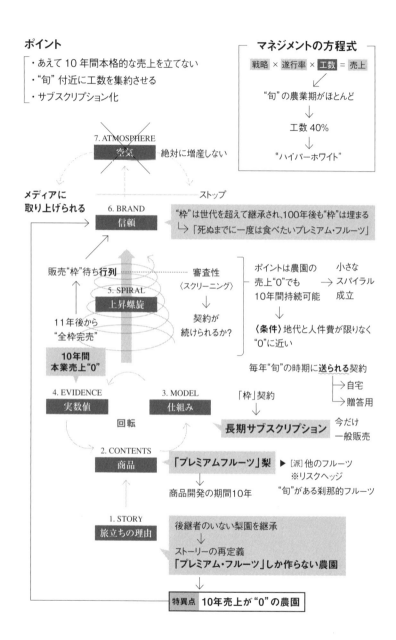

ポイント
- ・あえて 10 年間本格的な売上を立てない
- ・"旬" 付近に工数を集約させる
- ・サブスクリプション化

7. ATMOSPHERE
空気　　　絶対に増産しない

メディアに
取り上げられる　　　　　　　　ストップ

6. BRAND
信頼　　　"枠" は世代を超えて継承され、100年後も "枠" は埋まる
　　　　　↳ 「死ぬまでに一度は食べたいプレミアム・フルーツ」

販売 "枠" 待ち**行列**　……………　審査性　　ポイントは農園の　　小さな
　　　　　　　　　　　　〈スクリーニング〉　売上 "0" でも　　→ スパイラル
5. SPIRAL　　　　　　　　　　　↓　　　10年間持続可能　　成立
上昇螺旋　　　　　　　　　契約が　　　　　　　↓
　　　　　　　　　　　　続けられるか？　〈条件〉地代と人件費が限りなく
11年後から　　　　　　　　　　　　　　　　"0" に近い
"全枠完売"

10年間　　　　　　　　　　　毎年 "旬" の時期に**送られる**契約
本業売上 "0"
　　　　　　　　　　　　　　　　　　　　　→自宅
4. EVIDENCE　　3. MODEL　　「枠」契約　　　→贈答用
実数値　　　　仕組み　　　　　　↓　　　　　今だけ
　　　　　回転　　　　　**長期サブスクリプション**　一般販売

2. CONTENTS
商品　　　「プレミアムフルーツ」梨　▶ [派] 他のフルーツ
　　　　　　　　　　　　　　　　　　　　　　※リスクヘッジ
　　　　　商品開発の期間10年　　　　　　"旬" がある刹那的フルーツ

1. STORY
旅立ちの理由　後継者のいない梨園を継承
　　　　　　　↓
　　　　　　ストーリーの再定義
　　　　　　「プレミアム・フルーツ」しか作らない農園
　　　　　　　↓

特異点 10年売上が "0" の農園

売れないアイドルグループ

アンサープラン／思考実験

売れないからこそ継承アイドル「プロトコル・アイドル」

ポイント

① 武道館ライブの目標達成のためにプロトコルの設定

② アイドルとプロトコルの両方が「コンテンツ」を生む

③ ドキュメンタリー形式と選挙人投票参加型

　売れないアイドルが武道館ライブまで到達するにはどうすればいいのか、真剣に思考実験してみました。

　売れないアイドル、と言ってもチケットを買ってくれるファンは100人ほどいると仮定します。もし、そのアイドルがそのファンを誰かに継承することができれば、ファンは増えていくのではないかと考えました。そのためには、プロトコル、つまりはルールを設定する必要があります。

目標

　武道館ライブ（観客数12,000〜14,000）

プロトコル

　1．12ヶ月で必ず脱退する。

　2．脱退するときは必ず自分よりも"できる"アイドルを入れ、ファンを新アイドルに継承する。

　3．継承後、自分はプロデューサーの1人となる。

アイドルグループの人数は、12人としました。なぜなら、最初の

1 ストーリー

2 コンテンツ

3 モデル

4 エビデンス

5 スパイラル

6 ブランド

7 アトモスフィア

12人は、1人から始まって1ヶ月毎に1人ずつ増やして行けば、入れ替えの"ドラマ"が毎月「コンテンツ」となりえるからです。毎月、クライマックスが来ます。

第1世代の12人は、ファンがそれぞれ100人いますので、観客1,200人のポテンシャルがあります。それを次の自分より"できる"アイドルに継承するので、第2世代では少なくとも観客は2,400人になります。

そのまま100%継承できるわけがないだろうという問題は、ファンの選挙人投票参加型の制度によって継続率を高めます。つまり、自分が納得しなければ、ファンは次のアイドルに投票せず、移行しなくてもいいというプロトコルを設定します。また、アイドルは継承に失敗すると、自分の系統が途絶えることになるので、必死で自分より"できる"アイドルであり、自分のファンが認めるアイドルを探すようになります。そこにドラマが生じます。

こうして、ドラマを重ねながら世代を重ねると、少なくとも10世代目に武道館ライブに相応しい観客数に到達します。実際には、自分以上のアイドルが加入して行く仕組みなので、上手くいけば加速度的にファンの数は上昇するでしょう。

継承失敗のときのことも考え、セカンドグループを形成し、いつでも入れ替えられるようにするのもいいでしょう。

最低でも10年、早ければ5年ほどで武道館ライブが実現できるのではないでしょうか。

あくまでマーケティングの側面からドライに数値を追っていくと、「売れないアイドルグループ」を「売れるアイドルグループ」にするのは難しくないように思えますが、実際にはまず、100人のファンを呼べるアイドル12人を探すのが困難でしょうし、自分よりも"できる"アイドルが入ってもらうのも難しいでしょう。また、ファンを引き抜いて、別グループでアイドルとしてデビューする可能性が

ありますが、それも含めて「ドラマ」としてコンテンツになる可能
性もあります。

　ただし、こういう思考実験を楽しみながら繰り返していくうちに、
実際のビジネスでも活かせる要素を見出だせるようになります。失
敗の積み重ねの上にしか、エビデンスは成り立ちませんので。

　ちなみに、このアイデアは漫画の『進撃の巨人』と『鬼滅の刃』
の仕組みを応用して考えました。

　ネタバレになるので、どこをどう応用したのか、詳しくは言えま
せんが。

1 ストーリー
2 コンテンツ
3 モデル
4 エビデンス
5 スパイラル
6 ブランド
7 アトモスフィア

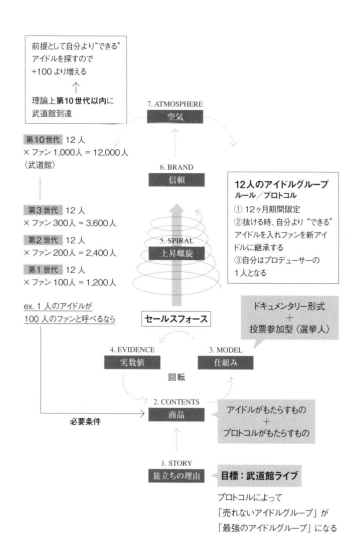

前提として自分より"できる"
アイドルを探すので
+100 より増える

↑

理論上第10世代以内に
武道館到達

第10世代 12 人
× ファン 1,000 人 = 12,000 人
〈武道館〉

第3世代 12 人
× ファン 300 人 = 3,600 人

第2世代 12 人
× ファン 200 人 = 2,400 人

第1世代 12 人
× ファン 100 人 = 1,200 人

ex. 1 人のアイドルが
100 人のファンと呼べるなら

7. ATMOSPHERE
空気

6. BRAND
信頼

12人のアイドルグループ
ルール／プロトコル
① 12ヶ月期間限定
②抜ける時、自分より "できる"
アイドルを入れファンを新アイ
ドルに継承する
③自分はプロデューサーの
1人となる

5. SPIRAL
上昇螺旋

ドキュメンタリー形式
＋
投票参加型〈選挙人〉

セールスフォース

4. EVIDENCE
実数値

3. MODEL
仕組み

回転

2. CONTENTS
商品

アイドルがもたらすもの
＋
プロトコルがもたらすもの

必要条件

1. STORY
旅立ちの理由

目標：武道館ライブ

プロトコルによって
「売れないアイドルグループ」が
「最強のアイドルグループ」になる

1 ストーリー

2 コンテンツ

3 モデル

4 エビデンス

5 スパイラル

6 ブランド

7 アトモスフィア

テーマ課題
回答例
3

田舎の映画館
アンサープラン／思考実験

全国ネットの映画館「スクリーンはどこでもドア」

ポイント

① 映画館の「ストーリーの再定義」〜全国と繋がれる場所〜

② 全国ネットの映画館がそれぞれ番組を制作

③ リアルな交流を生む〜それぞれ特産物を売り、旅行をする〜

もし、田舎の映画館を運営するとしたら。

問題になるのは、メジャー映画を配給してもらえないだろうということです。つまり、肝心要の「コンテンツ」が確保できない可能性が高い。

そうだとすれば、開き直って、映画を流さなければいい。

田舎と言えば、NHKの「NHKのど自慢」やテレビ東京の「開運！なんでも鑑定団」など、他の田舎を舞台にした「コンテンツ」が人気です。

そういう番組を、それぞれの映画館が町の人と作り、それぞれ鑑賞すればいいのではないでしょうか。自分たちが番組を作り、他の映画館で観てもらい、逆に他の映画館で作られた番組を観る。映画館同士が繋がり、それぞれの町の住民同士が繋がる空間の完成です。

軌道に乗れば、ショッピングチャンネルのような番組を作り、それぞれの特産物を売ることもできるでしょう。また、もしかして、番組が面白ければ、スクリーンの向こうの町へ旅行したくなり、スクリーンの向こうの人たちに会いに行きたくなるのではないでしょうか。

そうです、最終的には「スクリーンがどこでもドア」になるのが

理想だと思うのです。

　エビデンスとしてはチケット代、物販代などが考えられるでしょう。

　だいぶ手間がかかるプランではありますが、実現すると面白いことになるのではないでしょうか。

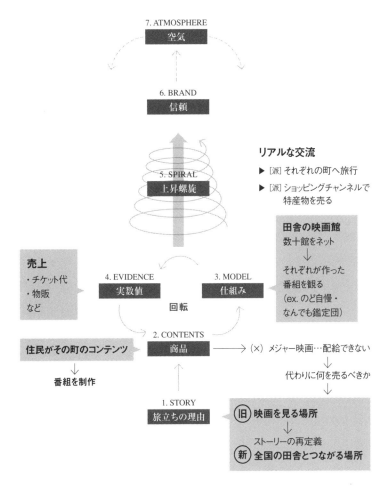

1 ストーリー

2 コンテンツ

3 モデル

4 エビデンス

5 スパイラル

6 ブランド

7 アトモスフィア

7. ATMOSPHERE
空気

6. BRAND
信頼

5. SPIRAL
上昇螺旋

リアルな交流

▶ [派] それぞれの町へ旅行

▶ [派] ショッピングチャンネルで
　特産物を売る

田舎の映画館
数十館をネット
↓
それぞれが作った
番組を観る
(ex. のど自慢・
なんでも鑑定団)

売上
・チケット代
・物販
など

4. EVIDENCE
実数値

3. MODEL
仕組み

回転

2. CONTENTS
商品　　　　　→ (×) メジャー映画…配給できない
　　　　　　　　　　　　　↓
住民がその町のコンテンツ　　　代わりに何を売るべきか
　　　↓　　　　　　　　　　　　　　↓
番組を制作

1. STORY
旅立ちの理由　　← (旧) 映画を見る場所
　　　　　　　　　　　　↓
　　　　　　　　ストーリーの再定義
　　　　　　　(新) **全国の田舎とつながる場所**

マーケティング・システムを読み解く

〔応用編／TOPICS〕

TOPICS

革命のマーケティング
ストーリーの再定義

　それまで長らく完璧だったストーリーも、時を経ると時代に合わなくなってきます。

　たとえば、徳川家支配による江戸幕府は、1600年代初頭はシステムとして完璧でした。織田信長、豊臣秀吉支配の時代を経て、それを傍らで見ていた徳川家康は、彼らの成功も失敗も糧にして、新しいシステムを確立させました。江戸幕府の樹立です。

　有力外様大名の周辺に、防衛の要として親藩・譜代藩を配置し、しかも江戸周辺の川越や岩槻などには、幕府の要職に就く老中を輩出する側近の家を配置し、たとえば、東北の雄伊達政宗が江戸を攻略しようとしても、まずは徳川親藩の会津藩を突破せねばならず、突破できたとしても、岩槻などの攻めにくい城を攻略しなければならず、ようやく、江戸に到達しても最強の江戸城を攻略しなければなりませんでした。

　軍事的なシステムが最強な上に、外国からもたらされるリスクを避けるために鎖国し、経済的には停滞しながらも、長らく、江戸時代という「ストーリー」を持続させることができました。つまり、マーケティング的に見て、江戸時代はとんでもなく優れた「ストーリー」を有していたことになります。

　ところが、産業革命が起きてしまうと、日本は鎖国したままに放っておかれるはずがありません。世界経済に必然的に巻き込まれた、と言えるかもしれません。ペリー来航はその一つの顕れに過ぎないのです。

　当然、今までの成功体験を維持したい側、つまりは徳川幕府側とシステムを根底から変えてしまいたい薩長土肥の外様大名の連合体との間に、争いが生じます。

皆さんご存じの、明治維新と呼ばれる"革命"です。

マーケティング的に見ると、この"革命"がなぜ起きるのか、という問題は非常に簡単に答えることができます。

つまり、革命は時代に合わず古くなってしまった「ストーリー」が、新しく生まれた「ストーリー」に書き換えられる際に起きる、それぞれの「ストーリー」を保持する者同士の、必然的な闘争なのです。

振り返ってみましょう。

「ストーリー」とは、そのビジネス（システム）が世の中になければならない理由のことです。

それぞれが、それぞれ有する「ストーリー」を今の世の中に必要だと唱え、折り合いがつかない場合に闘争により、革命が起きます。これは、なにも政治や歴史といった大きな舞台だけの話ではありません。

通常の企業においても、同族企業においても頻繁に起きていることです。

たとえば、大企業にいて、それまでの方法論、すなわち「ストーリー」では先行きが見えないのは明確であるのに、引退間近の重役たちは、大手術をすることによって、自分たちの"理想の状態"、つまりは老後の安定などを担保する年金や退職金などの取り分が減ってしまうことを、本能的に避けたいがために変革をせずに退職まで逃げ切ろうとします。これは、マーケティングの基本原理からすれば、当然といえば当然です。なぜなら、マーケティングの目的が、**その集団、あるいは個々人の"理想の状態"を維持すること**だからです。会社よりも自分の家族の幸福を考えるのは、決して不自然なことではありません。

一方で、たとえば20代、30代の社員は、この企業でこれから長い年月働きたいと思っていれば、直ちに「ストーリー」を書き換えようとするでしょう。そうでなければ、その企業は沈むからです。自分たちは逃げ切れないからです。ここで、旧世代と新世代の間で闘争が起きます。血で血を洗うような激しい闘争に発展する場合もあります。そこで「新しいストーリー」を掲げる側が勝利すれば、"革命"と称されることになります。

つまり、革命とは必然的に起きるものなのです。または、起きなければ
ならないもの、と言ってもいいかもしれません。

　もっとも、企業のトップ自身が先頭に立ち、「ストーリーの更新」をする
場合は革命ではなく、改革となります。

図1 明治維新が起こった仕組み

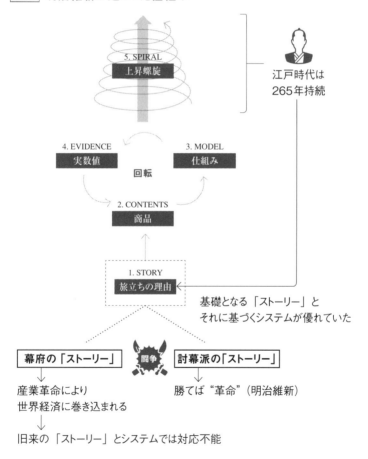

錬金のマーケティング
マネタイズ論

　僕が経営する天狼院書店は、本だけでなくその先の体験までも提供する書店です。開業当初から、カメラと写真について学び、共有する"天狼院フォト部"というコミュニティがあり、全国で 1,000 名以上の方に加入していただいています。

　その中には、プロカメラマンである僕よりも写真を撮るスキルが高い方が数多くいます。もちろん、プロもいますが、プロの技量を持ちながらもプロ化していない人が結構いるのです。そういうカメラマンのことを、"ハイアマチュア"と言います。

　では、プロカメラマンとして着実に稼いでいる僕と、ハイアマチュアのカメラマンでは何が違うのでしょうか?

　実は、プロになるには「コンテンツの質」は元より必要なのですが、それよりもはるかに重要なことがあるのです。

　いかにして自分が有するスキルやコンテンツをお金に換えるか。

　つまりは、"マネタイズ"ができるかどうかが重要なポイントとなります。

　それでは、"マネタイズ"とは、どういう仕組みで実現されるものなのでしょうか?

　こんな必要条件があります。

マネタイズの必要条件
❶必要な「コンテンツの質」を有していること
❷その対価が第三者にとって妥当であること
❸金銭等の受領を実現するセールスフォースを有していること

こう言ってしまうと、大仰に聞こえるかもしれませんが、そんなに難しい話ではありません。

たとえば、親が家事で疲れているときに、子どもに100円あげるから肩揉んでと言い、肩を揉んでもらって、気持ちよかった、ありがとう、と100円をあげるという構造とほとんど一緒です。

"ほとんど"と言ったのは、一つだけ必要条件を満たしていなかったからです。気持ちよかった、と言っているので、1の必要な「コンテンツの質」は、有していたと見ていいでしょう。また、実際に100円を現金でその場で支払っているので、3の金銭等の受領を実現するセールスフォースを有していることもクリアできていそうです。残りが問題です。そうです、子どもにとって親は第三者ではありません。もしかして、支払う側の親には子どもへのお小遣いという意味合いが含まれていたのかもしれません。

これが、2の条件まで満たし、完全に顧客が第三者になったものが、「てもみん」や「ラフィネ」などの揉みほぐしのサービスを提供する業態です。

これを1シート・マーケティングで考えていくとこうなります。

なにも、マネタイズを考えるときに「コンテンツの質」が、たとえばミシュラン3つ星レベルに高い必要はありません。なぜなら、対価を支払う第三者がそれでいいと認めればいいからです。七五三や成人式の写真を頼む際に、木村伊兵衛写真賞受賞のカメラマンでなければならないと思う人は少ないはずです。また、「コンテンツの質」や「商品パッケージ化」をどこまで高めて、セールスフォースをどこまで整えなければお金が支払われないかのライン、すなわち"マネタイズの閾値"は"対価"の額によって、異なります。子どもの肩揉みでは、10分1,000円は支払えないでしょうが、駅近くに店を構え、プロのスタッフが常駐する「てもみん」でその金額を支払うのは妥当だと思う人が多いはずです。その際には、クレジット払いや交通系ICカードの課金モデルがあると支払う人も便利でしょう。

マネタイズは、取引として、提供側と享受する側がいて、お互いが納得すれば成立するので、実はそんなに難しい仕組みではないのです。

また、なにも一直線にマネタイズを目指すことがだけがいいとも言えません。なぜなら、たとえば"ハイアマチュア"のカメラマンなら、自分の好きな対象だけを撮ることができるからです。

自由を取るか、お金を取るか。

マネタイズを考えるときには、実はこのことを考慮しなければならないのです。

図2 マネタイズ（収益化）の仕組み

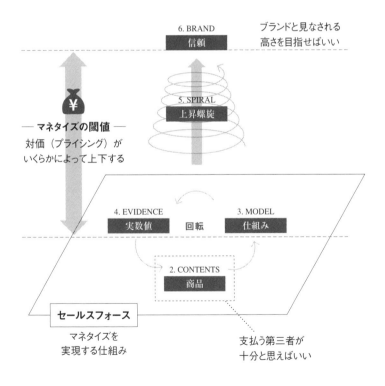

6. BRAND
信頼

ブランドと見なされる
高さを目指せばいい

5. SPIRAL
上昇螺旋

── マネタイズの閾値 ──
対価（プライシング）が
いくらかによって上下する

4. EVIDENCE
実数値

回転

3. MODEL
仕組み

2. CONTENTS
商品

セールスフォース

マネタイズを
実現する仕組み

支払う第三者が
十分と思えばいい

持続のマーケティング
持続可能性の構築

　繰り返し確認してきましたが、マーケティングの目的は、その集団、あるいは個々人の"理想の状態"を維持すること、でした。

　この目的の中でも、非常に難しいのが、"維持すること"です。一度、何かで当たって瞬間風速的に稼ぐよりも、連綿と稼ぎ続けることのほうがはるかに難しい。

　では、マーケティングの持続可能性を担保するには、いったい、どうすればいいのでしょうか?

　この答えも極めてシンプルです。

　2つのアプローチがあるでしょう。

❶必要利益を確保し続けること
❷利益を維持しつつ、経費を極限まで削って軽くすること

　これは、飛行機をどうやって飛ばし続けるか、という思考実験をするとわかります。

　旅客機ボーイング787は、日本のメーカーも開発に大いに関わっていますが、特長として挙げられる最も大きな点は、航続距離が長いことです。航続距離とは、一度の給油でどこまで飛べるかを表す数値で、長ければ長いほど、"燃費"がいいということになります。787は、金属の割合を減らし、より軽くて上部な炭素繊維素材などを多く使用し、前世代の767より"燃費"を20%向上させたと言われています。

　この"燃費"の考え方は、マーケティングにも使えます。販管費、いわゆる経費を投下する燃料だとすれば、少ない燃料で多くの利益を上げるこ

とができれば理想であり、持続可能性を担保することができます。

　つまり、経費が軽ければ軽いほど、当然ながら、マーケティングは持続しやすくなります。飛行機が軽ければ軽いほど、航続距離が伸びるのと同じ理屈です。

　たとえば、スーパーやコンビニなどを運営する際に、セルフレジを導入すれば人件費が削減できて、経費が軽くなります。また、保有している自宅の1階をカフェにして営業すれば家賃もかかりませんし、家族で運営すれば、人件費も非常に軽く抑えることができます。商店街などで、そういった運営をしている店を多く見かけますが、持続可能性という点から見れば、実に合理的と言えるでしょう。

　特に家賃などの"固定費"が高いと、どうしても経費は重くなり、これでは相当な利益を上げ続けなければ事業は継続できません。

　家賃を下げるには、基本的には、面積を小さくするか、人通りの少ない場所の、1階以外の場所で商売をするか、インターネット上にネットショップを開くかという選択になるでしょうが、それではそもそも、顧客を呼び込むのが難しくなります。いずれにせよ、リアルでもネット上でも、人通りが少ない場所での勝負になるからです。

　もう一度、飛行機で思考実験しましょう。

　飛行機が飛ぶのは、大雑把に言ってしまうと、重力を上回る揚力を得ているからです。そして、その状態が続けば、航続距離が伸びます。それは、とてもマーケティングがうまくいっている状態に似ています。

　経費を賄える分の利益を上げ続けることができれば、営業期間が延びます。つまり、ビジネスが持続可能となっていきます。

　それを実現するためには、非常にシンプルで、より利益を上げるアプローチをしていくか、または経費を削減して軽くしていくか、あるいは、そのいずれも同時にやるかしかありません。

　潤沢な資金を保有しての起業は、スタート時点を高い高度から始めることができるという意味でしかありません。重力よりも揚力が小さい状態、つ

まりは経費を利益で賄えない状態が続けば、やがて地面に落ちることになるでしょう。

　リンクトインなどを創業した起業家でもあり、投資家でもあるリード・ホフマンはこう言いました。

「起業とは崖から飛び降りながら飛行機を組み立てるようなものだ」

　たとえ、組み上がったとしても、飛び続けるのも、実は難しいことなのです。

図3 事業持続化のイメージ

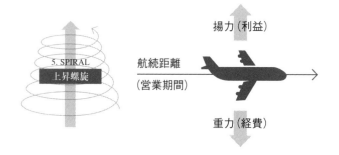

逆境のマーケティング
ピンチを科学する

　マーケティングを遂行していく際に、災害や感染症の蔓延などで突如として、売上の見通しが立たなくなる場面に遭遇してしまうかもしれません。

　いわゆる"逆境"と言える状況ですが、マーケティング的に見て、"逆境"とは何かと言えばこれまたシンプルです。

想定外に需要を失うこと。

　これに尽きます。

　マーケティングにおいて、逆境に遭遇した際にはこうした手順でアプローチしていきます。

❶「7つのマーケティング・クリエーション」で"逆境診断"する
❷"逆境診断"で使える部分を把握して、新しい「モデル」を構築できないか模索する
❸持続可能性を担保するために、緊急で資金を調達するか、経費を大幅に削減する

　まずは、どういう状況なのか、ピンチを科学的に解き明かす必要があります。

　そのために、「7つのマーケティング・クリエーション」でピンチを見える化させます。それを"逆境診断"と言います。

　たとえば、感染症が蔓延し、ホストクラブが店舗営業できなくなったとします。その場合、何が失われて、何が残っているのか、まずは1シートで表す必要があります。

　店舗が営業できなくなったとしても、ホストがいなくなるわけではあり

ません。常連のお客様もいます。そして、ホストクラブの「ストーリー」すなわち、世の中になければならない理由は、おそらく、特に女性のお客様に元気を与えることです。だとすれば、実店舗で営業できなかったとしても、Web上のオンラインサロンなどでヴァーチャルのホストクラブを開くという手も考えられるかもしれません。つまりは、「モデル」を派生させて考えれば、「エビデンス」を積み上げる手段が見つけられるかもしれないということです。

災害や感染症の蔓延というような急な"逆境"には、たとえば、"ストーリーの再定義"や新商品の開発などといった、時間的コストがかかる戦略は間に合いません。唯一できる対応が、「モデル」の変換です。この際には、「ストーリー」と「コンテンツ」をもう一度見直して、どういうふうに元来のお客様、あるいは、「モデル」を変えた後の新しいお客様にサービスを提供するかを考える必要があります。

また、従来の需要が大幅に減少し、キャッシュフロー、つまりは現金の流れが不安定になると、「スパイラル」を維持できなくなるので、それに対しては可及的速やかに対応する必要があります。その対応方法も至ってシンプルです。

キャッシュフローの改善
❶経費の大幅削減《人件費・家賃等》
❷資金の調達《融資・補助金等》

これをなるべく早く手を打つ必要があるので、マーケティング担当者、あるいはビジネスオーナーは、休日を返上して対応に当たり、家族と従業員を守る必要があるでしょう。

こうして、事態が収拾するまで、なんとしても生き延びる方法を模索し続けます。

また、最終手段として、すべてを試みても先行きが見えない場合は、傷

口が浅いうちに、部分的にあるいは全体的に撤退するという手段を考える必要もあるかもしれません。何度も言いますが、マーケティングの目的は、**その集団、あるいは個々人の"理想の状態"を維持すること**です。なにも、一つのビジネスに固執する必要はありません。リカバリーはいくらでも可能です。希望さえ、失わなければ。

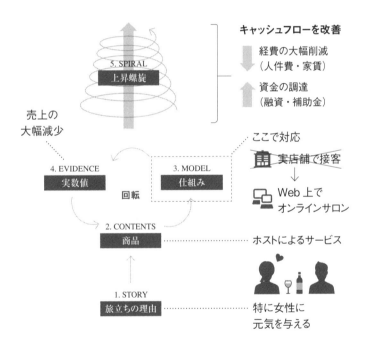

| 図4 | 逆境のときのマーケティング（例：ホストクラブ）

キャッシュフローを改善

経費の大幅削減
（人件費・家賃）

資金の調達
（融資・補助金）

5. SPIRAL
上昇螺旋

売上の
大幅減少

ここで対応

実店舗で接客

↓

Web上で
オンラインサロン

4. EVIDENCE
実数値

3. MODEL
仕組み

回転

2. CONTENTS
商品

ホストによるサービス

1. STORY
旅立ちの理由

特に女性に
元気を与える

一夜城のマーケティング
外観的ブランド戦略

昔々の話でございます。

戦国時代真っ只中、桶狭間の戦いにも勝利し、波に乗る織田信長は、美濃攻略に乗り出します。その際に、配下の木下藤吉郎、のちの豊臣秀吉は、今で言うプレハブ工法を駆使して、一夜にして敵前の墨俣に城を築き、敵を驚愕させたのでした――。

いわゆる墨俣一夜城の話です。実話かどうかも定かではありませんが、このお話の骨格はマーケティングに応用して使えます。

すなわち、この墨俣一夜城の話が面白い点は、まずは川の上流から城の外観の部材を流し、一夜にして城の外観を整えて、敵に城ができたと"錯覚"させる点にあります。そう敵を錯覚させることができれば、敵は攻め込むことを躊躇することになります。その間に、突貫工事で内部の構築を進めて、本当に城を造り上げればいいのです。

これをマーケティングに応用すると、こうなります。

まずは、メディアが取り上げたいような、目立った"特異点"を作り、メディアに取り上げられます。一度メディアに取り上げられると、取り上げられやすくなる、スパイラルが生じます。幾度かメディアに取り上げられていくと、メディアに取り上げられた、という"外観的エビデンス"が整っていき、視聴者や顧客は、そのビジネスを「ブランド」かもしれないと"錯覚"します。

この"錯覚"を誘発している間に、実体としてのビジネスを組み上げ、「スパイラル」を上昇させて、「コンテンツ」の質を高めていき、最速で実際に「ブランド」とみなされるように事業を加速させます。

そうして、仮想に実体を追いつかせることによって、事業を急速に伸長

させます。

　外観的エビデンスの構築は、"錯覚"させていることにより、たとえば Google などでの口コミ評価が下がり、炎上するリスクが上がりますが、事業を急速に伸ばすことを考えると大きなメリットがあります。

　ハイリスク・ハイリターンの戦略と言えるでしょう。

　もっとも、リスクなく着実に「コンテンツ」の質を上昇させて、「エビデンス」を上げていき、徐々に「ブランド」に近づいていくのが理想でしょう。けれども、起業する際に、資金が豊富にあり、時間的余裕がある状況というのは稀でしょう。実際には限られた資金と時間の中で、なんとかマーケティングを軌道に乗せなければなりません。その際には、ハイリスク・ハイリターンの戦略も、当然ながら選択肢に入れるべきです。

　今の顧客に多少非難されようとも、たとえば3年後により多くのお客様からの感謝を頂けるのなら、結果的に価値の提供の規模が拡大するはずです。未来を見据えれば、一夜城のマーケティング戦略は、決して非難されるべき戦略ではありません。

　また、今はまだ弱小ながら、面白いことをやっている、というイメージも決して顧客にとっては嫌な話ではありません。なぜなら、人は古くから判官びいきであり、ヒーローズ・ジャーニーの物語が大好きだからです。

　それなので、人はクラウド・ファンディングにおいては、どうなるとも知れないビジネスに対して、期待を込めて投資します。それは応援したいからです。

　その際に重要になるのは、言うまでもなく、「ストーリー」です。いかに物語るか、理解を得られるかが勝負の鍵になります。

　ちなみに、一夜城のマーケティング戦略において、最も重要なのは、体と精神の強靭さです。迅速に工数を積み上げていく必要があるので、一致団結してすべての作業を高速で正確にこなしていく必要があります。

　ただ、少なくとも言えることは、この難題をクリアすることは、非常に痛快であり、喜びを感じることでしょう。そして、マーケティング、ひい

てはビジネスを構築するのをやめられなくなると思います。

　そう、マーケティングは非常に楽しいものですから。

　おそらく、秀吉も一夜にして現れた城を見上げて驚愕する敵兵を見て、痛快に笑ったのではないでしょうか。もっとも、その話が実話ならですが。

図5　「外観的ブランド戦略」の仕組み

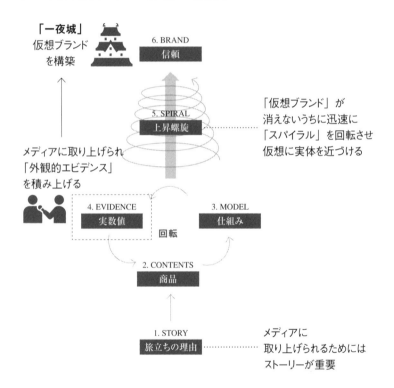

「一夜城」
仮想ブランド
を構築

6. BRAND
信頼

5. SPIRAL
上昇螺旋

「仮想ブランド」が
消えないうちに迅速に
「スパイラル」を回転させ
仮想に実体を近づける

メディアに取り上げられ
「外観的エビデンス」
を積み上げる

4. EVIDENCE
実数値

3. MODEL
仕組み

回転

2. CONTENTS
商品

1. STORY
旅立ちの理由

メディアに
取り上げられるためには
ストーリーが重要

遊牧民のマーケティング
砂漠と中原の理論

高校時代、世界史の授業を受けている際に、不思議に思ったことはありませんか。

なぜ、中国の王朝は遊牧民に幾度となく征服されているのだろう？

万里の長城のような巨大な建造物を築くほど、中国の王朝は遊牧民を恐れていたのはなぜなのだろう？

なぜ、遊牧民は強かったのだろう？

モンゴル帝国が世界一の版図を支配することができたのはなぜだろう？

僕もそんな疑問を覚えた一人でした。長年の疑問が、マーケティングの観点から見れば解けることに気づきました。今回は、そんなお話です。

中国において、古来、中華の中心たる黄河流域は"中原"と呼ばれ、大地が肥沃であり、農産物が豊かに採れるために、多くの人口"需要"に対して、食料を"供給"することができました。自然、人が集うようになり、村ができ、城塞都市に発展し、都が形成されて国家の体をなすようになりました。

中国をめぐる権力闘争は、まさに、この肥沃な"中原"をめぐる戦いであり、中原の覇者が最も大きな力を持つ、王、あるいは皇帝と名乗り、王朝を形成しました。つまり、マーケティング的に見ると、多くの"需要"を満たすことができる"供給地"を押さえた者が、王として君臨した、ということになります。これは中国に限ったことではありません。強大な王朝や帝国の基盤には、必ず"供給地"がありました。

一方で、モンゴル平原など、作物が育ちにくい地ではどうでしょうか？

草原に生えるそれほど豊かではない少ない植物を家畜に食べさせながら、主にその家畜を捌いて生活を支えるしかありませんでした。肥沃な大地を

手に入れることができずに、定住せずに移動しながらなんとか"需要"を満たす"供給"を確保する人々——彼らを"遊牧民"と言います。

中原に比べて、辺境の地に暮らす彼らは、厳しい環境で"需要"を満たさなければなりません。日々、是、戦争の毎日で、中原でのうのうと暮らす人々に比べて野生的で逞しく、"供給"に対して貪欲です。また、遊牧生活によって当然のように培われた乗馬のスキルがあり、このスキルが戦争時に、最強の騎馬軍が出来上がります。

また、遊牧民は、バイキングと同様に、生きるため、つまりは"供給"を得るためには手段を選ばず、略奪も厭いません。生まれながらにして、生きるための"スタンス"が違うのです。生まれながらの戦闘民族と、中原の肥沃な大地から生み出される"供給"を享受してきた人々との間で、戦闘が起きればどうなるでしょうか?

当然、中原の人々はたやすく蹂躙されるでしょう。なにせ、生きるための、つまりは"稼ぐスタンス"がまるで違います。もう、「万里の長城」という巨大な恐怖の顕れを造るしか、手はないくらいでした。

これは、イギリスに対するバイキングの関係とも似ています。寒冷化によって、作物が採れなくなった北欧の人々は、優れた操船技術を駆使して、大昔のイギリスを蹂躙します。いわゆるバイキングも、"稼ぐスタンス"が、比較的平穏に暮らしていたイギリスの人々とは違っており、大昔のイギリスの人々はバイキングの侵略に対して、長い間為す術がありませんでした。

実は、これはマーケティングにおいても起きていることです。誰もが駅前の好立地や人気のショッピングセンター、銀座の中心、つまりはパンパンに詰まった財布を手にした数多の人が行き交う場所で商売ができるわけではありません。まずは、ほとんど人通りがない場所から、あるいは、路面店ではなくて2階や3階から商売をスタートさせるしかないでしょう。

けれども、お客様が少ない場所だからこそ、遊牧民やバイキングのように、厳しいマーケティング環境の中で"特異なスキル"を身につけて、屈強になる可能性があります。

初めて中国全土を統一した始皇帝も、中原ではなく、西の辺境だった秦から興り、中原を征服しました。言うまでもなく、チンギス・ハーンやフビライ・ハーンのモンゴル帝国もそうです。

我々がマーケティング的に恵まれない環境で事業をスタートすることは、将来的に見ると、決して不幸なこととは言えないのです。

なぜなら、必然的に生き残るための"イノベーション"を起こさざるをえない環境だからです。

図6 **遊牧民が生き残るための仕組み**

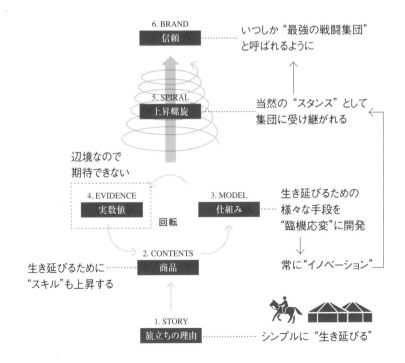

6. BRAND
信頼 ………… いつしか"最強の戦闘集団"と呼ばれるように

5. SPIRAL
上昇螺旋 ………… 当然の"スタンス"として集団に受け継がれる

辺境なので
期待できない

4. EVIDENCE
実数値

3. MODEL
仕組み ………… 生き延びるための様々な手段を"臨機応変"に開発

回転

常に"イノベーション"

2. CONTENTS
商品

生き延びるために
"スキル"も上昇する

1. STORY
旅立ちの理由 ………… シンプルに"生き延びる"

起業のマーケティング
タイムリミットの延長

独立起業、と聞けば華やかなイメージがあるでしょう。

名刺には代表取締役、社長、CEOと刻むことができ、人からは社長と呼ばれる。法務局に登記をすれば、株式会社を持つことになり、オーナー社長となる。

これから、ガンガン稼いで、裕福になり、家族を幸せにするイメージも湧いてくる――。

ところが、現実はそう簡単ではありません。

まずは、それまで毎月の決まった日に給与が振り込まれていたことを、奇跡だと思うでしょう。当てにしていた友達は、お客様を紹介してくれることはなく、前の会社の名刺なら飛んできた相手も、起業した途端に返信すらしなくなる。

当初の計画では、起業月から売上がしっかりと上げられる予定だったのが、たとえば100万円入ってくる、少なくとも50万円は大丈夫だろうと思っていても、蓋を開けてみれば、なんと、売上ゼロでフィニッシュ。

こうなると、焦ります。友人や親戚、前職の関係者に頻繁に連絡を取るようになり、営業をかけるようになり、そのうちに、友人や親戚からももう連絡してくるなと言われる。

創業資金として用意していた虎の子のお金も、徐々になくなっていく――というより、急速に溶けていく。そして、夜も眠れなくなる。

こうして、多くの起業家はお尻に火がついた状態になります。かく言う僕もそうでした。それから先は、売上が立って利益を確保できるか、または資金が尽きて滅びるかの勝負になります。

そうです、タイムリミット内に利益を確保できなければ、せっかく作っ

た会社がすぐにでも消滅してしまいます。

　ここで重要になるのは、言うまでもなく、「スパイラル」です。

　起業当初はほとんどの場合、コンテンツの質、モデルの最適化、エビデンスの数値がすべてかなり低い状態からのスタートになると考えていいでしょう。つまり、赤字の状態でのスタートが基本と考えられ、せっかく作った会社を潰さないためには、以下のアプローチをすることになります。

起業当初の小さな会社を潰さないアプローチ
❶「コンテンツ」「モデル」「エビデンス」を急速に回転させて最速で「スパイラル」を生じさせる。
❷赤字幅を縮小させて、創業資金が失われる期限を延ばす。
❸黒字化させて、キャッシュフローを完全にプラスに転じさせる。

　「コンテンツ」「モデル」「エビデンス」を上昇させるためには、基本的には自ら試行錯誤するしかありません。上昇させるのは、当初は難しいでしょう。上昇させるまで、工数を投じなければなりませんが、それには、会社を作った当人が休日返上で全力投球し続ける必要があります。休めば、それだけ「スパイラル」発生が遅れることになり、「スパイラル」発生が遅れれば、赤字の幅を縮小できなくなり、キャッシュフローは垂れ流しのままとなり、すぐにタイムリミットになり、つまりは事業の継続が困難になります。

　幸い、労働法には経営者がいくら働いても違法だという規定はありません。安定するまでは休みがないと覚悟して、取り組むほかないでしょう。それが起業の現実です。もし、休みが多い人生のほうが"理想の状態"に近ければ、独立起業はおすすめしません。

　ただし、起業はうまくいけば、自分の責任ですべてを行うことができる「自由」を得ることができます。「責任」と「自由」はセットであり、「責任」を負いたくなければ、ある程度の「自由」を放棄するしかないでしょ

う。「責任」が伴わない「自由」は虚像に過ぎません。

　そして、リアルとは実に艱難辛苦（かんなんしんく）を伴うものなのです。

図7　起業当初の小さな会社を潰さない仕組み

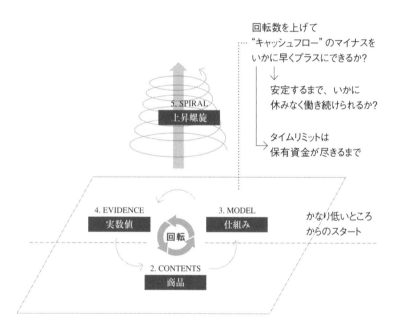

回転数を上げて
"キャッシュフロー"のマイナスを
いかに早くプラスにできるか?
↓
安定するまで、いかに
休みなく働き続けられるか?

タイムリミットは
保有資金が尽きるまで

5. SPIRAL
上昇螺旋

4. EVIDENCE
実数値

回転

3. MODEL
仕組み

かなり低いところ
からのスタート

2. CONTENTS
商品

フリーランスのマーケティング
エビデンス主義

さて、皆さんに質問です。

あなたは手術を受けることになりました。その執刀医が手術前にあなたと家族に挨拶に来ました。とても気のいいその青年は、笑顔であなたと家族にこう言いました。

「今年の春に医師になったばかりで、実はオペも初めてなんですよ。でも、ちゃんと勉強しましたから、ご安心ください」

おそらく、あなたは家族と顔を見合わせるはずです。そして、家族の不安な表情を見るはずです。そうです、できれば、"経験"豊かな医師にオペをしてもらいたいと思うはずです。

これは医療だけに言えることではありません。たとえば、あなたが大切な家族の七五三や成人式の写真を依頼するときに、カメラマンが初めての人なら、どう思うでしょうか？ ロゴをデザインしたことのないデザイナーに、今後数十年使うかもしれない、大切な会社のロゴを託することができるでしょうか？ ブログしか書いたことのないライターに、大切な自社の媒体の記事を依頼できるでしょうか？

発注主の立場になって考えると、答えは明確であり、言うまでもないでしょう。

発注主が気にするのは、それまでどんな仕事をしてきたかという実績、すなわち「エビデンス」です。

もし、皆さんがフリーランスとして独立を考えているのなら、または独立したはいいけれども思うように稼ぐことができていない場合は、何よりも「エビデンス」を増やすことに注力してください。

もし、「エビデンス」を得られるのなら、僕なら無料でも、いや、お金を

支払ってでもその仕事を受けます。その仕事の「エビデンス」が、プロフィールに書けることになり、次の仕事を受注する際に、大きなクロージングの要因となるからです。

巷<ruby>ちまた</ruby>では、"フリーランス殺しの都市伝説"が蔓延<ruby>はびこ</ruby>っています。仕事は無料で受けてはならない、仕事をしたのなら搾取されないようにしっかりと請求しなければならない、というものです。はたして、それは真実でしょうか？

マーケティング的に言うと、結論は単純で、「エビデンス」を失う方向に行くのは、あまりにもメリットがないということです。

それは、いったい、どうしてなのか？

答えは単純です。

まず、大前提として、仕事で発注者に足元を見られるのは、「エビデンス」がないからです。たとえば、大手化粧品会社の広告写真を手掛けているカメラマンに、ただで写真を依頼する人はいないでしょう。直木賞作家の先生に、無料で原稿を依頼する人はいません。

また、フリーランスとしての独立当初は、起業と同様でコンテンツの質、モデルの最適化、エビデンスの数値がかなり低い状態にあります。発注者として、そんな人に仕事を依頼するのは、とてもリスクがあることなのです。もしかして、あまりに仕事の質が低ければ、損害賠償の話にさえなりかねません。

それでもなお発注してくれる担当者に対して、堂々と"正当な請求書"を送りつけると、相手はどう思うでしょうか？　おそらく、"正当"だとは思わないでしょう。そして、何より、次からは絶対に依頼しないと思うでしょう。業界が狭い場合は、その情報はまたたく間に広がります。

つまり、マーケティング的に見て、このとき一番損をするのは、フリーランスの方ということになります。

それでは、どうすればいいのか？

独立当初は、無料でも安くても「エビデンス」となりうる仕事を数多く

受けて、「エビデンス」を分厚くして、プロフィールを潤沢にしていきます。また、仕事の量をこなすと、スキルも上昇します。背伸びした仕事では上昇率も高くなります。そうして、「エビデンス」を積み上げ、プロフィールが整った状態であれば、たとえ、通常の料金よりも少し高い料金を書いた請求書を出したとしても、相手はきっと"正当な請求書"とみなしてくれるでしょう。そして、また仕事を依頼してくれる可能性も高くなります。

　フリーランスとして生きるなら、命となるのは「エビデンス」、すなわち、"仕事のポートフォリオ"なのです。

図8 「エビデンス」で価値を上げる仕組み

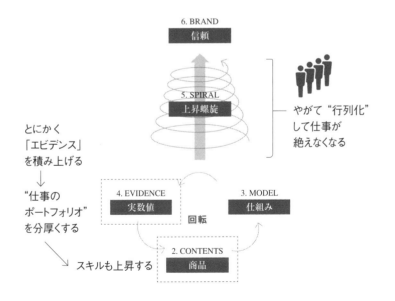

6. BRAND
信頼

5. SPIRAL
上昇螺旋

やがて"行列化"
して仕事が
絶えなくなる

とにかく
「エビデンス」
を積み上げる
↓
"仕事の
ポートフォリオ"
を分厚くする
↘
スキルも上昇する

4. EVIDENCE
実数値

回転

3. MODEL
仕組み

2. CONTENTS
商品

農業のマーケティング
マーケティングの依存

たびたび触れてきましたが、僕は東北の農村の出身です。

僕が小さな頃、家は専業農家で、稲作と畑作と養豚をして一家はそれで"理想の状態"を維持していました。他の多くの農家もそうであるように、"個人事業主"でした。

トラクターや耕運機、コンバインなどの農機具は、すべて農協から買い、肥料なども農協から買い、農協の金融機関にお金を預け、農協の共済に入り、家族が亡くなれば農協が運営する葬儀場で葬儀をあげていました。

もちろん、作った米を買い取るのも農協で、そのお金が農協の金融機関に入り、そこから農機具のローンが引き落とされる。いったい、誰のために働いているのかわからない、と苦笑しながら父が言っていたのを覚えています。

今、自分で会社を持ち、農協を中心とするその仕組みが以前は江戸幕府のように完璧だったということがようやくわかるようになりました。三浦家の農業は、個人事業主として独立した体を取りながらも、実体としてはマーケティングのほとんどすべてを農協が肩代わりしていたのです。

つまり、農協がなければ商売が成り立たない、マーケティング依存の状態になっていたのです。おそらく、三浦家ばかりではなく、現在でも多くの農家がその状態なのかもしれません。

政府により米の価格が保護され、野菜の値段が高い時代ならばそれでもよかったでしょう。けれども、米の値段が右肩下がりの今、農機具のローン返済が重くのしかかり、父のような就農者の高齢化も進んでマーケティングが立ち行かなくなります。

そして、農業をやめる家が増えてきます。

実は、これは農業に限った話ではありません。書店業においても、トーハン、日販などの取次のシステムが優秀すぎて、また出版社自体も広告などマーケティングを展開するので、書店は自然と、取次や出版社のマーケティングに依存します。そして、取次や出版社が存在しなければ商売が成り立たなくなります。また、コンビニのフランチャイズ・オーナーなどもそうでしょう。独立した会社の体をなしていますが、実体は、フランチャイザー（本部）の非常に優秀なマーケティングのシステムにマーケティングのほとんどを依存することになります。

　農業やフランチャイズは比較的古くからあるビジネスですが、実は最近増えてきた小さなビジネスでも同じような仕組みが見られます。

　たとえば、YouTuberやブロガーと呼ばれるインフルエンサーもそうでしょうし、楽天市場やヤフーショッピング、Amazonマーケットプレイスに出店している店や個人も実は、マーケティング依存やシステム依存の状態にあります。

　なぜなら、YouTuberは、YouTubeのルールが変われば広告費の売上が一気に下る可能性もありますし、Googleの広告の仕組みを使っているブロガーは、Googleのアルゴリズムの変化に売上を大きく左右されます。

　その胴元とも言うべき、GoogleやAmazonなどのプラットフォーマーが最強なのは言うまでもないことです。

　逆に大きな規模を目指すのであれば、何らかのプラットフォーマーを志向するのも面白いかもしれません。

　また、身軽に乗り換えられるのなら、様々なプラットフォーマーを上手く利用するのも手でしょう。

　これからの時代、ますます、人々の“理想の状態”、つまりは“幸福”が多様化していきます。そうなると、当然のように“需要”が多様化していきます。そのときに、すべてのマーケティングを一つの企業や団体に依存するかたちは、リスクを伴うことになります。

便利な部分はこれまでどおり利用させてもらいつつ、依存する割合を減少させていき、リスクを分散させておくほうが、ビジネスの持続に有利になるでしょう。

たとえば、農業ならば、農協を利用しつつも、自ら"販路"を切り拓いてマーケティング領域を拡大させる方向に舵を切る方法が考えられます。新たな"販路"とは、新たな"需要"を呼び込むバイパスです。常に新たな"販路"を切り拓く努力をしていれば、その"販路"がストック化していき、1つのシステムへの依存率が低下します。そうして、本当の意味での"自営"を獲得していくことが、これからの時代、必要となっていくのかもしれません。

その際には、インターネットをはじめとする新しい技術が、これまでできなかったことをできるようにしてくれるだろうと思います。

たとえば、インターネットが実用化される前までは東北地方の一農家が都内のレストランに納品するのは非常に工数がかかることでした。けれども、現在なら、インターネットで繋がり、都内のレストランに納品することで新たな"販路"を「BtoB」型で切り拓くこともできるでしょうし、また、直接全国の顧客と繋がって、「BtoC」型の販路を無数に構築することも可能でしょう。

その際に重要になるのは、言うまでもなく、「コンテンツの質」ということになります。

図9 マーケティングの依存

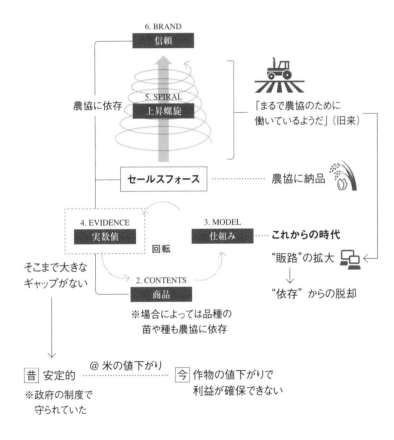

6. BRAND
信頼

農協に依存

5. SPIRAL
上昇螺旋

「まるで農協のために
働いているようだ」(旧来)

セールスフォース ‥‥‥‥‥ 農協に納品

4. EVIDENCE
実数値

3. MODEL
仕組み ‥‥ **これからの時代**

回転

"販路"の拡大

そこまで大きな
ギャップがない

2. CONTENTS
商品

"依存"からの脱却

※場合によっては品種の
苗や種も農協に依存

@ 米の値下がり

昔 安定的 ‥‥‥‥‥‥‥ 今 作物の値下がりで
利益が確保できない

※政府の制度で
守られていた

田舎のマーケティング
既得権益の作り方

　田舎でよく見かけるシャッター商店街で、いつお客様が来ているのかわからないのにしぶとく生き抜いている店を見かけたことはないでしょうか？

　たしかに、店を運営する上で、家賃や人件費は都市部ほどかからないかもしれません。もしかして、土地は代々受け継がれていて、家族で経営しているので、家賃も人件費もかからないかもしれません。

　僕は全国の主に都市部で書店を営んでいますが、自分の故郷で書店をやれるろうとは思いません。なぜなら、そこに長年君臨し続ける書店に、到底勝てるとは思えないからです。規模はもしかして、僕の書店のほうが大きいかもしれませんが、その書店はその町で最強と言ってもいい。

　もし、都市部でそれよりもはるかに大きな書店と戦う術を見つけたとしても、故郷に君臨するその書店に挑んで勝てる可能性は、ほとんどゼロだろうと思います。とても強いのです。

　それは、いったい、なぜなのか？

　その書店は、僕も物心ついたときから通っていました。その小さな町で本屋と言えば、その書店でした。当たり前のようにそこで絵本を買い、コミックを買い、雑誌を買っていました。東京に出てから、久しぶりにその書店に行き、首を傾げたことを覚えています。僕の子どもの頃より、はるかにお客様の数が減っています。それなのに、店員の数が前と一緒だったのです。つまり、過剰に工数を余らせている。裏を返せば、それでも経営が成り立っているということです。

　理由は、思い当たりました。その書店は、表として書店の顔を持っていますが、一方で、新聞の販売店も営んでいました。小さな町なので、新聞

を配達してもらおうと思えば、そこに頼むより選択肢はありません。そして、新聞がそこに集約されているということは、スーパーなどの折り込み折込チラシも、ここに集約される、ということです。つまり、書店の顔をした、その町の独占的な広告代理店だったということになります。さらには、小中高のすべての教科書販売を独占しているのも、ストック的に大きな利益になるでしょう。たとえば、僕が故郷の町で書店をやろうとしても、新聞の販売店をすることは不可能でしょうし、小中高の教科書販売を独占することもできません。なぜなら、それこそが、その書店が存続している大きな理由であり、強大な"既得権益"だからです。

　書店の顔をしつつも、その町の最大の広告代理店であり、教科書販売の独占事業者である――つまりその書店は"既得権益化"したレベニューモデルを複数持っているということです。

　"既得権益"と聞くと、悪いことに聞こえるかもしれませんが、ビジネスにとって"既得権益"や"既得権益的なレベニューモデル"を有することは理想です。なぜ悪いことに聞こえるかと言えば、人が持つ"既得権益"は持たざる我々にとって非常に羨ましいからです。

　それでは、本当は多くの人がほしい"既得権益"はどうやって創られるのでしょうか？　つまり、小さな町などで、ある業種がほとんど独占して販売している場合、教科書販売などの旨味のある"需要"も、自由競争と言いながらも当然のように実質的に集中し、結果的に"既得権益化"していきます。

　また、町の人たちにとって、その書店は心の拠り所にもなっているので、たとえば僕が町に書店を開いたとしても、外来種のように扱われてしまうことでしょう。

　端的に言えば、"既得権益"は、長く事業を持続させることによって、獲得しやすくなります。つまり、「スパイラル」が機能した結果として、定着します。もっとも、大型のショッピングセンターなどが近隣にできてしま

えば、表の店の売上は極端に落ちるでしょうが、なかなかその"既得権益"が消えることはありません。

　"既得権益"を有する事業者は、たとえば、その町に局地的で圧倒的な「ブランド」を構築します。それが小さな地域の中で「本なら○○屋さん」という空気が充満し続ければ、局地的な「アトモスフィア」も生じます。それが、排他性を帯びて、参入障壁となるのです。

　もし、皆さんの中で、そうした"既得権益"を有した事業をご家族がなさっているとしたのなら、ぜひ、そのメリットを活かして、「ストーリーの再定義」をして未来型に事業転換させることをおすすめします。

　未来型への「ストーリーの再定義」と"既得権益"は最強の組み合わせかもしれません。

　もし、皆さんが都市部から田舎に移住して商売を始めようと考えるのなら、この"既得権益"について、考慮しなければならないでしょう。基本的に、田舎は都市部よりもはるかに排他的であり、人と人との濃密な繋がりを元としてビジネスが成立する場合があります。その点を注意深く見て、なおかつ、そのコミュニティへ浸透する努力をしなければ、決して商売として成立しないでしょう。

　こう考えるとビジネスだけの話で言えば、実は都市部のほうが新参者の事業者に優しいかもしれません。田舎では単なる「コンテンツ主義」だけでは通用しない難しさがあります。

図10 既得権益のマーケティング

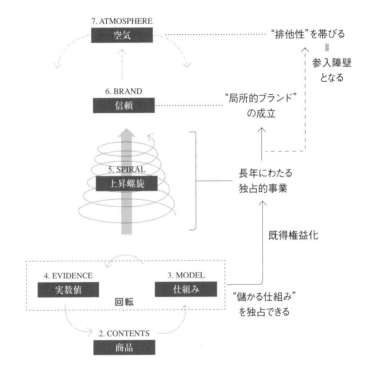

7. ATMOSPHERE
空気

"排他性"を帯びる
＝
参入障壁
となる

6. BRAND
信頼

"局所的ブランド"
の成立

5. SPIRAL
上昇螺旋

長年にわたる
独占的事業

既得権益化

4. EVIDENCE
実数値

3. MODEL
仕組み

回転

"儲かる仕組み"
を独占できる

2. CONTENTS
商品

殺し屋のマーケティング
コンテンツ主義

　さて、皆さんに質問です。思考実験と言ってもいい。

　そのサービスは比較的高額であり、営業をかけることも、広告を出すことも不可能です。皆さんなら、その商品"殺し"をどうやって売りますか？

　"殺し"は、言うまでもなく違法です。違法であるがゆえに、大っぴらに営業することもできません。当然、広告を出すことも、PR会社にメディアに出してもらえるように依頼することもできません。

　通常使えるはずの"セールスフォース"のほとんどが使えないことになります。セールスに関わること自体がリスクとなるからです。

　だとすれば、"殺し"を売ることは不可能なのでしょうか？

　実は、一つだけ手段があります。"コンテンツ主義"を徹底することです。

　それは、いったい、どういうことなのか？

　重要なのは、確実に標的を仕留めて、しかも事を露見させないスキルです。つまり、スナイパーの射程が長ければ長いほど、捜索範囲が広がるので捕まりにくくなります。もし、2,000メートル先から、正確に目標を撃ち抜く射撃スキル、つまりは「コンテンツの質」があれば、捕まる可能性がかなり低くなります。

　そして、殺し屋で重要なのは、「エビデンス」です。どれくらいの暗殺を成功させたかが重要になります。これは「フリーランスのマーケティング」と共通する部分でもあります。また、「コンテンツの質」と「エビデンス」が組み合わされれば、そのスナイパーは裏の世界で重宝され、殺しの"需要"があるところで「ブランド」となり、その前に行列ができるかもしれません。

　もっとも、"殺し"を「コンテンツ」としたときに、考えなければならな

いことがあります。「スパイラル」の部分です。スナイパーは相手を暗殺する"サービス"を展開する際に、自らも返り討ちにされる多大なるリスクを負います。このリスクが絶大なために、事業の継続が難しい"サービス"であるとも言えるでしょう。

　何度も言いますが、これはあくまで思考実験です。

　言うまでもなく、皆さんに本当に殺しを売ってもらいたいわけではありません。

　重要なのは、この"殺しを売る"という思考実験をすることによって、それよりもはるかに売ることが簡単な諸々の商品やサービスを売れるようになるということです。

　もし、世界一売ることが難しい"殺し"を自由自在に売る戦略を構築できるようになれば、他の商品やサービスを売ることは、もはや、難しいことではないでしょう。

　また、世界一のスナイパーの育成という、ある種の"商品開発"は、通常の"商品開発"よりもはるかに難しいということもわかるでしょう。「エビデンス」を積み上げることも難しいし、訓練する施設を見つけることも難しいことでしょう。世界一のスナイパーを育成する方法を実現可能な戦略としてまとめることができるのならば、他の「コンテンツ」の質を上昇させる戦略を構築するのも、さほど難しい話ではないでしょう。

　"殺し屋のマーケティング"を主題にしたマーケティング小説『殺し屋のマーケティング』が同じポプラ社より発売されていますので、興味のある方はそちらもお読みいただければと思います。

図11 殺しのマーケティングの仕組み

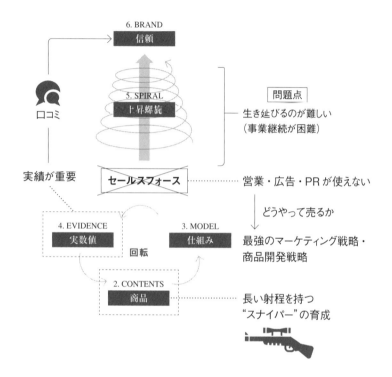

戦争のマーケティング
マーケティングの機能不全

マーケティングとは、需要に対して供給すること。

これまでも幾度となく見てきた、マーケティングの実にシンプルな定義です。何らかの商品を欲しいという人に対して、商品を提供すれば稼ぐことができます。

また、この定義はこういった見方もできます。

マーケティングとは、"理想の状態"を維持したいという欲求（需要）に対して、"理想の状態"を供給すること。

たとえば、家族4人が何不自由なく幸せに暮らすということが"理想の状態"であれば、それを実現するための給与を稼がなければならないでしょう。2万3000年前のシベリアで、マンモスを狩らなければならなかったのも、その集団が幸せに暮らすためでした。

ところが、常に"理想の状態"を供給できるわけではありません。

つまり、マンモスの狩場に、新たに遠方より旅をしてきた違う家族が現れたらどうなるでしょうか？

それぞれの家族の"理想の状態"を維持するために、限られたマンモスをめぐって闘争が始まってしまうかもしれません。別の集団が現れたことにより、需要に対して必要な供給量が確保できない状態が長らく維持されれば、闘争に発展するリスクが高まるからです。

小さな集団同士の闘争ではなく、大きな集団、すなわち国や地域同士の闘争を"戦争"と呼びます。戦争でどちらかが一方的に悪い場合は稀です。それぞれがそれぞれの"理想の状態"を維持する、という正義を掲げて戦うことになります。

それではなぜ、それぞれが正しいと思っている同士が戦わなければなら

ない悲劇が起きてしまうのでしょうか？

　たとえば、4人家族を養いたい2つの家族の前には、1家族しか養えない1つの仕事しかなかった場合、2つの家族はその一つの仕事をめぐって闘争することになるでしょう。それでは、この2つの家族が闘争しないで済むにはどうすればいいでしょうか？

　答えは簡単です。その仕事が2つあればいいことになります。そして、2つの仕事が用意されるためには、その社会が潤っていなければならない、つまりは、マーケティングがうまくいっている状況が必要となります。そうすれば、2つの家族を養えることになります。

　これを国家規模で考えると、その国が潤っていなければならない、つまりは、その国の経済が活発でなければならないということです。もしすべての国民の"理想の状態"を賄えるだけ経済が活発であればどうでしょうか？　少なくとも、他国や他地域に対して、自分から戦争を仕掛けようなどとは思わないはずです。

　問題は"理想の状態"のバブルが起きてしまうことです。欲望の際限がなくなってしまえば、当然、永遠に"理想の状態"に到達できないので、さらに奪おうとしてしまうことでしょう。

　けれども、どうでしょうか？　もし、奪えないのだとわかり、諦観したとしたら。自分の欲望に対して、限界を考えるようになるのではないでしょうか。

　歴史上、人類は侵略して支配する側と支配される側に分かれました。経済的に搾取する側と搾取される側に分かれました。ところが、支配される側に、"稼ぐ力"があったとしたら、つまりマーケティングが浸透していたらどうでしょうか？

　そう容易く侵攻されなかったでしょうし、あるいは、相手は侵攻を諦めたかもしれません。

　もし、ペリー来航のとき、日本の幕府や諸藩が貿易をすることによって稼ぐ力を身につけていて、強力な艦隊と砲台を築いていたのならどうでし

ょうか？　ペリー艦隊は、脅すどころか蹴散らされていたに違いありません。そもそも、日本に不平等条約を強要することもなかったでしょう。

　稼ぐ力、つまりマーケティング力は、多くの人の"理想の状態"である幸福を担保します。そして、敵対する勢力に対する防衛力にもなります。もし、マーケティングが機能すれば、まずは他国や他地域を侵攻する必要はないでしょうし、他国や他地域がマーケティング力を有していて十分な防衛力を保有していれば、そこを侵攻して搾取しようなどという気も失せるでしょう。

　それぞれの地域が等しくマーケティング力を保有すれば、富の偏りも今よりもずっと少なくなるはずです。

　そうです、僕は核兵器を保有するよりも、マーケティング力をそれぞれ保有したほうが、戦争の抑止力になるのではないかとすら考えています。

　あらゆる不幸は、マーケティング力の不足、そしてマーケティングの機能不全から始まるのではないでしょうか。

　それぞれの国や地域、それぞれの民族が正しくマーケティング力を保持することができれば、戦争は起きずに平和なのではないでしょうか。

　マーケティングが平和をもたらすと、僕は信じているのです。

戦争の回避と平和

❶（需要＞供給）×ｎ期間＝闘争着火　←　マーケティング力で供給量を増やす

❷マーケティング力がディフェンスとして機能する

❸マーケティング力の均衡が富の偏りを緩和させる　←"理想の状態"のバブル解消

❹（需要≦供給）×10,000年間＝１万年のユートピア

第3編

1シート解体新書

〔ケース・スタディ／CASE STUDY〕

CASE
STUDY

阪急電鉄と小林一三
日本屈指の天才起業家にしてイノベーター

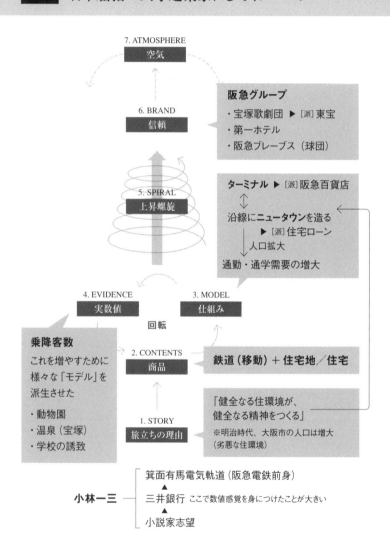

7. ATMOSPHERE
空気

6. BRAND
信頼

阪急グループ
・宝塚歌劇団 ▶[派]東宝
・第一ホテル
・阪急ブレーブス（球団）

5. SPIRAL
上昇螺旋

ターミナル ▶[派]阪急百貨店
⇕
沿線に**ニュータウン**を造る
▶[派]住宅ローン
人口拡大

通勤・通学需要の増大

4. EVIDENCE
実数値

3. MODEL
仕組み

回転

乗降客数
これを増やすために
様々な「モデル」を
派生させた

・動物園
・温泉（宝塚）
・学校の誘致

2. CONTENTS
商品

鉄道（移動）＋住宅地／住宅

「健全なる住環境が、
健全なる精神をつくる」

※明治時代、大阪市の人口は増大
（劣悪な住環境）

1. STORY
旅立ちの理由

小林一三 ──
箕面有馬電気軌道（阪急電鉄前身）
▲
三井銀行 ここで数値感覚を身につけたことが大きい
▲
小説家志望

実質的に阪急電鉄を創った小林一三は、日本の歴史上、屈指の起業家であり、イノベーターであると言っていいでしょう。映画や小説にもなった「阪急電鉄」は、関西の方にはお馴染みでしょう。もちろん、「阪急百貨店」は多くの方は知っているでしょうけれども、駅の終着駅にそのままデパートを建てる"ターミナルデパート"という発想が、そもそも小林一三の発明だったことは、知らない方が多いかもしれません。「東宝」が「東京宝塚劇場」からの"派生"だった、つまりは、大本は「宝塚歌劇団」だったことはご存じでしょうか？　それらすべてを作ったのが、小林一三でした。

　元々は、銀行員でした。僕はここで"数値感覚"を身につけたことが、後の起業家小林一三を誕生させるきっかけになったのではないかと思います。阪急電鉄の前身である箕面有馬電気軌道は、そもそも潤っていた路線ではありません。潤っているどころか、大赤字の路線でした。どうやって売上、つまりは「エビデンス」を上げるかと考えたときに、小林一三の思考は"合理的に飛躍"しました。それを"イノベーション"と言っていいでしょう。

当時、大阪市は日清・日露戦争後の好景気から人口が爆発的に増えていて、劣悪な住環境だったと言います。小林一三は「健全なる住環境が、健全なる精神をつくる」という「ストーリー」を掲げ、鉄道の沿線に住宅地と住宅、つまりはニュータウンを造り、住宅ローンまで発明しました。そして、大阪に通勤する沿線人口を増やすことによって、小林一三の本来の「コンテンツ」である"移動"を増大させて「エビデンス」を増加させたのです。

　動物園や温泉などを作ったのも、"移動"を増大させるのが目的です。そうして作ったアミューズメント施設と「コンテンツ」の一つが、「宝塚歌劇団」でした。それが、「東京宝塚劇場」そして、映画の「東宝」へと派生していきます。

　小林一三の強さは、足元ではなくて、視座を上げて"顧客メリット"を自由に考えることによって、イノベーションを起こし続けることができたことでしょう。

織田信長
マーケティング視点により戦国最強の大名に

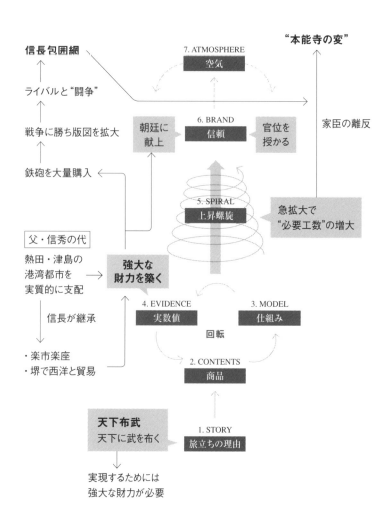

"本能寺の変"

信長包囲網

7. ATMOSPHERE
空気

↑
ライバルと"闘争"

↑
戦争に勝ち版図を拡大

6. BRAND
信頼

朝廷に献上

官位を授かる

家臣の離反

↑
鉄砲を大量購入 ←

5. SPIRAL
上昇螺旋

急拡大で
"必要工数"の増大

父・信秀の代

熱田・津島の
港湾都市を
実質的に支配 →

**強大な
財力を築く**

4. EVIDENCE
実数値

3. MODEL
仕組み

回転

信長が継承

・楽市楽座
・堺で西洋と貿易

2. CONTENTS
商品

天下布武
天下に武を布く

1. STORY
旅立ちの理由

↓
実現するためには
強大な財力が必要

稀代の天才、戦国大名織田信長をマーケティング的な側面から見ていくと非常に興味深い、違った物語が見えてきます。

織田信長の強さの大本は、信長の父、織田信秀にありました。信秀、信長の系譜の織田家は、尾張の支配者だったわけではありません。守護ではなく、その家臣のそのまた家臣という、家柄として見れば傍流中の傍流でした。

ところが、信長の父信秀は、熱田神宮の港湾都市や門前町、津島の港湾都市を実質的に支配し、その貿易によって生じる富、つまりは「エビデンス」を掌握することによって、家柄とは不釣り合いな"強大なる財力"を保有しました。これで軍隊を組織し、軍事的にも他の織田家を凌駕するようになります。信秀は、その財力を使い、朝廷に献金し、官位を得て「ブランド」価値を高めていきます。

その父親の姿を見て育った信長は、港湾都市や門前町の持つ「マーケティング」の強大さを知らなかったはずはありません。それゆえに、上洛後は関西の港湾都市である堺に目をつけ、ここを実質的に支配下に置き、西洋との貿易を進めようとしました。

また、"楽市楽座"政策を採用したのも、当然の帰結と言えます。なぜなら、自由な「マーケティング」の集積、つまりは「経済」の強さこそが、強大な軍隊を生み出す源になることを知っていたからです。この経済力を背景に、信長は長篠の戦いで、大量の鉄砲を持ち込み、最大のライバル武田家に圧勝します。当時、鉄砲は高価なもので、簡単に買えるものではありませんでした。

強大なマーケティングを源にした「天下布武」の事業は、やがて、行き詰まることになります。原因は、「スパイラル」。あまりに一人勝ちしたために、ライバルが結託して信長包囲網を結成します。もちろん、自分たちの"既得権益"を守るためです。そのため、信長は多方面作戦を採らざるを得なくなり、マネジメントが破綻して、浅井長政、松永久秀、荒木村重などの離反を招きます。

そして、側近明智光秀の離反は決定的となり、波乱の生涯を閉じます。そうです、本能寺の変です。

CASE 3 ジャパネットたかた
セールスフォースの最大活用で飛躍

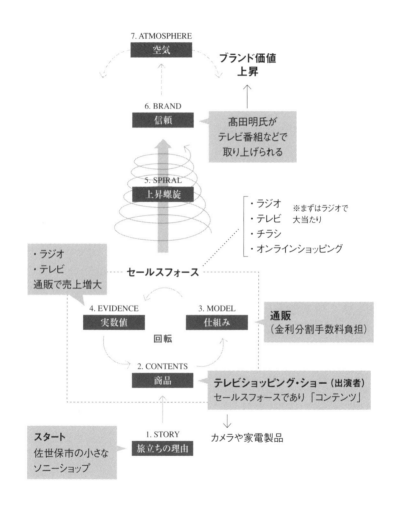

7. ATMOSPHERE
空気

ブランド価値上昇

6. BRAND
信頼

高田明氏が
テレビ番組などで
取り上げられる

5. SPIRAL
上昇螺旋

・ラジオ　※まずはラジオで
・テレビ　　大当たり
・チラシ
・オンラインショッピング

・ラジオ
・テレビ
通販で売上増大

セールスフォース

4. EVIDENCE
実数値

3. MODEL
仕組み

通販
（金利分割手数料負担）

回転

2. CONTENTS
商品

テレビショッピング・ショー（出演者）
セールスフォースであり「コンテンツ」

スタート
佐世保市の小さな
ソニーショップ

1. STORY
旅立ちの理由

カメラや家電製品

「ジャパネットたかた」の創業者である高田明氏の声と顔を知らない日本国民はいないでしょう。テレビのショッピングCMをショー化し、売上規模を拡大させました。

ジャパネットたかたの始まりは、佐世保市の小さなソニーショップでした。田舎の商店街でも見かけるような小さな電器屋さんが始まりで、その意味では大型家電量販店にマーケティング的に駆逐されてもおかしくないスタートだったと言えるでしょう。

ジャパネットたかたがきっかけを摑んだのは、長崎放送のラジオショッピングでした。店舗ではありえない売上を数分間で叩き出した高田氏は、通信販売に可能性を見出し、それ以降は、これに特化していく戦略を打ち立てていきます。ラジオショッピングからテレビショッピングに場を移して、さらに売上、すなわち「エビデンス」が増大します。

ここで留意したいのは、「ジャパネットたかた」が売っているものが他の電器屋さんや家電量販店でも売っているものと同じだということです。つまり、「コンテンツ」の質に差異はない。それなのに、他の多くの小さな電器屋さんとは違って大きな飛躍を遂げたのは、"ラジオショッピング"や"テレビショッピング"などの「セールスフォース」を上手く使いこなしたからです。つまり、「ジャパネットたかた」の革新は「セールスフォース」の革新でした。

創業者高田明氏自らが出演するテレビショッピングでは、それ自体をショーとして「コンテンツ」にし、高田明氏自身も「コンテンツ」になったことで差別化を徹底させました。「ジャパネットたかた」のテレビショッピングは、ショー（コンテンツ）で出演者（コンテンツ）が商品（コンテンツ）を売る、という特異な構造になり、お茶の間で観る視聴者は、CMを観ているというより、楽しいショーを観ている感覚になり、ショーに参加するような気持ちで、購入まで楽しむという構造です。

家電製品の「コンテンツ」の質ではなく、実は、そのショーと出演者の「コンテンツ」の質こそが、「ジャパネットたかた」の命でしょう。

CASE 4 ビジネス YouTuber
有料コンテンツの無料配信で得るものとは?

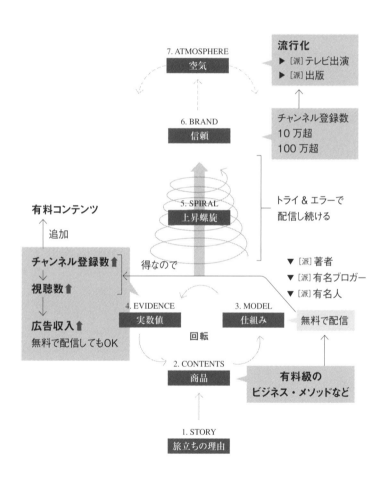

7. ATMOSPHERE
空気

流行化
▶ [派] テレビ出演
▶ [派] 出版

6. BRAND
信頼

チャンネル登録数
10 万超
100 万超

5. SPIRAL
上昇螺旋

トライ & エラーで
配信し続ける

有料コンテンツ
↑ 追加

チャンネル登録数↑
↓
視聴数↑
↓
広告収入↑
無料で配信してもOK

得なので

▼ [派] 著者
▼ [派] 有名ブロガー
▼ [派] 有名人

4. EVIDENCE
実数値

3. MODEL
仕組み

無料で配信

回転

2. CONTENTS
商品

**有料級の
ビジネス・メソッドなど**

1. STORY
旅立ちの理由

現在、YouTubeで検索すれば、わからないことはないというくらいに、コンテンツが充実しています。ゲーム実況、料理、旅行、機材紹介、チャレンジ企画、エクササイズ、ニュース、美容など、幅広いジャンルが網羅され、もはや動画の百科事典という観すらあります。

その中でも、ビジネスYouTuberというジャンルがあります。ここの「レベニュー・モデル」が実に面白い。ビジネスYouTuberとして著名な人は、実際にはYouTube以外でも成果を上げている人たちです。堀江貴文さんなどの経営者、メンタリストDaiGoさん、イケダハヤトさんなどの著者、マナブさんなどの著名ブロガー、オリエンタルラジオの中田敦彦さんなどの有名人。つまりは、元々何らかのファン、フォロワーが多い方が成功しています。

共通していることは、有料級の「コンテンツ」を無料で配信していることです。

なぜ、そんなことができるのか？もちろん、その先に絶大なるメリットがあるからです。無料で配信したとしても、チャンネル登録者数が増え、視聴数が増えると、YouTubeからの広告収入が増えます。それだけでも、収益十分の人もいますが、チャンネル登録者数を母体として、そこへ有料コンテンツへのリンクを貼れば、その中のかなりの数がコンバージョンする、つまりは「エビデンス」になる可能性があります。

たとえば、1配信10万視聴数があれば、たとえ、0.1%コンバージョンしただけで100件の受注となり、たとえば、それが1,000円の有料コンテンツだったとしても1配信10万円の売上となります。そのコンバージョン先がオンラインサロンであればどうでしょうか？　複数の配信から月に継続的に全員が追加されていけば、離脱があったとしても、YouTube合計で月に1,000万円の収益になるのは、そう遠くはない未来の話でしょう。

また、テレビとは違って、スポンサーやテレビ局を気にせず自由に発信できるというメリットも絶大ではないでしょうか。

無料で配信しても大きなメリットを享受できる。それゆえにビジネスYouTuberは有料級のコンテンツを配信するのです。つまり基本的には観る方も配信する方もメリットを享受できるという仕組みなのです。

コミケの壁サークル
商業出版が名刺代わりになる「独立クリエーター」

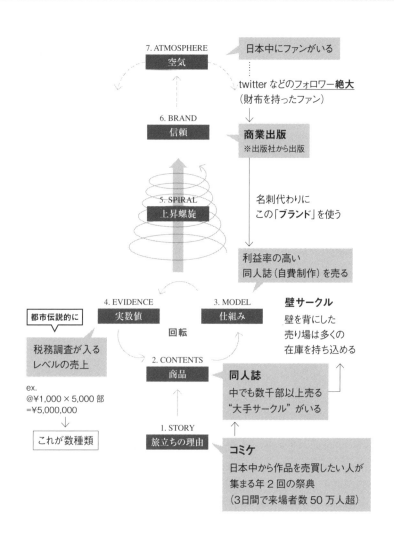

7. ATMOSPHERE
空気

日本中にファンがいる

twitter などの**フォロワー絶大**
（財布を持ったファン）

6. BRAND
信頼

商業出版
※出版社から出版

5. SPIRAL
上昇螺旋

名刺代わりに
この「**ブランド**」を使う

利益率の高い
同人誌（自費制作）を売る

4. EVIDENCE
実数値

3. MODEL
仕組み

回転

壁サークル

壁を背にした
売り場は多くの
在庫を持ち込める

都市伝説的に

税務調査が入る
レベルの売上

2. CONTENTS
商品

同人誌

中でも数千部以上売る
"大手サークル"がいる

ex.
@¥1,000 × 5,000 部
=¥5,000,000

↓

これが数種類

1. STORY
旅立ちの理由

コミケ

日本中から作品を売買したい人が
集まる年2回の祭典
（3日間で来場者数50万人超）

数年前のことです。僕が経営する天狼院書店に、ある著名TL（ティーンズ・ラブ）作家さんを招いてイベントをしました。珍しいゲストだったので、多くのお客様が集まりました。ほとんどはTLについて、その制作についてのお話だったのですが、お客様の質問から、話はコミケ（コミックマーケット）へと派生して行きました。

コミケとは、言わずと知れた、同人誌を頒布する日本最大の同人誌即売会のことです。3日間で50万人以上を集める巨大なマーケットで、会場の東京ビッグサイトに設置されたATMが空になったとニュースで報道されるほどに活発にやり取りされます。僕はその後スタッフと一緒に冬のコミケに行ったのですが、その熱気に圧倒されました。そのTL作家さんが言っていたことが本当なのか、確かめに行きたかったからです。

そのTL作家さんはこんなことを言っていました。

コミケにはとんでもない部数を売る大手サークルがあって、それは壁側の売り場を与えられるので"壁サークル"と言われている。島中ではなく、壁側ならば多くの在庫を置けるからで、一年間で数千万円を売り上げ、税務調査が入る規模のところもある――。

さらに興味深かったのは、出版社からプロとして出版した物を"名刺"代わりに使い、利益率の高い、自費制作の作品を多く売るという「モデル」でした。つまり、出版社の「ブランド」を利用して、利幅の大きな同人誌を売るというのは、ビジネスとして秀逸です。売れ残りは専門のショップに卸すというエコなシステムもあります。

コミケ会場を回ってみて痛感したのは、その「コンテンツ」の質の高さでした。写真集やデータを売っているコスプレイヤーさんたちが数多くいるのですが、その写真のレベルは、完全にプロフェッショナルでした。使っている機材のみならず、スキルがプロレベルの方が数多くいました。また、企画も自由で、出版社ならまず出ないと思われる内容も多くありました。こういった自由な市場から新たな才能が芽吹くのではないかと思いました。皆さんも機会があれば、ぜひ、行ってみてください。

Amazon
進化論的に成長をする自然淘汰の勝者

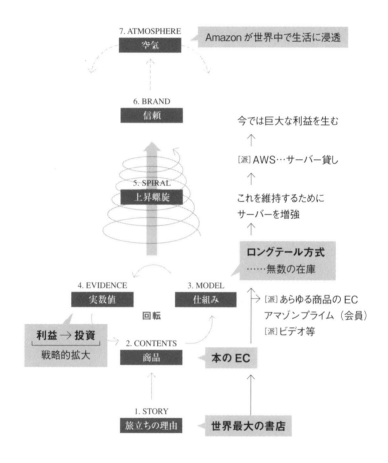

7. ATMOSPHERE
空気

Amazon が世界中で生活に浸透

6. BRAND
信頼

今では巨大な利益を生む
↑
[派] AWS…サーバー貸し
↑
これを維持するために
サーバーを増強
↑

5. SPIRAL
上昇螺旋

ロングテール方式
……無数の在庫

4. EVIDENCE
実数値

3. MODEL
仕組み

回転

→ [派] あらゆる商品の EC
アマゾンプライム（会員）
[派] ビデオ等

利益 → 投資
戦略的拡大

2. CONTENTS
商品

本の EC

1. STORY
旅立ちの理由

世界最大の書店

スタートは"本を売るECサイト"だったものが、急拡大を遂げて、今では世界中で無くてはならない存在として生活に浸透しています。世界最大規模にまで成長したAmazonの強さの秘訣とは何なのでしょうか？

まず、挙げられるのが徹底した「顧客第一主義」。顧客にいいと思うものは積極的に投入する姿勢があり、また、利益を未来に投資するスタイルも拡大を促進させました。「世界最大の書店」になる過程で、当然のようにサーバーの増強が必要となり、その方法論を習得すると、密かに巨大化させて世界最大規模のサーバー貸しになっている。AWSの利益は、Amazonの利益のかなりの割合を占めます。多くのAmazon利用者は、サーバーの会社であることに気づいていないのではないでしょうか。

さらには、アマゾンプライムの会員サービスは、様々なサービスや特典を組み入れて、「入らない理由はない」レベルへと昇華させ、Amazonのある生活を当たり前のものとさせます。アマゾンプライム会員からの定額支払だけでも売上は莫大な規模になり、これにアマゾンプライムビデオなどのサービスまで付加して、さらに顧客を囲い込みをはかりました。Netflixに対抗して、自社オリジナルのコンテンツ制作にも力を入れ始めます。

また、本からスタートした販売品目も、もはやAmazonでは買えないものがないくらいになっており、自社だけでなく、大家としてマーケットを開放する、Amazonマーケットプレイスを開設することによって、さらに品目を充実させます。そもそも、米大手書店チェーンのバーンズ・アンド・ノーブルなどのリアル書店ではできない規模で品目を充実させる"ロングテール方式"は、インターネット上におけるメリットであり、本でのその成功を多品目に応用して拡大しているのでしょう。

こうなると顧客は、プライム会員にもなっていることもあり、Googleで商品を検索するのではなく、Amazonの検索窓で直接商品を探すようになります。

Amazonの成長の原理は、もしかして、最も理に適った形、つまり進化論の自然淘汰の原理を勝ち抜く形に進化したことなのかもしれません。まさにAmazonのジャングルのように。

イーロン・マスク
「ストーリー主義」の起業家が世界一の大富豪に

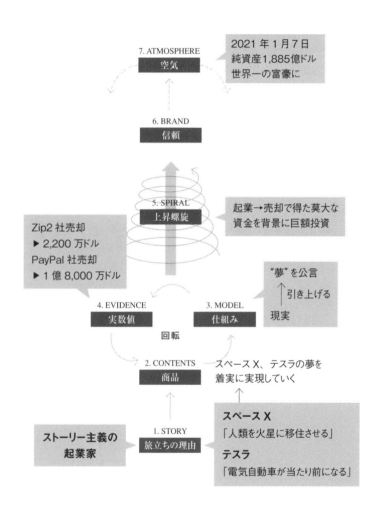

7. ATMOSPHERE
空気

2021 年 1 月 7 日
純資産1,885億ドル
世界一の富豪に

6. BRAND
信頼

5. SPIRAL
上昇螺旋

起業→売却で得た莫大な
資金を背景に巨額投資

Zip2 社売却
▶ 2,200 万ドル
PayPal 社売却
▶ 1 億 8,000 万ドル

4. EVIDENCE
実数値

回転

3. MODEL
仕組み

"夢"を公言
引き上げる
現実

2. CONTENTS
商品

スペース X、テスラの夢を
着実に実現していく

スペース X
「人類を火星に移住させる」

テスラ
「電気自動車が当たり前になる」

1. STORY
旅立ちの理由

ストーリー主義の
起業家

2021年1月7日、あるニュースに世界中が驚きました。

　民間宇宙事業の世界的トップランナー「スペースX」と電気自動車の業界を実質的に牽引している「テスラ」の総帥である、イーロン・マスクがついに純資産1,885億ドルの世界一の大富豪になったというものでした。Amazonのジェフ・ベゾスを抜いての堂々たる結果でした。

　乱暴な言動などで度々問題にもなる、一時期は空想家とも見られていたイーロン・マスクが、なぜ世界一に上り詰めることができたのでしょうか？

　彼は実は、シリコンバレーで着実なステップを踏んだ、実業家だったからです。弟と起業したZip2社は買収されて、2,200万ドルを得て、次に起業した会社は合併の末にPayPalとなり、ここもeBayに買収されてイーロン・マスクは1億8,000万ドルほどを手にします。日本流に言えば"わらしべ長者"のように、保有資金と影響力を巨大化させていったイーロン・マスクは、念願だった宇宙事業へと進出します。そうです、「スペースX」です。そんな会社を運営できたのも、"わらしべ長者"的なステップアップがあったからこそです。彼は、資金を保有する術を知っていたばかりでなく、何よりも重要な、優秀な人材を集める術も知っていたことになります。

　たとえば、イーロン・マスクは、「火星に人類を移住させる」などと一見無謀な夢を平気で掲げますが、そうしたシリコンバレーで培った「スパイラル」力によって、夢を一歩一歩実現させていきます。

　電気自動車の「テスラ」に関しても同様に、未来は電気自動車が当たり前になると振り切って考え、電気自動車のみならず、太陽光発電会社まで立ち上げ、エネルギー網の開発にも投資します。

　普通なら誇大妄想家として終わってもおかしくないことを、シリコンバレーでの経験がリアリティーを付加させ、公言された大きな"夢"が徐々に現実化していき、ついには世界一の大富豪になったということでしょう。

　つまり、1シート・マーケティング的に言えば、「ストーリー主義」の起業家が世界一の大富豪になったとも言えます。彼の今後にも注目したいものです。

ソフトバンク
最強セールスフォースで世界を席巻する

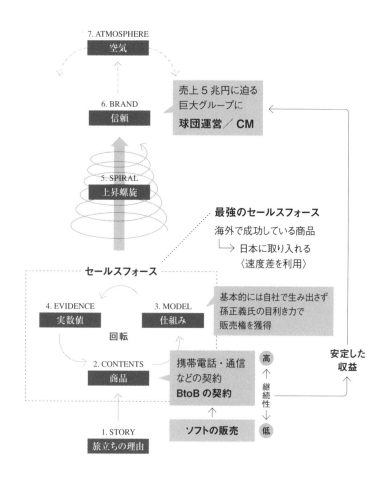

7. ATMOSPHERE
空気

6. BRAND
信頼

売上5兆円に迫る
巨大グループに
球団運営／CM

5. SPIRAL
上昇螺旋

最強のセールスフォース

海外で成功している商品
└─→ 日本に取り入れる
〈速度差を利用〉

セールスフォース

4. EVIDENCE
実数値

3. MODEL
仕組み

回転

基本的には自社で生み出さず
孫正義氏の目利き力で
販売権を獲得

2. CONTENTS
商品

携帯電話・通信
などの契約
BtoBの契約

高
↑
継続性
↓
低

**安定した
収益**

1. STORY
旅立ちの理由

ソフトの販売

皆さんは、巨大企業ソフトバンクが売っている「コンテンツ」は何かと考えたことはあるでしょうか？

昔はコンピュータのソフトを売っていた会社であり、Yahoo! Japan の広告を売っていた会社であり、J-PHONE の携帯電話・回線を売っていた会社であり、Yahoo!BB のADSL を売っていた会社であり、iPhone を日本でいち早く売った会社であり、今では AI まで売ろうとしている会社です。

そう、考えてみると、根本から自社開発している「コンテンツ」は極めて少なく、他国で立ち上がった有望なサービスを日本に持ち込み、売り込み、シェアを拡大する中で会社の規模も拡大させていった会社であると見えます。

つまり、ソフトバンクの強さは、実際は孫正義さんの未来を見通す先見性からもたらされるバイヤーとしての卓越した能力と、国の浸透の速度差を利用した市場の獲得とそれを実現させることができる最強のセールスフォース、つまりは販売部隊にあると僕は見ます。

さらに特徴的なのは、年を経るごとに"課金モデル"、すなわち顧客からの"受領の方法"が、"継続性"の高いものに特化しつつある、ということです。たとえば、携帯電話やインターネット通信サービスは、一度契約すれば、継続的に顧客は利用料金を支払うことになります。では、継続性の高い商品に特化するとどんなメリットがあるでしょうか？　基本的には、たとえば、家電製品などの通常の小売であれば、その都度売らなければならず、セールスフォースの工数がかさみます。けれども、継続性の高い商品であれば、一度契約してもらえれば継続的に収益が上がるので、費用対効果が絶大になるのです。

携帯電話やインターネット通信サービスは元より、ソフトバンクがBtoB で取り扱う多くの商品も非常に継続性が高い商品です。企業向けの通信サービスや、IBM の AI、ワトソンの代理店としての側面ももち、これも継続性の高い"課金モデル"を採用しています。実は、最近店頭で見かけるロボット Pepper も、実はロボットを買って終わりではなく、継続性の高い契約プランが用意されています。

なぜそれを知っているのかって？当社も長年営業を受けているからです。

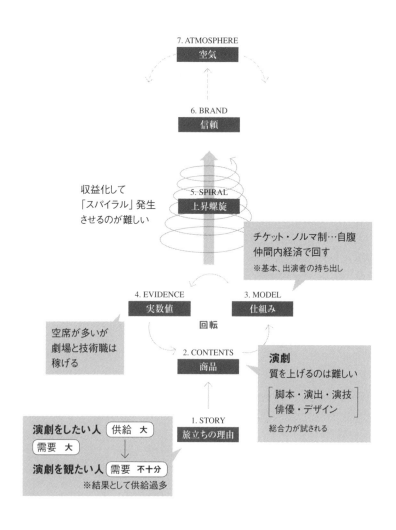

CASE
9

小劇団をめぐるマーケティング
需要と供給のアンバランス

7. ATMOSPHERE
空気

6. BRAND
信頼

収益化して
「スパイラル」発生
させるのが難しい

5. SPIRAL
上昇螺旋

チケット・ノルマ制…自腹
仲間内経済で回す
※基本、出演者の持ち出し

4. EVIDENCE
実数値

3. MODEL
仕組み

回転

空席が多いが
劇場と技術職は
稼げる

2. CONTENTS
商品

演劇
質を上げるのは難しい

[脚本・演出・演技
俳優・デザイン]

総合力が試される

1. STORY
旅立ちの理由

演劇をしたい人 (供給 大)

需要 大

演劇を観たい人 (需要 不十分)

※結果として供給過多

小劇団は儲からない。そんな話を皆さんも聞いたことがないでしょうか？　実はそれはある意味では正しく、ある意味では正しくないとも言えます。

それは、いったい、どういうことなのか？

そもそも、前提として、押さえておかなければならないのは「演劇をしたい人」は多い、という事実です。それに比べて、「演劇を観たい人」の数は少ない。いや、観たい人の方が多いでしょう、と思うかも知れませんが、マーケティングとして成り立たせるためには、当然、「演劇をしたい人」に対して、数百倍の需要がなければならない。たとえば、4人の出演者がいて、客席が100席ある場合、少なくとも1人当たり25人集めなければ満席になりません。ただし、稽古の費用や大道具などの経費、劇場費、舞台監督や照明、音響の技術者へのフィーなどを考えたときに、1回の上演だけでは賄えません。複数回の上演が必要となります。たとえば、4回上演したとすれば、供給される席数は400席となり、一人当たり100人集めなければならなくなります。つまり、「演劇をしたい人」1人に対して、「演劇を観たい人」100

人が必要になります。そんな人数、よほどの人気劇団でなければ集めることは難しい。つまり、マーケティング的に見ると、簡単に "供給過多" の状態に陥りやすい構造になっています。もちろん、マーケティング的に理想なのは、欲しい人が多い状態、つまりは "需要過多" です。その逆の状態になりやすいのが、小劇団なのです。

ならば、「コンテンツの質」を上げて需要を増やせばいいではないか。確かにそのアプローチもあるでしょう。けれども、演劇とは、脚本、演出、演技、俳優、デザインなど、総合的に網羅すべきコンテンツの種類が多すぎて、そのすべての質を上げるのは極めて難しくなります。この点を見ても、マーケティング的には難しい。

ただ一点、「演劇をしたい人」の需要が多いことを見れば、演劇の場所や技術を提供する側はマーケティング的に成り立つ可能性が高くなります。

一見儲からない業界でも、儲かる部分があるのです。

CASE 10 俺のイタリアン
レベニューモデルの発明

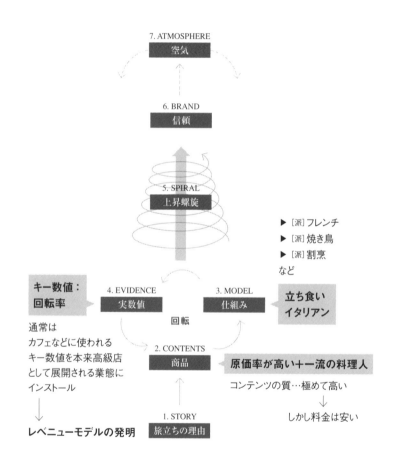

7. ATMOSPHERE
空気

6. BRAND
信頼

5. SPIRAL
上昇螺旋

▶ ［派］フレンチ
▶ ［派］焼き鳥
▶ ［派］割烹
など

**キー数値：
回転率**

4. EVIDENCE
実数値

3. MODEL
仕組み

**立ち食い
イタリアン**

回転

通常は
カフェなどに使われる
キー数値を本来高級店
として展開される業態に
インストール

↓

レベニューモデルの発明

2. CONTENTS
商品

原価率が高い＋一流の料理人

コンテンツの質…極めて高い

↓

しかし料金は安い

1. STORY
旅立ちの理由

「俺のイタリアン」が登場したとき、ビジネス系のメディアは騒然となりました。

それもそのはず。本来、飲食業界では相容れるはずのない2つの顧客メリットの統合を見事に果たすモデルが示されたからです。その相容れるはずのない2つの顧客メリットとは、「安さ」と「コンテンツの質」です。いや、安い、美味い、はありました。ただし、安いと超絶美味い、は実現されませんでした。

高級イタリアンで出されるハイパーコンテンツが、信じられない安さで提供される。しかも、シェフは一流であり、食材費もかなりかけている。それなのに魔法のように収益を出している。それが「俺のイタリアン」でした。

魔法の種明かしは、わかってしまえば単純でした。高級イタリアンに、立ち食いそば屋のDNAを移植したのです。つまり、高級イタリアンの経営に関して考えるならば、絶対に採用しない「キー数値」、「回転率」の考え方を導入したのです。

それはどういうことなのか？

一般の高級イタリアンについて考えてみましょう。一晩で1つのテーブルが何回転するでしょうか？　高級であればあるほど、答えは単純です。1回転です。なぜなら、コース料理の場合、1組の食事時間が90分から120分だからです。つまり、販売数が限られていて、しかも食材費も高いゆえに、自然と料金は高額になります。ところが、この販売数が限られているという条件を撤廃した場合、つまり席の回転率が高かった場合、どうなるでしょうか？　「高級料理を安くします、ただし、立ち食いで良ければ」の条件でいいお客様だけを相手にすれば、成立します。つまり、立ち食いであっても安くて高級料理を食べたいという需要が、人が思うよりも遥かに多かったということです。

「俺のイタリアン」が秀逸なのは、机上の論としては成り立つモデルを実際にやり、レベニューモデルとして成立させてしまっているところです。つまり、レベニューモデルのイノベーションであり、発明だと言えるでしょう。

このモデルは種類を変えても成り立つのでフレンチ、割烹など派生が多く生まれました（現在は多くの店で着席スタイルになっています）。

Netflix
「マネジメント」の成功がすべての成果の源

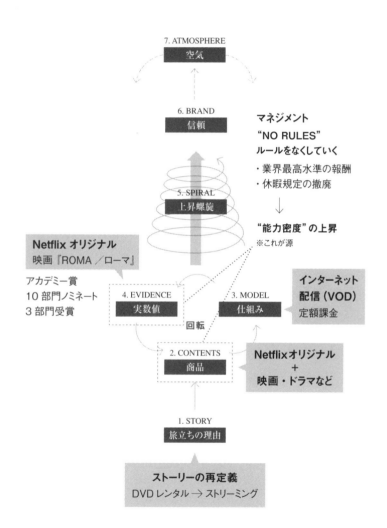

7. ATMOSPHERE
空気

6. BRAND
信頼

マネジメント
"NO RULES"
ルールをなくしていく
・業界最高水準の報酬
・休暇規定の撤廃

↓

5. SPIRAL
上昇螺旋

"能力密度"の上昇
※これが源

Netflix オリジナル
映画『ROMA ／ローマ』

アカデミー賞
10 部門ノミネート
3 部門受賞

4. EVIDENCE
実数値

3. MODEL
仕組み

インターネット
配信（VOD）
定額課金

回転

2. CONTENTS
商品

Netflixオリジナル
＋
映画・ドラマなど

1. STORY
旅立ちの理由

ストーリーの再定義
DVD レンタル → ストリーミング

Ｎｅｔｆｌｉｘオリジナルの映画『ROMA／ローマ』が2019年のアカデミー賞を席巻しました。作品賞を含む10部門にノミネートされ、3部門で受賞しました。ストリーミングの会社が制作した作品がアカデミー賞を受賞するのは快挙であり、時代の潮流が変わる"潮目"となった出来事でした。

　それでは、なぜNetflixは快進撃を続けられるのでしょうか？

　たしかに、いち早くDVDレンタルからストリーミングへの業態転換、つまりは「ストーリーの再定義」ができたところに大きな勝因があります。ただし、Netflixの強みはこれだけではありません。

　"NO RULES"、つまりはルールを撤廃していき、優秀な人材を雇い入れ、Netflixが言うところの「能力密度」を高めたところに大きな理由があります。つまり、「スパイラル」におけるマネジメントの方法論が極めて合理的ゆえに、大きな成果が上げられる企業になっているということです。

　Netflixが掲げる"NO RULES"とは、どんな内容なのでしょうか？

　まずは、率直なフィードバックをする、というものがあります。新入社員がトップに「今の発言は感情的に聞こえました」とフィードバックすることもあります。Netflixでは、思ったときに適切なフィードバックをしないことは責任を果たしていないとみなされます。つぎに、休暇規定の撤廃があります。他に迷惑がかからなければ、休暇をいつ取ってもいいというものです。成果主義ではない報酬もポイントでしょう。成果が上がったから報酬を上げるのではなく、そもそも業界最高水準の報酬を約束して伸び伸びと働いてもらうことに注力しています。

　これによって、いい人材が集まるようになり、組織全体の「能力密度」が高まり、アカデミー賞受賞などのハイパーエビデンスを上げられるようになった。「コンテンツの質」を上げるのも、顧客のメリットを上昇させる「モデル」の最適化を図るのも、「エビデンス」を上げるのも、結局は組織全体の「能力密度」によるということでしょう。

　極めて高い「能力密度」を維持し、「スパイラル」を回し続けるNetflixが、今後さらなる「エビデンス」を上げたとしても少しも不思議ではありません。

CASE 12 里山十帖
ブランド戦略の勝利

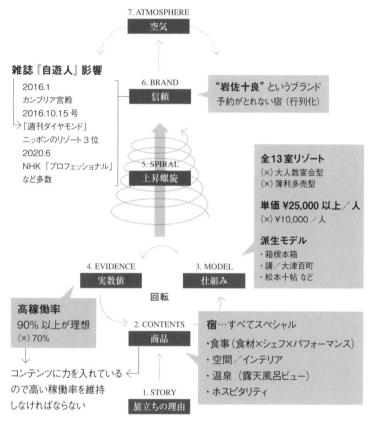

7. ATMOSPHERE
空気

雑誌『自遊人』影響
2016.1
カンブリア宮殿
2016.10.15 号
→「週刊ダイヤモンド」
ニッポンのリゾート 3 位
2020.6
NHK「プロフェッショナル」
など多数

6. BRAND
信頼

"岩佐十良" というブランド
予約がとれない宿（行列化）

5. SPIRAL
上昇螺旋

全13室リゾート
（×）大人数宴会型
（×）薄利多売型

単価 ¥25,000 以上／人
（×）¥10,000 ／人

派生モデル
・箱根本箱
・講／大津百町
・松本十帖 など

4. EVIDENCE
実数値

3. MODEL
仕組み

回転

高稼働率
90% 以上が理想
（×）70%

コンテンツに力を入れている
ので高い稼働率を維持
しなければならない

2. CONTENTS
商品

宿…すべてスペシャル
・食事（食材×シェフ×パフォーマンス）
・空間／インテリア
・温泉（露天風呂ビュー）
・ホスピタリティ

1. STORY
旅立ちの理由

さとやまから始まる 10 の物語
```
1. 食  2. 住  3. 衣  4. 農  5. 環境
6. 芸術  7. 遊  8. 癒  9. 健康  10. 集う
```

第2編でも述べたように、僕は稲作が盛んな農村出身です。学生時代、生まれ故郷の景色に価値を見出すことができませんでした。当然のことです。日常の中に存在する背景だったからです。

ところが、都会に出て二十年ほど過ごすと、不思議と田舎の景色が恋しくなります。当たり前だった満天の星が、都会では灯りに溶けて見えないからです。

僕とは逆に、都会生まれで田舎に価値を見出した人がいました。雑誌『自遊人』編集長の岩佐十良氏です。岩佐氏は、新潟県南魚沼の地に価値を見出しました。おそらく、地元の人にしてみれば、驚きだったのではないでしょうか。岩佐氏が「いいじゃないですか！」と興奮していう景色や生活は、彼らにしてみれば日常以外の何ものでもなかったからです。

里山の地に価値を見出し、滅びようとしていた温泉に命を吹き入れ直してできたのが、「里山十帖」という温泉宿です。「週刊ダイヤモンド」のニッポンのリゾート特集で、第3位にランクされるなど、オープンして瞬く間に話題の温泉旅館となり、予約が取れない宿になりました。つまり、"行列"が生まれ、"ブランド認識"されたのです。

雑誌の編集長として全国の旅館を見てきた岩佐氏は、従来の大型観光ホテルが苦しんでいる様子を目の当たりにしました。観光ホテルで会社の慰労会をやり、浴衣になって数百人規模で横並びにお膳を並べ宴会し、コンパニオンを呼び、温泉に浸かるという「モデル」自体が、平成や令和の時代には消えつつありました。つまり、1万円クラスで大勢が一泊し、宴会などの「追加」で利益を上げるという「レベニューモデル」が通用しなくなったのです。これからは一人一泊25,000円レベルの宿泊料が取れる温泉宿でなければならないと岩佐氏は温泉宿の「レベニューモデル」を設計し直し、完成したのが「里山十帖」です。建物、温泉、料理など、あらゆる「コンテンツ」の質が極めて高く、また来たいと顧客が思う新しい温泉宿の完成です。

岩佐氏はこのモデルを「箱根本箱」「松本十帖」へと「派生」させます。

CASE 13 カルチュア・コンビニエンス・クラブ

需要の必然的縮小と「ストーリーの再定義」

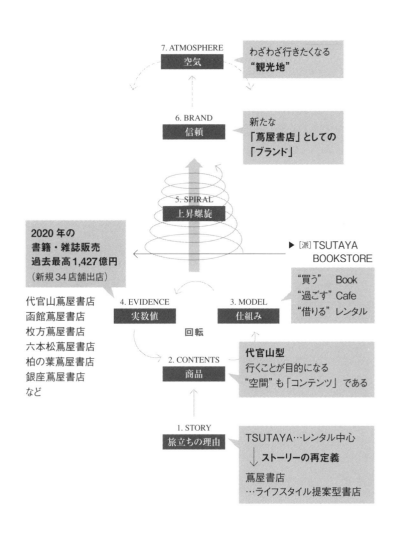

7. ATMOSPHERE
空気

わざわざ行きたくなる
"観光地"

6. BRAND
信頼

新たな
「蔦屋書店」としての
「ブランド」

5. SPIRAL
上昇螺旋

2020年の
書籍・雑誌販売
過去最高1,427億円
（新規34店舗出店）

▶ [派] TSUTAYA BOOKSTORE

代官山蔦屋書店
函館蔦屋書店
枚方蔦屋書店
六本松蔦屋書店
柏の葉蔦屋書店
銀座蔦屋書店
など

4. EVIDENCE
実数値

回転

3. MODEL
仕組み

"買う" Book
"過ごす" Cafe
"借りる" レンタル

2. CONTENTS
商品

代官山型
行くことが目的になる
"空間"も「コンテンツ」である

1. STORY
旅立ちの理由

TSUTAYA…レンタル中心
↓ **ストーリーの再定義**
蔦屋書店
…ライフスタイル提案型書店

ここ1年間でレンタルショップからDVDを借りたことはありますか?

僕は映画や海外ドラマをよく観るのですが、ここ1年間でレンタルショップから借りたことは一度もありません。必ず週に1度は行っていたのに、ここ1年間は"0"です。皆さんも、レンタルショップに行く頻度が極端に減ったのではないでしょうか。

理由は明白です。Netflixなどのビデオ・オン・デマンド(VOD)と呼ばれるストリーミング・サービスが充実し、借りに行かずとも観ることができるようになったからです。

第1編でも「ストーリー」の講義でやったのを覚えているでしょうか。顧客は心が移り変わりやすく、特に「便利・得する・新しい」には敏感に反応します。レンタルDVDからVODへ顧客が推移したのはまさに、VODの方が便利で新しいからです。そうして新しい需要が生まれて、旧来の需要が衰退することを需要の"必然的縮小"と言います。まさに、TSUTAYAは、"必然的縮小"の直撃を受けていたのです。それを見越した彼らは「TSUTAYA」から「蔦屋書店」への業態転換を図ります。つまりは、DVDレンタル中心のモデルから、成功した代官山蔦屋書店をモデルとしたライフスタイル提案型書店へのシフト、すなわち「ストーリーの再定義」を行ったのです。

DVDを借りるだけでなく、本を買うこともでき、カフェで過ごすこともできる書店。しかも、内装などの建物としての「コンテンツ」の質も高めて、書店や図書館というより、わざわざ行きたくなる観光地へと昇華させます。蔦屋の図書館の原型となった武雄市図書館などは、デートスポットになっていました。

ただし、代官山蔦屋書店や二子玉川の蔦屋家電などは、フランチャイズ展開するにはあまりにコストがかかります。この蔦屋書店のDNAを組み込みつつ、量産型にしたのが「TSUTAYA BOOKSTORE」のブランドです。

蔦屋書店は、2020年の書籍雑誌の販売額が過去最高の1,427億円に達したと発表しました。『鬼滅の刃』などのバブル的な恩恵も受けながらも、新規店を34店舗出店し、売上高を伸ばした背景には、「ストーリーの再定義」の効果が表れているのかもしれません。

JR九州と観光列車
遂行率×天才的アイデアが感動を生む

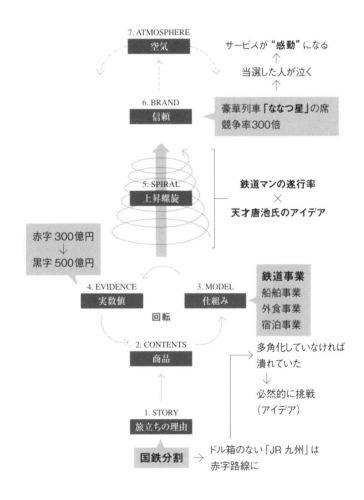

7. ATMOSPHERE
空気

サービス人が"感動"になる
↑
当選した人が泣く
↑

6. BRAND
信頼

豪華列車「ななつ星」の席
競争率300倍

5. SPIRAL
上昇螺旋

鉄道マンの遂行率
×
天才唐池氏のアイデア

赤字 300億円
↓
黒字 500億円

4. EVIDENCE
実数値

3. MODEL
仕組み

鉄道事業
船舶事業
外食事業
宿泊事業

回転

2. CONTENTS
商品

多角化していなければ
潰れていた
↓
必然的に挑戦
（アイデア）

1. STORY
旅立ちの理由

国鉄分割 → ドル箱のない「JR九州」は
赤字路線に

JR九州の観光列車は、単なる“移動”を売るサービスではありません。「ゆふいんの森」や「指宿のたまて箱」など、それに乗ることを“目的”に九州まで行く人も数多くいます。その中でも極め付きが豪華列車「ななつ星 in 九州」です。

　通常、サービスを受ける側の方が言うまでもなく上位であるのに、「ななつ星」での旅が当選すると、連絡を受けた顧客は泣くこともあるといいます。お金を払う側であるにもかかわらず。

　それもそのはず、「ななつ星」の席は競争率が高く、最も人気のDXスイートの部屋では、なんと倍率が300倍を超えることもあるといいます。つまり、マーケティング的にみて完全なる“需要過多”の状態であり、需要の“行列”ができている状態であり、すなわち、多くの方に「ブランド認識」されている状態だということです。

　それでは、なぜ、JR九州の観光列車は「ブランド」と捉えられるようになったのでしょうか？

　そもそも、JR九州は、国鉄分割時は赤字でした。それを立て直す際に、鉄道事業だけでは収益を上げることは難しかったために、「ビートル」などの船舶事業、「うまや」などの外食事業、「奥日田温泉 うめひびき」などの宿泊事業など多角化をすすめ、際立った観光列車も次々生み出していきました。挑戦しなければ潰れる状況であり、アイデアを出さなければ、また潰れる状況だったからです。

　ここで登場したのが、アイデアの天才唐池恒二氏でした。彼のアイデアと推進力によって、そもそも国鉄時代から培われた「遂行率」の高さが機能し、JR九州は躍動しました。そして、お客様に「感動」を与えるほどのサービスやコンテンツを提供できるようになったのです。

　JR九州においては、唐池氏やデザイナー水戸岡鋭治氏の天才性が脚光を浴びますが、「スパイラル」の面において、社員の「遂行率」の高さ、すなわち日本の鉄道マンの優秀さが根底にあると思います。天才唐池氏のアイデアと鉄道マンの「遂行率」の高さの掛け合わせによって、赤字300億円が黒字500億円まで飛躍したのだろうと思います。そこに「感動」という要素が加われば最強でしょう。

富山の薬売り
"先用後利"モデルによる需要の増大

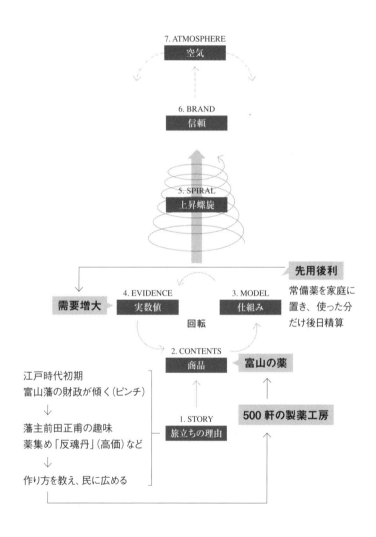

7. ATMOSPHERE
空気

6. BRAND
信頼

5. SPIRAL
上昇螺旋

先用後利
常備薬を家庭に
置き、使った分
だけ後日精算

需要増大　4. EVIDENCE
実数値

3. MODEL
仕組み

回転

2. CONTENTS
商品

富山の薬

江戸時代初期
富山藩の財政が傾く(ピンチ)

↓

藩主前田正甫の趣味
薬集め「反魂丹」(高価)など

↓

作り方を教え、民に広める

1. STORY
旅立ちの理由

500軒の製薬工房

僕の田舎には、定期的に常備薬を売りに来る白衣姿の男性がいました。彼らに対して、我々子供が好意的だったのは、必ず風船をくれるからです。そうです、彼らこそが"富山の薬売り"です。

常備薬として、まずは薬を家庭に置かせてもらう。つまり、ビジネスモデルで言うところの「売場」はそれぞれの家庭です。課金モデルは、なんと、使った分だけの後払い。

これは"先用後利"というモデルで、先に役立ててもらい、後から利益をもらうという方法です。当然、利益を得られないリスクを負うことになります。

それでは、なぜ富山の薬売りは、この"先用後利"という変わったモデルを取り入れることになったのでしょうか？　なぜ、そもそも薬売りは富山なのでしょうか？

話は江戸時代初期に遡ります。前田家が支配する富山藩は、雪のために冬は交通の多くを閉ざされ、財政が逼迫します。何かビジネスをしなければ藩がもたない状況でした。当時の藩主前田正甫は、虚弱体質だったこともあり「反魂丹」などの薬集めが趣味でした。そして、その薬に需要があると見ると、薬の作り方を

教え、生産を奨励し、富山には当時500軒の製薬工房が軒を並べるまでになりました。国策として製薬を奨励したのです。

ところが、当時薬は高価で、なかなか売れませんでした。そこで富山の薬売りたちが目をつけたのが、修験道の山伏たちのビジネスモデルでした。立山信仰の御札を、その信者の家に配る際に、ご利益があったら後で支払ってくれればいいと、まずは御札を配り、後にお金を集める方法を取っていたのです。

それを薬売りに応用することによって、一気に"需要"が増大しました。まずは薬を家庭に置かせてもらい、使った分だけ後で精算する。この何が優れているかと言えば、売りに行ったその最中に、具合が悪い人（需要）と出会う可能性は低くとも、長く置いておけば、いずれ使う機会（需要）が増えるという仕組みです。顧客も健康ならば使わなくともよく、いざとなったら助かるので、双方にとって非常にメリットのあるモデルなのです。

P・T・バーナム
『グレイテスト・ショーマン』のマーケティング

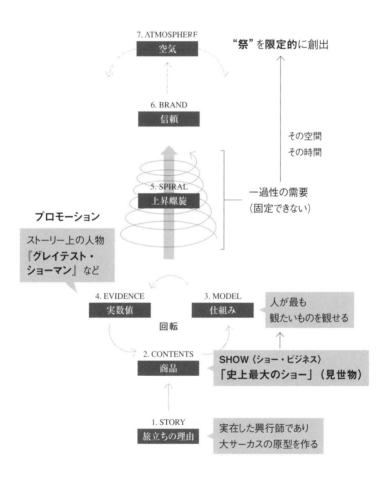

7. ATMOSPHERE
空気

"祭"を限定的に創出

6. BRAND
信頼

その空間
その時間

5. SPIRAL
上昇螺旋

一過性の需要
（固定できない）

プロモーション

ストーリー上の人物
**『グレイテスト・
ショーマン』** など

4. EVIDENCE
実数値

3. MODEL
仕組み

人が最も
観たいものを観せる

回転

2. CONTENTS
商品

SHOW〈ショー・ビジネス〉
「史上最大のショー」（見世物）

1. STORY
旅立ちの理由

実在した興行師であり
大サーカスの原型を作る

ペテン師やいかさま師など、様々な評価があるＰ・Ｔ・バーナムですが、マーケティング的に見ると非常に単純です。

史上類を見ない興行の天才であり、プロモーションの天才です。売っているものの真偽、善悪を別として間違いなく言えることは、彼は顧客が欲したものを提供し続けて、顧客から支持を得ていたという点です。「ブランド」や評価以上に、直接的に顧客の欲求から「コンテンツ」を創り続けた人生だったのではないでしょうか。

見世物小屋のような博物館を作り、ここにも着実に"需要"を作ります。人間の本質をよく考え、たとえ真っ当ではなくとも、本当に顧客が欲しいと潜在的に思っているものを「コンテンツ」として顧客に提供し続けました。

そう考えると、進化論的に最も合理的であり、理に適ったマーケターとも言えるのではないでしょうか。その最たるものが、自ら「史上最大のショー」と名付けたサーカスだったのでしょう。

ただし、そういった顧客の欲求というものは、多くは一過性のものです。たとえば、お祭りが毎日行われす。たとえば、お祭りが毎日行われたり、花火が毎日あったとすれば、人はそれほど"熱狂"しないでしょう。"祭"の本質は、"時間と空間の限定"です。そのとき、その場所だけに起きる"熱狂"を最大限にするのが、ショーであり、サーカスです。

日本でも、お祭りのときだけ現れる屋台や、神社の境内で期間限定で開かれる見世物小屋や演劇小屋が大昔から存在しました。「スパイラル」的な側面で見ると持続可能性が非常に低く、一過性のものであり、事業として成り立たせ続けるのが難しい。けれども「興行」とは、そうした性質のビジネスです。一過性であるからこそ、熱狂する興行は、様々な形で大きな需要を生みます。人気アーティストのコンサートや、プロ野球、大相撲の興行、そして、テントで期間限定で開かれるサーカスは、非常に大きな需要を現出させ、嘘のようにその仕組みを取り払い次に向かいます。

その原型を作った一人が、『グレイテスト・ショーマン』、Ｐ・Ｔ・バーナムなのでしょう。

人は何のために稼ぐのか

　起業してから十数年、ほとんど休んだ記憶がありません。

　迫りくる月末を乗り越えるために必死で働き、ようやく生き延びたと思えば、また、新しい月末がやってくる。それを繰り返していくと、いつしか、起業して十数年が経っていました。ひとりで始めた会社には、今では100人を超える従業員が働くようになっていました。

　経営者として、そして、マーケティングの責任者としての僕には、100人の生活を守る責任があります。仲間の生活や幸せを守るために、稼がなければならない。

　そう考えたときに、僕の中で非常にシンプルな疑問が、暗がりの池に浮かぶ葉のように、ふっと浮かんできました。

人は何のために稼ぐのか。

　最初に脳裏に浮かんだのが、故郷の家族の姿でした。一枚の写真が浮かびました。

　おそらく、それはカメラが趣味の父が撮った写真で、実家の長屋で家族全員が農作業をしているときのもので、幼い僕が祖父に対して、青々としたきゅうりを差し出して、目を落とすばかりに見開いた祖父が、嬉しそうにそれを受け取った一瞬が切り取られているものでした。

そこには、母も祖母も祖父母もいて、その当時の三浦家にとっての幸福が凝縮されていたように思います。

　そうか、と思いました。

　人は人のために稼ぐのだと。そうして人は命を繋いできて、今、ここにいるのだと。古来、人は人のために稼いできた。それがマーケティングの本質であり、誰もがやってきたことなのだと。

　本書に出てきた、「その集団、あるいは個々人の"理想の状態"を維持すること」というマーケティングの目的は、家族写真から着想しました。

　その目的から広がり、その目的を叶えるための様々な手法をまとめたのが、この本です。

　お金が目的となるとき、マーケティングは力を発揮しません。お金は目的ではなく、手段だからです。マーケティングの源は、あくまで"人のため"であって、それを"愛"と言っても差し支えないのではないでしょうか。対象は、人それぞれあるでしょう。家族なのか、会社なのか、社会なのか、仲間なのか。

　けれども、間違いなく言えることは、人のためだと思うとき、人は稼ぐ力を最大化させます。きっと、皆さんのお父さんやお母さん、お祖父さんやお祖母さん、その前の代々の先祖がそうであったように。

　少なくとも、僕はそう思うのです。

　この本を手にする皆さんの胸に、何らかの"愛"があるのであれば、きっとこの本はより皆さんの力になってくれるはずです。

　皆さんの"理想の状態"を実現し、維持することを願っています。

　最後に、この本を形にするチャンスを下さった、ポプラ社の皆様、特に担当編集の大塩大氏に心から感謝申し上げます。本書の内容を

熟成させるのに手助けいただいた、天狼院書店の講座「稼ぐ力を身につける１シート・マーケティング講座」受講生の皆様にも感謝申し上げます。

　また、家族や先祖にも改めて感謝したいと思っています。この本を書くことで、家族のために稼いでくれた先祖の"愛"を感じずにはいられませんでした。僕がこうして元気に働いていられるのは、遥か太古の時代から、"愛"が途絶えることなくリレーされてきたからでしょう。僕自身も家族や多くの人のために、稼ぎ続けようと思っております。

　そして、何より、最後までこうしてお付き合いいただいた読者の皆様、本当にありがとうございました。

令和３年２月　三浦　崇典

著者紹介

三浦 崇典（みうら・たかのり）

1977年宮城県生まれ。株式会社東京プライズエージェンシー代表取締役。天狼院書店店主。小説家・ライター・編集者。雑誌「READING LIFE」編集長。劇団天狼院主宰。大正大学表現学部非常勤講師。

経営する天狼院書店は、全国に現在10書店1スタジオを展開。また、プロカメラマンとしてサービスを展開している「秘めフォト」は、現在月に15,000枚撮影し6,000枚納品するまでに成長している。これらはすべて「1シート・マーケティング」に基づき、事業を拡大している。

NHK「おはよう日本」「あさイチ」、テレビ朝日「モーニングバード」、BS11「ウィークリーニュース ONZE」、文化放送「くにまるジャパン」、テレビ東京「モヤモヤさまぁ〜ず2」、フジテレビ「有吉くんの正直さんぽ」、J-WAVE、NHKラジオ、日本経済新聞、日経MJ、朝日新聞、読売新聞、東京新聞、雑誌『BRUTUS』、雑誌『週刊文春』など出演・掲載多数。雑誌『AERA』の「現代の肖像」に登場。雑誌『週刊ダイヤモンド』『日経ビジネス』にて書評コーナーを連載。

著書に『殺し屋のマーケティング』（ポプラ社）がある。

1シート・マーケティング

2021年3月15日　第1刷発行

著者　　　三浦　崇典

発行者　　千葉　均

編集　　　大塩　大

発行所　　株式会社ポプラ社

　　　　　〒102-8519　東京都千代田区麹町4-2-6
　　　　　一般書事業局ホームページ　www.webasta.jp

印刷・製本　中央精版印刷株式会社

© Takanori Miura 2021　Printed in Japan
N.D.C.675/350 P /19cm　ISBN978-4-591-16899-8